Langs de Kongo

Jeffrey Tayler

Langs de Kongo

Vertaald door Corrie van den Berg

Uitgeverij Atlas – Amsterdam/Antwerpen

Noot van de auteur
Om de privacy van een aantal personen te beschermen, heb ik hun namen en
enige ondergeschikte karaktertrekken veranderd.

© 2000 Jeffrey Tayler
© 2002 Nederlandse vertaling: Corrie van den Berg
Productie: Asterisk*, Amsterdam
Oorspronkelijke titel: Facing the Congo
Oorspronkelijke uitgave: Ruminator Books, Minnesota
Omslagontwerp: Geert de Koning
Omslagfoto: © Robert Caputo/Aurora

ISBN 90 450 0921 8
D / 2002 / 0108 / 670
NUR 508

Inhoud

Dankbetuiging

GRAAG WIL IK MIJN DANK BETUIGEN AAN DE VOLGENDE PERSONEN die mij voorafgaand aan en gedurende mijn reis hebben bijgestaan en die hebben geholpen bij de totstandkoming van dit boek: Mike Edwards en Charles E. Cobb Jr. van *National Geographic*-magazine, voor hun adviezen; dr. Erin Eckert, voor haar aanbevelingen en inlichtingen over Afrikaanse en Franse aangelegenheden; Simon Lelo, voor zijn lessen Lingala, en Tom Crubaugh en de andere medewerkers van het Peace Corps in Brazzaville, voor hun gastvrijheid; Pierre Lokengi van Marsavco, Zaïre, voor het regelen van mijn bootreis stroomopwaarts; Marc J.M. Delmage, George Kotsovos en André van de Stanbic Bank/Zaire, die mijn verblijf in Kinshasa hebben veraangenaamd en me geholpen hebben de noodzakelijke spullen voor de bootreis te slaan; dr. Sam Shaumba en Linda Melesi van de Sapelli-kliniek in Kinshasa, voor hun bemoediging en hun voorlichting over malariamedicatie; Mfimbo Nsamba van de Amerikaanse ambassade in Kinshasa, die me deelgenoot maakte van zijn ervaringen op de rivier; Nze, kapitein Mopai, Jean en de rest van de bemanning van de *Laetitia*, voor al hun steun en geduld; Roger en Leslie Youssef uit Kisangani, voor hun gastvrijheid; Papa Jean van de *Colonel Ebeya*, voor zijn bezorgdheid om mijn welzijn; Joeri en Lilja Filtsjagin uit Kijev, die het appartement voor me vonden waar ik de eerste versie heb geschreven; de manager en het personeel van Hotel Spina in Istanbul, waar ik de tweede versie heb geschreven, voor hun goede zorgen; mijn moeder, mijn vader, Mary Dent Crisp en Paul Hesse, die het manuscript hebben gelezen en van commentaar voorzien; mijn editor, Brigitte Frase, voor haar opmerkingsgave; mijn agente, Sonia Land, voor haar (zoals altijd) onvermoeibare inzet; maar het meest van allen – waar ze zich ook mogen bevinden: kolonel Ekoondo Nguma en Désiré Mundele, die me veilig door een wereld hebben geloodst die ik zonder hun hulp mogelijk niet had overleefd.

Proloog: Dromen van een rivier

In de regen- en stormachtige herfst van 1994 in Moskou, mijn adoptiefwoonplaats, viel ik, drieëndertig jaar oud, ten prooi aan de wanhopige moedeloosheid die veel afgewezen beginnende schrijvers overvalt. Ik had mijn werk voor het Peace Corps in Oezbekistan eraan gegeven en een boek geschreven over een reis door Rusland, maar het lukte me maar niet het te verkopen. Uit armoe had ik een niet-schrijvende baan aangenomen als medebedrijfsleider van een Russisch-Amerikaanse beveiligingsfirma; deze leverde westerse zakenlieden die zich de Russische maffia van het lijf wilden houden bewakingsdiensten (lijfwachten en zo). Ik zette me er geweldig voor in, maar voelde me ellendig. Ik vrat me op, maar niet alleen vanwege het risico te worden opgeblazen of neergeschoten: werken in het bedrijfsleven stond me enorm tegen, zelfs al was mijn baan niet alledaags, en omdat ik geen uitgever had kunnen vinden, wist ik ook niet of ik er ooit nog onderuit zou komen. Op kantoor bestudeerde ik de gezichten van de mensen om me heen om troost te vinden, maar moest constateren dat de meeste collega's klem zaten in hun baan. Hun werk schonk hun geen voldoening en ze hadden er de pest aan, maar toch waren ze als de dood het te verliezen. Zij legden zich neer bij de sleur (die weliswaar zijn spannende momenten kende), en ik voelde de druk om dat ook te doen.

Intussen ging de tijd door, een gegeven waaraan mijn Russische vrienden me met de regelmaat van de klok herinnerden. 'Je bent al drieëndertig! *Vozrast Christa!*' (De leeftijd van Christus.) Ondanks de

verwijzing naar Golgotha begreep ik wat ze bedoelden: wie drieëndertig was, diende onderhand te weten wat hij met zijn leven aan
wilde en in mijn geval was dat niet zo. Mijn toekomst werd er alleen
maar vager op. Mijn jeugd was overgegaan in volwassenheid, maar
allerlei deuren bleken zich voor me gesloten te hebben, terwijl de
weg terug naar alles waarmee ik was opgegroeid, was afgesneden.
In de voorgaande acht jaar waren al mijn grootouders, met wie ik
een innige band had gehad, gestorven; brieven van vrienden in de
States lagen te vergelen en van veel mensen was ik vervreemd geraakt. De zwerflust die me als onbekommerde twintiger van hot naar
haar had gevoerd, eiste zijn tol sinds ik de dertig was gepasseerd: ik
was nergens meer op mijn plaats en voelde me er miserabel bij. En
met mijn schrijverij werd het ook al niets. Een bevredigend levens-
doel zag ik vooralsnog niet en ik werd steeds eenzamer. De romantische ideeën waarmee ik naar het buitenland was vertrokken – je
moet je eigen geschiedenis schrijven en nooit genoegen nemen met
een scenario dat door anderen is opgesteld; je moet je levensvervul-
ling zoeken op basis van je eigen unieke talenten en je mag je niet
door conventies laten leiden – spoorden me aan niet stil te blijven
zitten en iets te ondernemen. Maar *wat* dan precies kon ik maar niet
bedenken.

Ik had het er wel over met mijn vriendin, Tatjana. Ze leefde tot op
zekere hoogte met me mee, maar mijn geklaag begon haar onderhand wel een beetje de keel uit te hangen. Ze vond dat er niet zoveel
mis was met mijn goedbetaalde baan, die ons een onbezorgde toekomst in het vooruitzicht stelde. We hadden het wel over trouwen,
maar aan die stap was ik nog niet echt toe. Voordat ik aan een hu-
welijk begon, wilde ik eerst weten wie ik was en wat ik waard was,
en zo ver was ik nog niet.

Er kwam maar geen einde aan de herfstregen en de rode en gele
tinten vervaagden tot grijs en bruin. In november viel er sneeuw op
de zich tegen de kale hemel aftekenende kale bomen, en nog steeds
had ik geen oplossing voor mijn vragen weten te vinden. Als ik het
idee had gehad dat mijn stemming erop vooruit zou gaan als ik mijn

boeltje pakte en naar een warmer klimaat verhuisde, had ik het misschien gedaan. Maar Tatjana was er en haar wilde ik niet kwijt. Bovendien wist ik dat mijn twijfels me overal zouden nareizen.

Ik begon in het wilde weg een aantal alternatieven uit te werken en plannen op te stellen, liet mijn pen doelloos over de bladen van mijn dagboek zwerven. Ik las heel veel over het Midden-Oosten en Afrika, waar ik in het verleden gereisd en gewoond had, met de gedachte dat ik er misschien een toekomstig plekje voor mezelf zou kunnen vinden. Maar dat was niet zo en met het verstrijken van de dagen werd ik almaar rustelozer en wanhopiger. In die deplorabele toestand kwamen mijn gedachten steeds vaker uit bij een waarheid die minstens zo grimmig, verkillend en onverbiddelijk was als de strengende winter om me heen: onze dagen zijn geteld en aan ons leven komt een einde. Of we er in ons beroep of ons privé-bestaan nu wel of niet iets van maken, onze tijd is begrensd. Het is zaak de angstaanjagende maar ook bevrijdende realiteit van onze eindigheid te accepteren, de ogen niet te sluiten voor de waarheid van ons ingeperkte bestaan en ons niet te koesteren in de illusie dat ons leven altijd maar door zal gaan, hoe troostrijk die illusie ook is. Tegelijk geloofde ik dat zich in het leven, net als in de literatuur, hoogtepunten voordoen, beslissende momenten die al onze twijfels opheffen en overal antwoord op geven, die bepalend zijn voor wie we zijn en wat we waard zijn.

Tijdens deze mijmerende zoektocht kreeg ik bij toeval de roman *A Bend in the River* van V.S. Naipaul in handen. Naipauls Indiase hoofdpersoon, Salim, komt naar Kisangani (de naam van de stad wordt nergens genoemd, maar een andere kan het niet zijn) aan de rivier de Kongo om een winkel te beginnen en een nieuw bestaan op te bouwen. Het verhaal fascineerde me enorm en leek een belofte in te houden, al wist ik niet precies wat die behelsde. In ieder geval werd de Kongo hierdoor een motief in mijn leven; uiteenlopende impressies en brokjes informatie over de rivier waarover ik al beschikte versmolten tot een geheel. Het woord Kongo met zijn sonore o's resoneerde in mijn hoofd als een krachtige dorpstroom en riep beelden op van oerwoud en woest met hun staart slaande krokodillen langs een machtige Afrikaanse rivier.

Korte tijd later stuitte ik op de navigatiekaarten van Zaïre (zoals de Democratische Republiek Kongo toen heette), uitgegeven door de Amerikaanse Defense Mapping Agency. Er waren maar liefst vier onhandelbare kaarten van 1,20 bij 1,50 meter nodig om de rivier op een schaal van 1 : 1.000.000 mijl weer te geven, vier kreukelige groene bladen met kriskras lopende geografische lengtelijnen en breedte-aanduidingen, dooraderd met bochtige rivieren en stroompjes en met de aanduiding POSITIE BIJ BENADERING bij dorpen in het oerwoud met namen als Busala, Kikongo, Bosango en Matari. POSITIE BIJ BENADERING. Er waren dan wel kaarten, maar blijkbaar wist je in Zaïre nooit helemaal zeker waar je was, zelfs niet in ons onromantische tijdperk van satellietfotografie en uiterst precieze cartografie. Dat sprak me aan.

Ik spreidde de kaarten uit op de vloer van mijn woonkamer; ze reikten van muur tot muur. Zaïre beslaat grofweg een vierde van de oppervlakte van de Verenigde Staten. In het monotone groen van de uitgestrekte wouden springt de 4800 kilometer lange rivier de Kongo (die in het Zaïre van 1994 de Zaïre heette) eruit: een monsterlijke, half uitgestrekte klauw, die zich van dicht bij Zambia naar het noorden slingert en de evenaar doorsnijdt. Bij Kisangani, in het hart van het continent, buigt hij af naar het westen en stroomt door een van de dichtste oerwoudgebieden op aarde terug richting evenaar, om zich uiteindelijk via tweeëndertig gigantische cataracten in de Atlantische Oceaan te storten. Veel gedeelten, met name het middenstuk tussen Lokutu en Mbandaka, lijken niet zozeer op een rivier als wel op een halvemaanvormige strook woud, geheel of gedeeltelijk doorkliefd door stroompjes die door tientallen zijrivieren worden gevoed; het is een ware doolhof die op sommige plaatsen wel tweeëntwintig kilometer breed is en die honderden eilandjes telt. Van de steden Kinshasa en Brazzaville lopen slechts een paar onverharde wegen, door de regen gedurende een groot deel van het jaar in moerassen veranderd, naar de nederzettingen langs de Kongo.

Enkele van de volken hier in de wildernis behoren tot op de dag van vandaag tot de meeste geïsoleerde in heel Afrika.

Door de kaarten geïntrigeerd geraakt begon ik te lezen over de geschiedenis van Zaïre. Hoewel aan het eind van de vijftiende eeuw een Portugese zeeman de rivier tot aan de cataracten van Matadi had bevaren, bleef de rest van de Kongo, althans wat het Westen betrof, een van de laatste grote *terrae incognitae*, totdat in de jaren zeventig van de negentiende eeuw de Britse ontdekkingsreiziger Henry Morton Stanley naar Kongo kwam. Vergezeld van een ploeg bestaande uit honderden Afrikanen en drie Europeanen trok hij vanaf Zanzibar aan de kust van de Indische Oceaan landinwaarts, naar Nyangwe aan de Opper-Kongo, en voer vervolgens stroomafwaarts in prauwen, kano's van uitgeholde boomstammen, onderweg voortdurend strijd leverend met kannibalenstammen. Toen hij uiteindelijk de Atlantische kust bereikte, waren de helft van de Afrikanen en alle Europeanen uit zijn gezelschap omgekomen bij gevechten, gestorven van ziekte of honger, of verdronken.

Als gevolg van Stanleys expeditie konden de exploitatie-, slavernij- en plunderpraktijken van de Europeanen in Centraal-Afrika een aanvang nemen. In 1885 nam de Belgische koning Leopold II het gebied waar Stanley doorheen was gereisd over, gaf het de naam Onafhankelijke Congostaat, en oefende er vervolgens het bewind over uit als was het zijn persoonlijke rubberplantage. De wreedheden ten tijde van de 'Onafhankelijke Staat', die tussen de vijf en acht miljoen mensen het leven kostten en onder andere bestonden uit het stelselmatig verminken, tot slaaf maken en vermoorden van plaatselijke volken, wekten bij veel Europeanen grote weerzin. In 1908 werd de koning gedwongen de Kongo over te dragen aan de Belgische regering, die het uitbuiten van het gebied als kolonie echter voortzette. Zoals met meer koloniale mogendheden het geval was, toonde het Belgische bewind zich laks wat de ontwikkeling van het land betrof: het bouwde scholen voor lager onderwijs en legde hier en daar wat wegen aan, maar daarmee hield het ongeveer op.

Terwijl ik me verder in de geschiedenis verdiepte en steeds weer op de kaarten tuurde, raakte ik gefascineerd door Zaïre om dezelfde redenen die me eerder naar Rusland hadden getrokken: het was een land dat overliep van tragiek, verwachtingen en turbulente gebeurtenissen; het was gezien zijn omvang en gigantische rijkdom aan hulpbronnen van vitaal belang voor het continent; en bovendien waren buitenstaanders in een heel groot deel ervan nog nauwelijks doorgedrongen.

Maar waar ik geheel en al van bezeten raakte, was de rivier de Kongo, het meest in het oog lopende geografische element van Zaïre. Ik bestudeerde mijn navigatiekaarten, las de verhalen van mensen die de rivier hadden bevaren, probeerde vast te stellen wat er voor mij persoonlijk zo bijzonder aan was en wat ik met mijn fascinatie zou kunnen aanvangen. En eindelijk, in februari 1995, toen ik op weg was naar mijn werk en voor me uit de bleekoranje bol van de zon zijn kille blauwe stralen door een nevel van poedersneeuw zond, kreeg ik een idee: ik zou in mijn eentje in een prauw het langste bevaarbare stuk van de Kongo afzakken, van Kisangani naar de hoofdstad, Kinshasa – een afstand van 1736 kilometer. Het zou een gedeeltelijke nabootsing worden van Stanleys historische tocht. De prestatie waar het mij om ging was de confrontatie met een tropische rivier aan te gaan om als overwinnaar uit deze strijd te voorschijn te komen. Tijdens mijn reis over het water in de wildernis zou ik me kunnen ontdoen van al mijn persoonlijke sores, een ander mens kunnen worden. Ik hoopte dat deze expeditie een eind zou maken aan al mijn twijfels over wie ik was en wat ik kon bereiken.

Het zag er in hoofdlijnen uit als een onderneming die goed te doen was. Ik zou met de stroom mee varen en hoefde me dus niet uit te putten; als ik tussen de vijfendertig en de veertig kilometer per dag aflegde, kon ik het in vijfenveertig dagen halen, met inbegrip van rustdagen. Ik kon niet verdwalen: de stroom zou me als vanzelf naar mijn eindbestemming voeren. En de kosten zouden meevallen: ik zou de reis maken in een goedkope prauw die ik in Zaïre kon kopen en na afloop achterlaten. Ik zou als mondvoorraad rijst en bonen meenemen en daarnaast voldoende ruilmiddelen om in dorpen aan vis en vlees te kunnen komen. Ik zou geen speciale kleding hoeven aan te schaffen voor het tropische klimaat. Ik sprak Frans, de voormalige koloniale taal, en wist zeker dat ik me de eerste beginselen van het Lingala, de Bantoetaal die als lingua franca in het linguïstisch zeer gevarieerde land gesproken werd, wel eigen zou maken. Medicijnen tegen malaria en de nodige vaccinaties zouden me behoeden voor de belangrijkste gezondheidsrisico's. Om succes te kunnen boeken (en om te overleven) moest ik mijn reis secuur plannen, maar ik was een ervaren reiziger en de uitdaging lokte me.

Naarmate ik meer las, werd duidelijk dat me nog andere uitdagingen te wachten stonden die niet in de eerste plaats met de rivier te maken hadden, maar met de gewelddadige geschiedenis van het land en de erfenis van de Koude Oorlog (zowel de Verenigde Staten als de Sovjet-Unie had belang bij de minerale rijkdom van Zaïre). Na oproer in de Kongolese hoofdstad en een opstand in het oosten verleenden de Belgen Kongo in 1960 de onafhankelijkheid. Vijf jaar chaos als gevolg van afscheidingsperikelen, politieke instabiliteit en interventie door de Sovjet-Unie leidden tot clandestien militair ingrijpen van de Belgen. Patrice Lumumba, de democratisch gekozen premier, werd vermoord en een omhooggevallen legerofficier, Joseph-Désiré Mobutu, kreeg na een staatsgreep de macht in handen.

Op het moment dat Mobutu de macht overnam waren koper, kobalt en diamanten in plaats van rubber de belangrijkste hulpbronnen geworden. De koperprijzen stegen en hierdoor had Kongo een van de rijkste landen van Afrika kunnen worden. Mobutu's machtsovername luidde echter een periode van corruptie en wijdverspreide uitbuiting in, die in het hele continent zijn weerga niet zou kennen. Mobutu mat zich de rol van nationaal opperhoofd aan en ontwikkelde een systeem van vriendjespolitiek waarmee hij zichzelf, zijn eigen volk, de Ngbandi, en plaatselijke hoofden die hem hun medewerking verleenden, verrijkte ten koste van ieder ander. Door gewin aan te bieden in ruil voor loyaliteit lokte hij potentiële rivalen naar zijn rijkvoorziene dis; van degenen die weigerden een graantje mee te pikken werden velen opgehangen, vergiftigd, doodgeschoten of gevangengezet.

Mobutu hield van pronken en deed van alles om een goddelijke status te veroveren. Hij gaf zichzelf bijnamen als de Messias, de Zonnepresident, de Gids. Tijdens optochten liet hij zich meedragen op een troon die op de rug van onderdanen was geplaatst. Zijn portret – een streng bebrild gelaat bekroond met een muts van luipaardvel – hing overal, zelfs in kerken; in kerkgezangen liet hij de naam van God vervangen door zijn eigen naam. Onder de Zaïrezen gingen geruchten dat kogels niet door zijn huid konden dringen, dat hij de nacht doorbracht met een wonderschone eeneiige tweeling, dat hij een tovenaar was die over onweerstaanbare magische krachten beschikte. In de garage van zijn residentie in Tshatshi, buiten Kinshasa, hield hij er een hele verzameling Mercedessen en Rolls-Royces op na; hij liet verspreid door het land elf paleizen bouwen; hij kocht verschillende landgoederen in Europa, Zuid-Amerika en Noord-Afrika. Zijn privévermogen, dat grotendeels bestond uit inkomsten uit de staatskas en in eigen zak gestoken buitenlandse hulp (toen Carter president was ontving Zaïre bijna de helft van alle buitenlandse hulp die de Verenigde Staten aan Afrika had toegewezen), werd uiteindelijk geschat op vijf à acht miljard Amerikaanse dollar, terwijl het inkomen per hoofd van de bevolking in zijn land terugliep tot omgerekend 135 dollar per jaar.

Terwijl Mobutu zijn onderdanen uitkleedde, besefte hij dat hij ter compensatie een ideologie nodig had die zijn aanblijven voor hen rechtvaardigde; die vond hij in de campagne voor Afrikaanse *authenticité*. Hij liet de uit de koloniale tijd stammende benaming Kongo vallen en herdoopte het land tot Zaïre, een naam die weliswaar nog minder 'authentiek' was dan Kongo (wat immers was afgeleid van Bakongo, een volk in het zuidwesten); Zaïre was een Portugese verbastering van het Kikongo-woord voor 'grote rivier', *nzadi*. Hij dwong alle Zaïrezen een Afrikaanse naam aan te nemen en bedacht een nieuwe Lingala-benaming voor zichzelf: Mobutu Sese Seko Koko Ngbendu wa za Banga (hetgeen gewoonlijk vertaald wordt als 'De

Allesoverwinnende Krijger Die, Door Zijn Volharding en Onverzettelijke Wil om te Winnen, Verovering op Verovering Zal Boeken, Vuur in Zijn Voetspoor Achterlatend', maar letterlijk betekent: 'De Haan die Alles Wat Beweegt Bespringt'); hij verbood de viering van Kerstmis en stropdassen omdat ze on-Afrikaans waren. Het 'mobutuïsme', een losse verzameling tot dogma verheven antikoloniale uitspraken en 'wijsheden' van Mobutu, werd tot officiële staatsideologie gebombardeerd. Hij onteigende de prominente Indiase, Griekse en Belgische gemeenschappen van handelaren en plantage-eigenaars en deed hun bedrijven over aan zijn vrienden, die ze de vernieling in werkten. Met intensivering van de campagne voor *authenticité* brokkelde wat er nog over was van de door de Belgen aangelegde infrastructuur verder af en verviel een groot deel van het land weer tot wildernis: de wegen werden steeds slechter, telefoons werkten niet meer, de elektriciteits- en watervoorziening stagneerde. Desondanks (en dat was van groot belang) strookte de tegen de Sovjet-Unie gerichte buitenlandse politiek van Mobutu met de Koude-Oorlogstrategieën van zijn financiers in het Westen, en nog in 1989 werd Mobutu als eregast verwelkomd op het Witte Huis in Washington.

De prijs van koper daalde aanzienlijk en de Koude Oorlog liep op zijn eind. De stroom van westerse hulp waarvan Mobutu gedeeltelijk afhankelijk was voor de financiering van zijn bewind en het spekken van zijn zakken, droogde op. In 1991 (en opnieuw in 1993) brak er rebellie uit onder zijn militairen, die geen soldij meer ontvingen; ze sloegen aan het plunderen in de steden en burgers sloten zich bij hen aan. Mobutu, die beschermd werd door zijn loyale, goed uitgeruste en door Israeli's getrainde Division spéciale présidentielle, trok zich terug op zijn van een helikopterlandingsplaats voorziene jacht midden in de Kongo en keek toe terwijl zijn land nog verder in de vernieling raakte. Door hyperinflatie werd de nationale munt, de zaïre, vrijwel waardeloos; opstanden en ongeregeldheden troffen het land met de regelmaat van de seizoensregens; het bestuur van het land, voor zover aanwezig, zakte steeds verder in; uiteindelijk leed ten minste 40 procent van de Zaïrezen aan chronische ondervoeding. Zaïre, nog maar vijfentwintig jaar eerder een van de veelbelovendste landen van Afrika, was een van de armste landen ter wereld geworden. Maar Mobutu's rijkdom nam verder toe; de aanwas was nu vooral afkomstig van handel in mineralen op de zwarte markt.

In 1995 was Mobutu bezig aan het kaalgeplukte land en zijn uitgeputte bevolking de laatste restjes rijkdom te ontroven en beleefde Zaïre zijn allerdonkerste periode.

Ik belde een vriendin uit het Peace Corps die veel van Afrika wist. Tot de geweldsuitbarsting in 1991 had het Peace Corps in Zaïre een missie vervuld. Ik vroeg of ze misschien iets wist van anderen die een expeditie hadden ondernomen zoals ik die in gedachten had. Ze deed navraag en kreeg te horen dat eind jaren tachtig een groepje vrijwilligers vanuit Kisangani in een prauw was vertrokken, maar dat hun boot al vrij snel was omgeslagen tijdens een storm; de drenkelingen hadden lange tijd vastgezeten op een eilandje in de wildernis en waren bijna van honger omgekomen. De rivier was heel gevaarlijk, zei ze; er waren sterke stromingen en er waren geen posten van het Peace Corps in de afgelegen gebieden waar ik naartoe zou gaan en waar de bewoners volgens de verhalen niet bepaald vriendelijk tegenover vreemdelingen stonden. Andere hulporganisaties hadden hun medewerkers in 1991 uit Zaïre teruggetrokken omdat ze belaagd werden. Ik sprak ook met de National Geographic Society, maar die had sinds het begin van het oproer geen verslaggevers en fotografen meer in Zaïre gehad en waarschuwde me voor de gevaren. Iedereen die ik sprak vertelde me ongeveer hetzelfde: met al die gedeserteerde soldaten die er rondliepen en mogelijk ook vijandige binnenlandse stammen liep ik het risico om beroofd of vermoord te worden in dit land, waar het politieke bewind aan het wankelen was en waar zoveel onrust heerste onder de burgerbevolking. Ik bleef zoeken naar bewijzen dat anderen de rivier per prauw waren afgezakt, maar kon niets vinden. Mocht ik slagen, dan zou ik hoogstwaarschijnlijk de eerste westerling sinds Stanley zijn die een dergelijke tocht had gemaakt.

Ik kon maar één reisgids vinden waarin Zaïre was opgenomen: de Lonely Planet-gids voor Centraal-Afrika. Over tochten per prauw over de Kongo werd niets vermeld, maar welke gevolgen de ineenstorting van het land sinds 1991 voor reizigers had werd overduidelijk omschreven: 'Gezien de aanhoudend chaotische toestand in Zaïre [...] is het met de veiligheid in het hele land problematisch gesteld. [...] Kinshasa is de gevaarlijkste stad van heel Centraal-Afrika. [...] Op klaarlichte dag zijn reizigers aangevallen door met messen en vuurwapens bewapende groepen, het is dus zelfs overdag heel gevaarlijk om in Kinshasa rond te lopen. [...] Op drukke kruispunten zijn buitenlanders onder bedreiging met een vuurwapen uit hun auto getrokken en vermoord. [...] Probeer ervoor te zorgen dat je niet in de nacht op het vliegveld van Kinshasa aankomt. [...] Als je vandaar een taxi naar het centrum van de stad neemt, loop je grote kans om onderweg door bandieten te worden beroofd of zelfs vermoord', en ga zo maar door.

Deze waarschuwingen verontrustten me wel, maar brachten me niet van mijn voornemen af. Tijdens mijn reizen door andere onrustige oorden had ik even ijzingwekkende verhalen gehoord, die overdreven bleken te zijn. En ik had het vermoeden dat met name de verhalen over Zaïre, dat in het Westen al lang berucht was als 'het hart der duisternis' (naar de roman van Joseph Conrad met de gelijknamige titel), extra zouden zijn aangedikt. Ik besloot de risico's op een rationele manier in te schatten en tegemoet te treden; als het nodig was, zou ik een lijfwacht huren om me te beschermen. Ik was er hoe dan ook op gebrand mijn leven te veranderen, ik moest en zou er een climax in aanbrengen, een ontknoping forceren. Ik vond mezelf zwak. Als ik mijn tocht overleefde, zou ik er alleen maar sterker uit te voorschijn komen, zou ik een ander mens zijn. De Kongorivier vulde mijn dromen, stroomde nog door terwijl ik waakte, en langzamerhand begon het er voor mezelf op te lijken dat mijn expeditie was voorbestemd.

Ik bracht de winter in Moskou door met lezen, telefoneren en het bestuderen van kaarten en meteorologische tabellen. Ik mocht dan wel enthousiast zijn, ik realiseerde me ook dat ik geen enkele erva-ring had met Afrika bezuiden de Sahara. Alle waarschuwingen over-tuigden me ervan dat ik voordat ik in een prauw stapte al het moge-lijke aan de weet moest zien te komen over de Kongo, en daarom besloot ik eerst de boot stroomopwaarts van Kinshasa naar Kisangani te nemen. De informatie die ik onderweg opdeed kon ik dan gebruiken om de gevaren op de route stroomafwaarts het hoofd te bieden. Ik besloot ook een tijdje naar Brazzaville te gaan, de hoofd-stad van de Republiek Kongo (naast Zaïre gelegen, aan de overkant van de rivier), om Lingala te leren. Als ik er klaar voor was zou ik dan vanuit Brazzaville de veerboot naar Kinshasa nemen.

De beste tijd voor mijn expeditie was het droogste seizoen (het droogst in de omgeving van Kinshasa dan; waar de rivier parallel aan de evenaar stroomt, regent het het hele jaar door), van juni tot eind augustus, en toen de lente aanbrak begon ik bruggen achter me te verbranden. Ik stuurde mijn werkgever een ontslagbrief. Ik nam hart-verscheurend afscheid van Tatjana. Ik zei de huur van mijn flat in Moskou op en keerde terug naar de Verenigde Staten, waar ik een tent en andere kampeerspullen aanschafte, de noodzakelijke vacci-naties en malariapillen haalde en duizend-en-één andere kleine maar niettemin belangrijke zaken regelde, waarna ik mijn vrienden en fa-milie vaarwel zei en naar Londen vertrok, vanwaar ik naar Brazzaville zou vliegen.

Tijdens de lange vlucht van Londen richting evenaar voelde ik me schuldig omdat ik mijn dierbaren verdriet deed; ze zagen mijn ob-sessie voor de rivier als een rampzalig en zelfs absurd idee-fixe. En ze hadden gelijk: ik was echt geobsedeerd. De week voor mijn ver-trek deed ik geen oog dicht van de nieuwe rusteloze energie en op-winding die me bevangen hadden en, ja, ook van angst – maar er was niets dat me nog kon weerhouden. Terwijl ik Brazzaville na-derde, viel mijn verleden van me af en verdween als in een afgrond; voor me uit was er niets anders dan de Kongo.

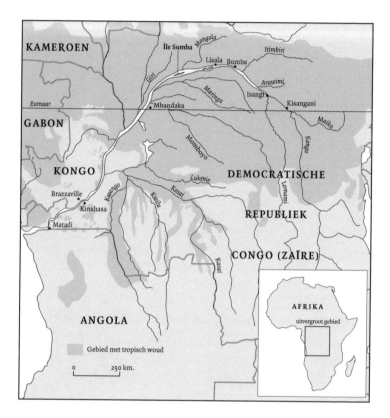

Kaart van het gebied

Brazzaville

HET GEKRIJS VAN PAPEGAAIEN FILTERDE DOOR IN DE zwarte spelonk van de slaap en riep me langzaam terug naar de lichtere contreien van de waaktoestand. Ik hoorde zoemen als van een airconditioner en de gedempte, holle weerklank van stemmen op de gang. Ik deed mijn ogen open en keek om me heen in de witte kamer met luiken, waar het schuchtere ochtendlicht tussen de latten door naar binnen scheen. Ik was uitgeput van de vliegreis en de hectische voorbereidingen van de afgelopen week, dus deed ik mijn ogen weer dicht en liet de herinnering aan de afgelopen vierentwintig uur over me heen komen.

Er waren maar weinig mensen aan boord van het vliegtuig geweest. Ergens in de nacht staken we de evenaar over naar het zuidelijk halfrond en kondigde de gezagvoerder de afdaling naar Brazzaville aan. Van achter mijn raampje kon ik nog geen stad ontdekken, ik zag niets anders dan sterren aan een indigo hemel boven de pikzwarte uitgestrektheid van de aarde. Pas een minuut voor de landing verschenen er gele rimpelingen onder ons: lampen in huizen, die de palmen in de buurt met een diffuus bleek licht beschenen. Vanuit de lucht zag de hoofdstad van de Republiek Kongo eruit als een klein dorpje.

Op de luchthaven Maya Maya was het donker en klam; de muggen zoemden er in warme wolken en in de onverlichte gangen hingen soldaten met ingevallen wangen rond. Een vrouw die met een banaankleurige hoofddoek om in een verlicht hokje zat wierp een

blik op mijn bewijs van vaccinatie tegen gele koorts, waarna een beambte met bloeddoorlopen ogen geeuwend een stempel in mijn paspoort zette. Vervolgens was er een man in een bruin uniform en op
sandalen die me abrupt tegenhield, hooghartig mijn paspoort door-
bladerde en vroeg of ik ingezetene was. Nee. 'Ah, *attendez*.' Toen
wijdde hij zich echter aan andere passagiers en ik liep maar verder
de gang door.

De douane bleek een spaarzaam verlichte blauwgroene ruimte te
zijn, besmeurd met vuile vegen en gevuld met de rusteloze schaduwen van afhalers, taxichauffeurs, politieagenten en kruiers. Witte
vlekken dansten uit het duister op me toe: een slungelige jongeman
in een blauwwitte tuinbroek van bedrukte katoen slenterde op me
af en duwde me in de richting van de bagageband. 'Hoeveel geeft u
me?' vroeg hij in het Frans.

'Waarvoor? Ik heb mijn tas nog niet. De band loopt nog niet.'

'Ah-haa!'

Hij greep zich vast aan de lopende band en begon er met zijn handen tegen te duwen, zijn volle gewicht wierp hij in de strijd, zijn sandalen schuurden en slipten op de stoffige vloer. Andere kruiers kwamen helpen sjorren en het ding kwam krakend in beweging. Toen
begon een in kaki gestoken man in het Lingala te schreeuwen en
rende op de tuinbroekman af; hij pakte mijn tas en duwde hem opzij. Hij was een officiële kruier, zei hij, de man die ik had ingehuurd
was een beunhaas. Met mijn tas bij wijze van ram voor zich uit drong
hij zich tussen de menigte door en ik volgde hem naar de douane-
balie, waarachter enkele ambtenaren zaten, onderuitgezakt en met
hun baret tot vlak boven half geloken ogen getrokken; met een wuivend gebaar in de richting van de deuren lieten ze ons doorlopen.
De beunhaas kwam sluipend achter ons aan en zei smekend:
'*Monsieur! Monsieur!*' Ik gaf hem wat Franse francs. Hij knikte en verdween met zijn dansende witte vlekken weer in het duister van de
luchthaven.

We liepen de maanloze nacht in. Er was geen verlichting op straat
en de inktachtige, benauwde atmosfeer trilde van het gesjirp van kre-

kels en rook naar fruit en zweet. Vochtige handen belandden op mijn onderarmen en begonnen me alle kanten op te trekken; uit bewegende gestalten zonder gezicht in het duister klonk een litanie op: 'Taxi... Taxi... Vous cherchez un bon hôtel... Eh, monsieur... Taxi.' Mijn kruier wrong zich langs hen heen zonder stil te houden. Ik volgde het witte adreslabel aan mijn tas, struikelend over een onzichtbare stoeprand, onverhoeds in een kuil trappend, zonder enig idee of ik het volgende moment niet tegen een bumper zou knallen of op een lijk op straat stappen. Toen bleef hij staan en hoorde ik een chauffeur een bedrag noemen voor de rit naar een hotel. D'accord. Met z'n tweeën duwden ze me de auto in. De kruier vroeg vijf dollar. Ik haalde een dollar te voorschijn, kletste die tegen zijn hand en toen reden we weg.

In Brazzaville waren een paar jaar eerder omstreden verkiezingen gehouden, gevolgd door opstootjes en plunderingen, en de stad kende nog steeds een groot misdaadprobleem. Terwijl mijn taxi door de periferie van de stad gleed – een pikdonkere doolhof waarin de wildernis was opgerukt – moest ik daaraan denken en ik was bang, of ik wilde of niet. Als de chauffeur op de rem trapte voor een kuil in de weg, vroeg ik me angstig af of hij soms voor rovers stopte; als we tegen takken botsten die over de weg hingen, dacht ik dat hij een omweg maakte om me de keel door te snijden. Een keer ging hij langzamer rijden om de auto behoedzaam langs een krater in de weg te sturen en toen kwamen er mensen op ons afgerend: ik zag in het donker witte T-shirts oplichten, er werd geschreeuwd en vuisten roffelden op de motorkap. Maar we rolden voort, ongedeerd, volgden nog meer modderige weggetjes, raasden rond een rotonde, belandden stuiterend op een boulevard en sloegen vervolgens een zijstraat in.

Voor ons uit bungelde een kale lamp aan een draad boven een met de hand geschilderd uithangbord: Hôtel Les Bougainvillées. Terwijl we voor de deur stopten, verscheen het hoofd van een grijsharige man met een sikje en een vlinderdas voor het raam van de receptie; de man sloeg met zijn hand naar een mug in zijn nek. Ik stapte uit.

'Wilt u een kamer?' vroeg hij.

'Ja.'

'*Pas de chambre!* We zitten vol.'

Met tegenzin begon ik me om te draaien in de richting van de taxi, moedeloos bij de gedachte nog langer in het duister te moeten rondrijden.

Hij sloeg opnieuw tegen zijn nek. 'Oké, oké. We hebben een kamer.'

Ik zette mijn tas neer en vulde een registratieformulier in.

Het licht achter mijn raam nam in kracht toe en de kibbelende papegaaien klonken aldoor scheller. Ik wilde niet opstaan. Ik had nog steeds een zenuwachtig gevoel en bleef daarom nog een hele tijd in bed liggen. Toen er uiteindelijk muziek met een salsaritme naar binnen drong – drums en blikkerig klinkende elektrische piano's en gitaren – stelde dat me op mijn gemak. Ik stond op, kleedde me aan en verliet het hotel met als bestemming het kantoor van het Peace Corps.

Wat leken mijn angsten nu onnozel en irrationeel! Palmen schoten omhoog als smaragdgroene geisers die oplosten in wattige nevelslierten; bochtige geteerde wegen werden geflankeerd door bermen van crèmekleurig zand; Oud-Franse koloniale huizen stonden onverstoorbaar achter gewitte muren, het loof van de brede bomen erboven vormde een donker baldakijn met hier en daar heen en weer schietend rood en grijs van papegaaienveren. Mijn hotel bevond zich in het hoogste gedeelte van de stad; de rest van Brazzaville wond zich naar beneden af in lome lagen, doorsneden met weggetjes die in een zee van mist verdwenen. Af en toe reed een wrakkige taxi sputterend voorbij. Langs de bermen liep een hele menigte te kuieren, opgeschoten jongeren, gekleed in marineblauwe broeken en grijze rokken, lachende, relaxte jonge mensen die slappe geruite *cahiers* bij zich hadden, als Franse studenten; ze praatten Frans en Lingala door elkaar, ze liepen voor me uit. Mijn angst van de vorige avond was verdwenen, ik paste me bij hun ritme aan en wandelde verder alsof ik de wereld voor het eerst zag. Geleidelijk aan daalde ik verder af en kwam in de buurt van de moderne gebouwen in het centrum. Ik voelde me monter, alsof ik alles aan kon.

We kwamen bij een uitkijkpunt en ik maakte me los uit de menigte en liep erheen. Om de een of andere reden voelde ik de drang om mijn ogen op de zee van nevel onder me gevestigd te houden. Ik tuurde in de mist: twee donkere stakerige figuren in het wit namen de vorm aan van mannen, en toen schoof onder hen een prauw mijn blikveld binnen. Vissers op het water. De ene gooide een net uit, terwijl de andere tegen de stroom in roeide, zijn slagen met zijn romp kracht bijzettend. De rivier de Kongo. Hier bij Malebo Pool was de Kongo breed, een glinsterende parelgrijze massa, slechts iets donkerder dan de mist, maar zijn water kwam met een machtig geraas aangestroomd vanaf een schimmig rijk van eilandjes en bomen in het noordwesten en voerde op weg naar de Atlantische Oceaan hele dekens waterhyacinten en stukken geelgroene vegetatie mee, zo te zien uitgekotst door een machtige jungle die uitpuilde van misselijk makende vruchtbaarheid. Aan de overkant was geen spoor van Kinshasa te onderscheiden – er was niets dan een mat van mist en water, stroomafwaarts bespikkeld met het groen van waterhyacinten. Mijn blik ging weer terug naar de prauw. De stroming was sterk; de peddelaar boog diep door bij het roeien, worstelend om te beletten dat zijn vaartuig door de rivier werd meegesleurd.

Ik herinnerde me waarheen ik op weg was. Ik liep terug naar de straat en begaf me weer tussen de menigte.

Tom Crubaugh, hoofd van de Peace Corps-afdeling in Brazzaville, zat achter zijn bureau te luisteren terwijl ik hem mijn plan om Lingala te leren en de rivier af te varen uiteenzette. Hij had een open gezicht en droeg zijn lange haar in een paardenstaart. Zijn stropdas leek een concessie aan de fatsoensregels. Hij had als vrijwilliger van het Peace Corps jaren in Neder-Zaïre doorgebracht en was er pas weggegaan tijdens de evacuatie als gevolg van de opstand van 1991.

Toen ik hem mijn plannen had verteld, leunde hij glimlachend achterover in zijn stoel en tikte met een potlood op zijn bureau. 'Dus je wou naar Kisangani? Het hart der duisternis?'

'Is dat niet een tikkeltje overdreven?'

'Nou, Zaïre is altijd het Wilde Westen geweest. De mensen moeten er heel hard werken om de eindjes aan elkaar te kunnen knopen. Het socialisme heeft hen niet verwend zoals de Kongolezen hier.'

'Hoe groot schat jij de kans dat ik het red?'

'Ik heb geen idee, om je de waarheid te zeggen. Ik zou alleen niet in mijn eentje gaan. Je hebt een gids nodig, al was het maar om niet te verdwalen tussen al die eilandjes. En de mensen verderop aan de bovenloop van de rivier zouden ook wel eens problemen kunnen geven. Wij hebben daar in ieder geval geen vrijwilligers zitten. In je eentje ben je een gemakkelijk doelwit. Het leven in Zaïre valt niet mee, het is een stuk harder dan in Brazzaville, waar de mensen hun menselijkheid hebben behouden. Dat zul je wel merken aan de Beach.'

'De Beach?'

'De haven van Kinshasa. Ngobila Beach. Het is daar een klerezooi. Allemaal politiemannen en soldaten die om steekpenningen vragen. Je komt er nog wel achter. Maar ik zal je aan Simon voorstellen. Hij is een van onze leraren Lingala. Met hem kun je lesafspraken maken.'

Simon had ogen waaruit humor sprak, een zachtzinnige uitstraling en een nog zachtzinniger manier van handen schudden. Hij was zelfverzekerd op een rustige, niet-opdringerige manier. Hij verklaarde zich bereid mij een week lang gedurende acht uur per dag een intensieve cursus Lingala te geven, met Frans als communicatiemiddel. We zaten onder een snel ronddraaiende ventilator in een klaslokaal op de eerste verdieping van het kantoor van het Peace Corps. Als ik iets goed deed, riep hij 'Ah-*haa*!' en leunde met een twinkeling in zijn ogen achterover. Maar als ik mijn ogen naar hem opsloeg, sloeg hij de zijne neer – een teken van hoffelijkheid in dit deel van Afrika.

Lingala is de Bantoe *langue de passage*, de lingua franca van zowel Zaïre als de Republiek Kongo. Buiten het Lingala worden er in Zaïre nog 220 andere talen gesproken door 250 verschillende etnische groepen; alleen het Lingala, en in mindere mate het Frans, hebben ze gemeenschappelijk. Gezien de beperkte tijd concentreerden we ons op de basiselementen van de grammatica en op woorden die ik tijdens mijn tocht over de rivier nodig zou hebben. Hoewel de zelfstandige naamwoorden in het Lingala geen geslacht of verbuiging kennen, is de grammatica toch uiterst ingewikkeld. Aan het eind van elke bijeenkomst had ik er hoofdpijn van. Zoals voor elke taal geldt, zegt ook de woordenschat van het Lingala veel over het leven van degenen die de taal gebruiken: dieren worden bijvoorbeeld aangeduid als *banyama*, het meervoud van *nyama*, dat vlees betekent, aangezien bijna alle dieren in het oerwoud gegeten kunnen worden. Interessant was dat Simon me niet helemaal begreep toen ik hem vroeg wat het Lingala-woord voor *soir* is; in het Lingala bestaat helemaal geen woord voor 'avond', alleen maar voor 'dag' (*moi*, synoniem met 'zon') en 'nacht' (*butu*), omdat er in Centraal-Afrika geen avond is – een kenmerk van het gebied langs de evenaar waar ik later nader kennis mee maakte.

Simon zei wel dat alleen '*les imprudents*' (onvoorzichtige lieden) door krokodillen worden opgegeten, maar verder vertelde hij maar weinig over Zaïre, en hij toonde zich bezorgd toen ik hem vertelde over mijn plan om in mijn eentje per prauw de Kongo af te zakken van Kisangani naar Kinshasa. Volgens hem moest ik iemand uit de omgeving meenemen om mijn pad te effenen, want anders zouden de mensen langs afgelegen gedeelten van de rivier mij, een *mondele* ('blanke'), wel eens vol achterdocht of zelfs vijandig tegemoet kunnen treden. Dat dacht hij althans. Net als alle andere Kongolezen die ik tijdens mijn verblijf in Brazzaville zou spreken, was hij alleen op de rivier geweest om de overtocht via Malebo Pool naar Kinshasa te maken – en dat in betere tijden.

Onze lessen gingen in rap tempo door. Onder leiding van Simon begon ik te wennen aan die onbekende taal, maar de expeditie die

ik in de zin had, werd er niet minder vreeswekkend door dan voor
mijn komst hierheen, vooral niet sinds ik de rivier bulderend uit het
oerwoud achter de stad had zien aanstromen.

Ik leerde me suf; de ene dag vergleed in de volgende. Maar 's
nachts werd ik vaak met een ruk wakker, klam van het zweet, niet in
staat me mijn dromen te herinneren.

'Halt! Eh, *monsieur!* Halt!'

Toen ik op een middag terugliep naar mijn hotel werd ik vanuit
een café nageroepen door een man. Hij kwam overeind. Zijn sandalen schuurden door het stof, zijn met modder bespatte blauwe
broek hing flodderig om zijn enkels en hij begon naar me toe te lopen, wankelde, hervond zijn evenwicht, wankelde opnieuw. Zijn
ogen waren bloeddoorlopen. Toen hij bij me was bleef hij afwachtend staan. Dit wachten wekte de indruk van een vorm van gezag:
hij was een te gewichtige persoon om zich te bekommeren om mijn
tijd. Toen zag ik dat de bovenste helft van zijn tenue uit een bruin
uniformjasje bestond.

Hij kneep zijn ogen tot spleetjes en hief zijn kin op. 'Weet u nog
wie ik ben, *monsieur?*'

'Nee.'

Hij grijnsde, zwaaiend op zijn benen; zijn wangen bolden enigszins op van een ingehouden boer. 'Nou, *monsieur,* ik heet Jean Claude.
Ik heb die kwestie met uw papieren geregeld.'

'Welke kwestie?'

'Ik heb uw paspoort gecontroleerd, *monsieur,* op het vliegveld. Ik
heb uw visum gestempeld, *monsieur.* Ik heb uw verblijfspapieren bekeken' – hij boerde nogmaals – '*monsieur.*' Hij ontblootte zijn tanden en boog zich naar me toe. 'Ik heb u geholpen, *monsieur.*'

Ik herkende hem vagelijk van Maya Maya.

Hij hing nu tegen me aan, hervond zijn evenwicht en ging weer
rechtop staan. 'Ik heb honger, *monsieur.* Ik heb geen geld voor eten.'

Hij had wel geld om dronken te worden, maar ik wist niets te ver-
zinnen als antwoord op wat hij over honger zei, want daar was ik

niet op verdacht. In een reflex overhandigde ik hem een aantal francs. Hij bekeek ze, zei '*Merci, monsieur*', draaide zich om en zwalkte terug naar zijn café.

Terwijl ik hem nakeek begon het me te dagen wie hij was. Op Maya Maya had hij me alleen maar gevraagd of ik een ingezetene van het land was en hij had geen steekpenningen geïnd om me te laten passeren, waarvan ik nu aannam dat dat zijn gewoonte was. Ik had overdonderd gereageerd op zijn verklaring dat hij honger had: het bleek wel dat ik al te gemakkelijk voor een zielig smoesje bezweek. Ik vond dat ik hem eigenlijk niets had moeten geven.

Ik begon de straat over te steken. Ik schrok van een plotseling opklinkend getoeter en geschreeuw en sprong achteruit. Vier of vijf open vrachtwagens schoten langs me heen, vol grimmig kijkende gehelmde soldaten in marineblauw uniform, die hun geweer hoog in de lucht staken.

Die avond bracht ik door in het verandarestaurant van Les Bougainvillées. De sfeer was er sereen en er hingen olieverfschilderijen van Afrika zoals een romantische Europeaan het zich had kunnen voorstellen: idyllische tafereeltjes van prauwen op de rivier bij zonsondergang, het oerwoud bij zonsopgang, dorpelingen die in het licht van de maan bijeenkomen op de oever van de rivier. Het waren valse voorstellingen van Afrika, Afrika als een primitief paradijs. Ik kon me er een Parijzenaar bij voorstellen die hierheen was gevlucht om te ontkomen aan de beknotting van het leven in de grote stad, aan een mislukte liefde of zelfs aan justitie, en die deze doeken had geschilderd omdat hij de behoefte had om Afrika juist op deze manier te zien. Toch waren de schilderijen mooi en aansprekend.

In zichzelf mopperend betrad de oude hotelier met vlinderdas de veranda en zette de televisie naast de bar aan. '*Les actualités*,' zei hij. Het nieuws begon bijna. Met een streng, vreugdeloos gezicht ging hij zitten.

'Is dat een Kongolese zender?' vroeg ik om beleefd te zijn.

'Zaïrees,' mompelde hij en mepte een mug van zijn nek.
'Ik ga naar Zaïre.'

Hij sprong overeind van zijn stoel. 'O *ja*? Naar Zaïre? Ha! Het land van Mobutu!'

Alsof hij door die uitroep de dictator had opgeroepen, verscheen Mobutu op het scherm terwijl hij een Zaïrese delegatie van ambtenaren toesprak. Hij droeg zijn muts van luipaardvel en zijn eigen versie van het Mao-jasje: de abacost. De camera toonde hem groot op de voorgrond terwijl de anderen klein op de achtergrond te zien waren, onderdanig op een rij. Hij sprak Lingala, met zijn kin hoog opgeheven, zijn ogen half gesloten en zijn handen achter zijn rug samengevouwen. Opvallend was dat hij zijn hoofd van de toehoorders hield afgekeerd, alsof ze zijn blik niet waardig waren. Het leek of hij hun een uitbrander stond te geven.

De hoteleigenaar rende naar het scherm toe. 'Dat is Mobutu! Ha! U zult de gevolgen van zijn despotisme wel zien op de Beach! Gaat u alleen naar Zaïre of met een lijfwacht?'

'Alleen.'

'Dan moet u luisteren. Denk eraan dat u naar het land van Mobutu gaat. Mobutu! Hij heeft het Lingala tot de officiële landstaal gemaakt. Niet het Frans, maar het Lingala!' Hij kneep zijn vuisten samen, het leek wel of hij onder stroom stond. 'Maar luister. Maakt niet uit. Op de Beach kan het gevaarlijk zijn, o, *que c'est dangereux*! Als de soldaten op u afkomen, moet u met uw paspoort zwaaien en roepen: "Amerikaanse diplomaat op weg naar de Amerikaanse ambassade! Diplomaat. Amerikaanse diplomaat! Ambassade!" Alleen zo komt u langs ze heen! U moet zorgen dat ze *bang* voor u worden, begrijpt u wel? Ze zijn bang voor de Amerikaanse ambassade! Ze moeten aan het sidderen worden gebracht! Zorg dat ze *sidderen*.'

Sidderen? De gedachte aan mijn expeditie en aan Kinshasa spoelde me als een misselijk makende vloedgolf over me heen. Angst – dat was wat ik nu door me heen voelde gaan. Ik zou degene zijn die bang was, bang voor de militairen, dat kon niet missen. Hij raasde nog een tijdje door en toen vertelde ik hem mijn plannen.

Hij schraapte zijn keel en sloeg naar een muskiet. 'Ik weet niet hoe het verderop langs de rivier is. Maar Kin, zoals wij Kinshasa noemen, is gewelddadig. De Zaïrezen zijn primitiever, wreder dan wij,' zei hij, terwijl hij de geplette mug op zijn handpalm bestudeerde. 'Maar u gaat naar Zaïre. U moet nooit vergeten dat u naar het land van Mobutu gaat. Alleen als u de soldaten angst inboezemt, ANGST' – hij verhief zijn stem – 'overleeft u het.'

Toen Mobutu van het scherm verdween, verliet de hotelier de veranda, hij prikte met zijn vinger in de lucht en riep: 'ANGST! Denk eraan, ANGST!'

Ik bleef alleen achter met de idyllische taferelen en met het klamme zweet in mijn handen.

Het was zo prettig toeven in Brazzaville dat ik me begon af te vragen of ik er wel weg zou gaan. Mijn dagen verliepen aangenaam met Simon. Het was leuk om een nieuwe taal te leren. De vrijwilligers van het Peace Corps die ik gesproken had, waren allemaal gek op het land. Waarom zou ik hier niet blijven? Waarom zou ik niet toegeven, voor de allereerste keer, dat het leven op een bepaalde plek plezierig kon zijn? Waarom nog verder zoeken en nog verder gaan? Alleen al bij de gedachte aan Kinshasa, waarvan ik door de hardnekkige mist nog steeds geen glimp had kunnen opvangen, draaide mijn maag bijna om; de rivier en de jungle die ik vanaf het uitkijkpunt kon zien, riepen een dreigend voorgevoel bij me op, een oerangst, en ik wilde er eigenlijk niet naar kijken. Brazzavile daarentegen had een gemakkelijk leventje te bieden, met nieuwe sensaties en tamme genoegens. Misschien moest ik maar blijven waar ik was.

Ik dacht hierover na toen ik een keer laat op de middag over de zanderige weg naar de haven slofte, meegevoerd op het nonchalante ritme van de mensen om me heen, met niets anders in de zin dan de geur van de klimplanten en bloeiende struiken op te snuiven en naar het kabbelende geroep van kwinkelerende vogels te luisteren.

Ik ging een winkel in om nootjes te kopen. Binnen herkende ik een jonge vrijwilliger van het Peace Corps die ik eerder op het kantoor was tegengekomen. Hij droeg een wijde Afrikaanse broek, een bontbedrukte dashiki* en slipperachtige Kongolese schoenen. Hij is op de inlandse toer, dacht ik; op het eerste gezicht vond ik hem er enigszins belachelijk uitzien. Maar hoezo belachelijk? Mijn Amerikaanse kleren waren wijd en van katoen, maar toch voelde ik me er in dit vochtige klimaat plakkerig en benauwd in. Zijn kleren zaten waarschijnlijk veel lekkerder.

We maakten een praatje. Net als veel andere vrijwilligers van het Peace Corps (ik kon het weten, want ik was er zelf een geweest) wilde hij graag laten merken hoeveel ruimer zijn bewustzijn was geworden door de assimilatie in zijn adoptieland. Hij vertelde dat hij jarenlang in een gat in het binnenland had gewoond – makkelijk zat; hij had een paar keer malaria gehad – makkelijk zat; hij had nog niet zo lang geleden zijn eerste echte aanval van diarree gehad. Dat was ook makkelijk zat – voor iemand die op de inlandse toer was, waren de problemen van de inlanders makkelijk zat, zelfs als die er bij bosjes aan stierven, zoals de Kongolezen aan diarree en malaria bezweken. De dronken beambte die bij me om geld had gebedeld, de sfeer van gewelddadigheid waarvan de nacht doordrenkt was, de gepassioneerde aanval van de hotelier alleen al bij de aanblik van Mobutu – graadmeters voor de kwalen van de maatschappij, voor naderend onheil: volgens hem ook allemaal makkelijk zat; het maakte gewoon deel uit van de cultuur. Ik vroeg hem van alles over zijn leven binnen het Peace Corps; aan mij vroeg hij niets, hij vroeg niet waar ik vandaan kwam of hoe ik in Brazzaville verzeild was geraakt, al waren er hier, afgezien van medewerkers van hulporganisaties, maar weinig niet-Afrikanen. Zoals veel Peace Corps-vrijwilligers speelde hij in zekere zin de ster in zijn eigen show, althans wanneer er buitenstaanders om hem heen waren.

Ik vroeg hem honderduit over Zaïre. Hij was er geweest, maar niet meer sinds de troebelen van 1991. De Beach was een hel, ik zou spitsroeden moeten lopen bij dronken militairen, ik zou op mijn foto-

---

* Dashiki: vooral door mannen gedragen kleurige tuniek.

spullen moeten gaan liggen als ik wilde slapen, anders werden ze gestolen, enzovoorts enzovoorts, althans, dat was wat hij gehoord had. Hij vroeg me niet waarom ik daar naartoe wilde en ik vertelde het hem. Tegen wat voor problemen zou ik volgens hem kunnen aanlopen? Hij zou het niet kunnen zeggen. Mijn avontuurlijke plannen, zo liet hij doorschemeren, waren voor hem even onbegrijpelijk als voor de eerste de beste Kongolees die op een straathoek maniokwortels stond te verkopen. We zeiden elkaar gedag en ik liep door naar de rivier.

Voor het eerst sinds mijn komst was de lucht boven Malebo Pool helder en was Kinshasa zichtbaar. Hoog en machtig verrees het aan de overkant van het water, een falanx van torenende wolkenkrabbers en elkaar kruisende torenkranen die herinnerden aan de koper-boom van voorbije decennia. Het wekte de indruk van koortsachtige bedrijvigheid.

Eenzelfde koortsachtigheid heerste er in de haven, één groot gekkenhuis. Kooplieden met bundels maniokwortels en trossen bananen en pisangs grepen me bij mijn arm; geldhandelaren leurden met stapels zaïres: vettige met touw bijeengebonden bundels biljetten met het portret van Mobutu. Jongens duwden met zakken rijst beladen karren in een roekeloos tempo door de modder; slungelige soldaten banjerden rond met de vinger aan de trekker van hun geweer. Overal waren mensen aan het bakkeleien en bekvechten. Zaïrese mannen met in zijden hemden gehulde dikke buiken en gouden ringen verhieven hun baritonstem tegen dragers die grommend en kwiek met zware kratten liepen te zeulen. Kinderen renden overal dwars doorheen en werkelijk iedereen liep te schreeuwen. Het was een zeer levendig tafereel en alle drukte hield verband met een veerboot die op het punt stond de rivier naar Kinshasa over te steken.

Ik wrong me door de menigte in de richting van een leemkleurig gebouw waar kaartjes werden verkocht. De beleefde verkoper vertelde me dat ik op elk gewenst moment met de boot naar Zaïre kon; er gingen er zat. En van Kinshasa naar Kisangani ging vier keer per maand een boot, elke maandag om elf uur 's ochtends. Zo gemakkelijk was het dus om in Zaïre te komen, en de rivier op varen was ook al geen probleem. Terwijl ik naar hem stond te luisteren werd ik bijna aangereden door een kruiwagen.

Ik bedankte de man en ging terug naar mijn hotel, onderwijl bedenkend dat het zo simpel toch niet kon zijn. Zaïre, zo was in de haven wel gebleken, riep bij mensen de rust en vrede van een aanstormende tornado op; er ging een prikkelende werking van uit en door die opwinding wist ik weer dat Zaïre de plek was waar ik wilde zijn. De verlammende veiligheid die de Peace Corps-vrijwilliger genoot, stond me ineens tegen, kwam me absurd en onecht voor en leek onderdeel van een sleur die even verstikkend was als een kantoorbaantje; ik dacht er niet langer over om in Brazzaville te blijven. De volgende middag zou ik naar Kinshasa vertrekken en gaan doen wat ik in Centraal-Afrika kwam doen.

De nacht viel over de stad en de hemel kleurde lavendel. De lucht was doortrokken van de geur van brandende afvalhopen; zilverreigers zwierden tuimelend door de opstijgende rook. Ik kwam langs de campus van de universiteit en zag hoe studenten onder het lopen de lessen uit hun *cahiers* leerden; ze dreunden de stof op, tuurden in het vervagende licht in hun aantekeningen, keken weer op en gingen door met opdreunen. Terug in Les Bougainvillées ging ik naar de veranda en schreef lange brieven aan Tatjana en aan mijn familie. Ik schoot er niets mee op als ik nog langer hier tussen de idyllische schilderijtjes bleef zitten. De volgende dag zou ik vertrekken. Het was beter de rivier over te steken en erop los te gaan.

Toen de oude hoteleigenaar naar het nieuws kwam kijken, vroeg ik om de rekening en ging naar mijn kamer om te pakken.

Kooplieden

De Beach

HET WAS TIJD OM TE VERTREKKEN. IK BRACHT MIJN TASSEN naar de voordeur en de hoteleigenaar bestelde een taxi voor me. De middag rook naar bloesem, nectarachtig en fruitig; het geluid van zingende, krassende en krijsende vogels in de palmbomen klonk doordringender en scherper in mijn oren dan anders en in mijn maag voelde ik een steeds dikker wordende knoop. Net als op mijn eerste ochtend hier was het alsof ik alles voor het eerst zag en hoorde. Maar nu was het angst, en geen nieuwigheid die mijn zintuigen op scherp zette: ik ging op weg naar de Beach, naar Kinshasa, naar de rivier.

Ik bleef bij de receptiebalie staan in de hoop op een praatje met de hoteleigenaar, maar die hield zijn ogen afgewend en rommelde in zijn papierwinkel. De taxi kwam de oprit op. De hotelier sloeg naar een muskiet in zijn nek en keek op. 'Bon. Wees voorzichtig.'

'Ik zal eraan denken "Amerikaanse diplomaat" te roepen, zoals u gezegd hebt.'

Zijn gezicht kreeg een blanco uitdrukking, als had hij geen idee waar ik het over had. Mijn maag draaide bijna om.

We schudden elkaar de hand en ik nam plaats in de taxi. Hij staarde me na me toen we wegreden, zijn ogen even vreugdeloos als de eerste avond dat we elkaar ontmoetten, draaide zich toen gedecideerd om en liep weer naar binnen. Les Bougainvillées werd kleiner in de achteruitkijkspiegel.

Op weg naar de rivier reden we langs het gebouw van radiozender Voix du Congo, de universiteit en het kantoor van het Peace Corps. Steeds kwamen er flarden van wat mijn reisgids over Kinshasa vermeldde in mijn hoofd op, evenals waarschuwende woorden over de Beach. Ik probeerde me te bepalen tot wat ik mogelijk tegen zou komen en hoe ik me tegenover de dronken militairen zou gedragen.

Al rammelend kwamen we op de weg langs het water naar de haven. Voor ons uit hingen wolken stof in het zonlicht, opgeworpen door dragers die kruiwagens met zakken cement voortduwden; verderop voegden uitlaatgassen van open vrachtwagens en bijtende dampen van scooters hun kwalijke blauw toe aan de verdonkerde atmosfeer. We gingen langzamer rijden en kwamen terecht in een grote wriemelende fuik van bezwete blote ruggen en geschoren hoofden; toeterend baanden we ons een weg door de stroom op schouders gedragen jutezakken met graan en deinende bossen suikerriet, waar zich schreeuwende, bevelende, koninklijke mannen tussendoor bewogen: steenrijke Zaïrese zakenlieden met een overdaad aan gouden kettinkjes en supermodieuze zonnebrillen op. Iedereen repte zich om de laatste veerboot voor het vallen van de nacht te halen; niemand wilde in het donker in Kinshasa aankomen. Traag kwamen we door de menigte heen; mijn chauffeur leunde uit het raampje, schold, zwaaide met zijn vuist, gaf luidruchtig gas en toeterde, en de dragers gingen met uitpuilende ogen opzij, al zwalkend onder hun last en tegen elkaar aan botsend om ruimte voor ons te maken. Toen kwamen we echter bij de vrachtwagens en konden niet verder.

We waren nog een aardig eindje van de stalen deuren van de douane en grenscontrole verwijderd. Ik betaalde de chauffeur en wrong het portier open. In het gedrang van blote ruggen, heet en glibberig van het zweet, moest ik worstelen om overeind te komen. Uit jutezakken lekte graan, en de mensen schreeuwden Lingala en Kikongo door elkaar heen; met behulp van mijn schouders drong ik me door de lawaaierige wirwar van prikkend zakkengoed, bezwete torso's, knokige ellebogen en pisangs heen.

Naast me dook opeens een benige knaap op in een groene kiel met daarop de aanduiding BRAZZAVILLE-PORT. Hij wees naar mijn tas. Ik knikte. Hij hees de tas op zijn linkerschouder, mepte met zijn rechterhand de lichamen opzij en wurmde zich ertussendoor, steeds achteromkijkend om te zien of ik hem wel bijhield. Links en rechts kwamen scheldkanonnades in het Lingala en Kikongo uit bassende kelen gestroomd; militairen deelden met de kolf van hun geweer klappen uit om de mensen bij de deuren vandaan te houden. Karren met vracht knarsten langs en dreigden over mijn voeten te rijden, en mijn drager trapte, duwde en stompte zich een weg door de deuren en sleepte me erdoorheen.

Ze sloegen achter me dicht. Bevrijd uit het kluwen stond ik daar te hijgen, doordrenkt van zweet dat niet van mij was.

'Halt! *Vos papiers!*'

Een beambte met een marinebaret op het hoofd, klein en massief als een blok beton, stampte op me af en stak zijn hand uit. Ik gaf hem mijn paspoort. Hij liet me zijn tanden zien, ivoor in een masker van ebbenhout, en zijn stem grauwde als in een parodie door een komiek. 'Groot probleem! U hebt geen inreisvisum!' Dat was wel zo en ik liet het hem zien. Hij keek me met lepe ogen aan. 'Nou, oké dan, maar... er zijn hier een hoop... eh... formaliteiten te vervullen – koopt u een biertje voor me?'

'Als u me zonder problemen op de veerboot weet te krijgen wel, ja.'

Jammer maar helaas. Het deugde natuurlijk van geen kant om zo'n corrupteling zijn zin te geven, maar ik wilde zo snel en gladjes mogelijk uit Brazzaville en van de Beach zien weg te komen. Ik was immers een wandelende schatkist: ik had bijna tweeduizend dollar aan contanten (dollars en Frans geld) bij me, weggestopt in een buidel achter mijn broekriem, en nog eens tweeduizend dollar in travellerscheques in mijn rugzak, plus mijn camera met toebehoren. Ik had zo'n idee dat de intimidatietechniek die de hoteleigenaar me had aanbevolen wel eens averechts zou kunnen werken, daarom had ik besloten de politie en militairen *matabiches* (zoals steekpenningen hier genoemd werden) te betalen voor bewezen diensten, wat Zaïrese zakenlui ook deden naar ik gehoord had, om zo het risico van conflicten te verminderen. Ik had me voorgenomen me verveeld en blasé voor te doen, maar tegelijk als een in wezen niet onaardige vent, alsof ik dit soort tripjes aldoor maakte en begrip had voor de dappere, onderbetaalde lieden in blauw en groen, die ik hier en daar best een dollar of wat wilde toeschuiven zolang ze me maar verder hielpen. Te dien einde had ik een stuk of wat briefjes van een en vijf dollar en ook wat Franse francs opgevouwen en zo in mijn broekzak gestoken dat ik ze er een voor een uit kon trekken zonder met een verleidelijk bundeltje biljetten te hoeven zwaaien.

De beambte verdween met mijn paspoort in een keet van verroeste golfplaten waaraan het bordje IMMIGRATION was bevestigd. In het felle middaglicht zag Kinshasa er heel groot uit. Van ergens onder de torenflats en kranen steeg rook op – stond er soms iets in brand in de stad?

Uit de luidsprekers van de bar voorbij de paspoortcontrole blèrde blikkerig vervormde Kongolese popmuziek. De dragers die op nieuwe klanten wachtten deinden mee op de maat. Een paar glimlachten naar me. Ik merkte dat de voorgewend ongeïnteresseerde uitdrukking als verstard op mijn gezicht lag en daarom duurde het even voordat hun glimlach tot me doordrong. Toen dat gebeurd was lachte ik terug.

Mijn drager keek naar Kinshasa. 'Zaïre,' zei hij met iets smachtends in zijn stem. 'Het land van het grote gokken. Rijkdom, mineralen, diamanten – niets is er onmogelijk. In Zaïre kun je rijk worden.'

'Bent u er geweest?'

'Nee, ik heb er het geld niet voor. Zaïre is voor mannen met veel geld. Kijk maar naar de Zaïrese zakenlui die hier rondlopen.'

De beambte kwam terug. Hij keek naar de bar en lachte. Was het geen tijd voor een biertje?

'Waar is mijn paspoort?'

'Ahh!'

Hij zette een hoge borst op, stampte terug naar de keet en brulde iets door de ramen met spijlen. Binnen fladderde mijn paspoort van hand tot hand. Een beambte schreeuwde tussen de spijlen door: 'Hier komen! We moeten uw gezicht bekijken!'

Ik bracht mijn gezicht tot bij de spijlen. Een man met knipperende ogen, blijkbaar de baas van het stel, verschoof op zijn billen, snoof verachtelijk en schraapte zijn keel. Hij liet zijn ogen langzaam naar het portret in mijn paspoort gaan, vervolgens naar mijn gezicht en toen weer terug naar de foto. *Bon.* Vlijtig noteerde hij mijn naam en paspoortnummer in zijn register. Toen vroeg hij de voornaam van mijn vader, daarna die van mijn moeder, enzovoorts, en schreef alles op, onderwijl zijn lippen likkend, zijn wenkbrauwen fronsend en zijn keel schrapend. Dit was een veeleisend karwei en ik kon niets anders doen dan mijn geduld bewaren.

Mijn beambte sloeg met zijn vuist tegen de wand van de keet. Zijn baas overhandigde me mijn paspoort. Er klonk een nieuw liedje. Ik gaf mijn beambte een dollar en hij knikte en liep met salsapasjes naar de bar. Ik betaalde de drager en liep verder naar de douane. De douane bestond uit een houten schuurtje ongeveer ter grootte van een telefooncel, met rafelige gordijnen als deur. Ik duwde ze opzij en liep naar binnen. Een man gekleed in een t-shirt en een flodderige korte broek kwam van een kruk af. Hij griste mijn paspoort uit mijn hand. 'Aha, familie van meneer Clinton! Hoeveel geld hebt u bij u?'

'Tweeduizend dollar.'

Hij hapte naar adem. 'Laat eens zien die dollars.'

Ik haalde mijn travellerscheques te voorschijn. Hij liet zich weer op zijn kruk zakken en wuifde me door.

Vanaf zijn hok leidde een wiebelige, een meter of tien lange loophelling, bedekt met een slijmerige laag en roodbruin van de roest, over het kolkende azuurblauwe rivierwater naar een aanlegplaats waar twee aan elkaar gebonden veerboten zo groot als een sleepboot op de stroom deinden. Ik liep voorzichtig, mijn gladde zolen glibberden over de helling. Gehaast vanwege de zakken en kratten die ze op hun schouders torsten stoven dragers in gerafelde shorts langs me heen onder het roepen van 'Attention!', hun blote voeten boden voldoende houvast en deden de helling schommelen, zodat ik mijn evenwicht verloor en me aan het hek moest vastgrijpen. De helling mocht dan spekglad zijn, documentenspecialisten stonden er in overvloed: de ene beambte vroeg naar mijn paspoort, de volgende bekeek mijn vaccinatiepapieren, een derde onderwierp mijn ticket aan een nauwkeurige inspectie. *Bon. Passez.*

Ten slotte, nog maar één delicate stap van de aanlegplaats verwijderd, werd ik tegengehouden door een graatmagere slavendrijver met uitpuilende ogen, een echte Kongolese Jan Dril met een rode baret op zijn kruin, die me met krakerige stem beval al mijn documenten nogmaals te voorschijn te halen en wel *tout de suite!* Hij graaide naar mijn gele vaccinatieboekje en bladerde erdoorheen. '*Mais c'est trop!* Te veel inentingen! Wat zit er in die tas?'

Kleren, zei ik tegen hem.

'Kleren? Laat me die *kleren* maar eens zien.' Hij stond te zwaaien op zijn benen en zijn ogen waren bloeddoorlopen.

Ik deed mijn tas open en onthulde net een roman van John Updike en een rol ondergoed, toen *Ho!* Een drager struikelde en gleed langs de helling omlaag, de zak die hij droeg schuurde tegen het metaal en zijn naakte rug glibberde over de slijmlaag; zijn scheenbenen sloegen met een klap tegen het hek. Hij greep naar zijn benen en schreeuwde het uit. Jan Dril blies op zijn fluitje, zwaaide met zijn knuppel – hoe haalde zo'n achterlijke lulhannes het in zijn kop om op zijn helling uit te glijden! –, zette een stap op de helling, gleed bijna uit, stapte weer terug, blies op zijn fluitje en schold de gevallen man in schril Lingala verrot.

Ik liep pijlsnel langs hem heen, sprong aan boord van de veerboot, wurmde me door de menigte aan dek en vond een plekje. Een driewielige rolstoel met een beladen karretje eraan vastgemaakt was de begeleidende drager uit handen geglipt, het zwenkte en schoot hotsend over de helling in de richting van het water; de rolstoeler die erin zat, een poliopatiënt met verschrompelde benen, was machteloos en kon niet bijsturen. De drager rende om hem in te halen en gleed uit, de helling bonkte op en neer; het dek van de veerboot deinde op de stroming en zou of te hoog of te laag zijn voor de rolstoel. Met verwoede manoeuvres wurmden de andere rolstoelers aan boord – en dat waren er heel wat – zich met hun stoel uit de weg. De stuurloze rolstoel stuitte tegen een meerpaal, veranderde daardoor van richting, vloog over het gat van een voet breed tussen dek en aanlegplaats en kwam op de veerboot terecht, graan, maïskolven en een lading kookpotten schoten uit het karretje toen het landde en rammelend tot stilstand kwam. Maar de man in de rolstoel was er niet uitgevallen en stak lachend van triomf zijn duimen in de lucht. Iedereen begon te klappen.

Terwijl het laden doorging, daalde er tussen ons en Kinshasa een warm gordijn van mist neer. De vertraging liep op tot een halfuur, een uur. Ik begon te zweten, niet alleen vanwege de vochtigheid maar ook van de zenuwen. Met hun handen in plastic sandalen gestoken sleepten koopvrouwen zonder benen hun doosachtige torso over het dek, goed uitkijkend dat hun omslagdoek om hun bovenlijf gewikkeld bleef. Welgedane Zaïrese mannen draaiden aan hun gouden kettinkjes en blaften hun dragers af. Het viel me op dat de dragers een goed ogend, ruig clubje vormden – mannen met volkomen glad geschoren kruinen en pezig gespierde ruggen – en onvermoeibaar werkten.

Eindelijk, toen alle karren op elkaar gestapeld lagen, een tiental handelaars zonder armen en benen tussen de zakken graan en bundels suikerriet waren gepropt en er op het hele dek geen centimeter meer vrij was, begon er een bel te luiden, sneller en sneller, alsof er brand was. De kapitein betrad in wit galatenue het schip en beklom de trap naar de brug. De motoren sputterden en begonnen toen regelmatiger te kuchen en te ronken, de achtersteven braakte rook uit en de boot trilde en schudde. We toeterden, kwamen los van de kant, draaiden en puften de kolkende blauwe stromingen in, waarna we in diagonale richting de rivier op voeren; we sneden behoorlijk scheef hangend door de mist, terwijl de vlotten van waterhyacinten, groen in het blauw van het water, zich tegen ons aan persten en met een sissend geluid langs onze flanken streken, sissend en weer verder jagend, de nevelen in. Toen we midden op de rivier waren, begon er een briesje tegen ons aan te waaien, verfrissend maar niet echt koel, en voor het eerst sinds we aan boord waren gegaan begon iedereen zich te ontspannen.

Maar niet voor lang. Een halfuur later trok de mist op en onthulde de wolkenkrabbers en torenkranen van Kinshasa met aan de voet rook. De passagiers waren meteen weer een en al bedrijvigheid en ik voelde mijn maag verkrampen. Toen we dichterbij kwamen veranderde de stad die vanaf Brazzaville gezien zo imposant en modern had geleken, in een spookbeeld van vernieling, uitgebrande geraamten en bederf: hutjes en krotten van golfplaat stonden op elkaar gepakt op de oever onder een sluier van rook; in het ondiepe water langs de kant lagen hopen verwrongen staal en geknakte balken dicht bijeen – verroeste veerboten en oude rivierscheepswrakken; het snelstromende water kolkte door de opengereten ruimen. Deze wrakken waren bewoond: ogen bekeken ons van achter ramen zonder glas, op komforen gestookte vuurtjes gaven de wind een penetrant aroma mee. Op een paar van de achterstevens stonden naakte figuren die van ons wegkeken, mannen en vrouwen in aparte groepjes, die zich inzeepten, boenden en afspoelden.

'Ngobila Beach!' zei een oude drager die naast me stond; hij droeg een afgeknipte spijkerbroek en zijn benige schedel was bedekt met een zilverwit waas van haar. Hij hees mijn tas op zijn hoofd. Op Ngobila Beach lag een verroeste helling waarover een menigte mensen naar beneden sprintte. Achter hen kwamen soldaten met hun geweer tegen de schouder in looppas onze kant uit; bedelaars zonder benen bewogen zich met sandalen aan hun handen naar ons toe, zwaaiend met hun romp.

We begonnen met aanmeren, een moeizame schommelende manoeuvre van veel rukken en trekken op het woelige water. Vanaf de Beach werd geroepen. De militairen – zo zag ik ineens tot mijn grote schrik – gebaarden naar mij, de haveloze jongelui wuifden naar mij, zelfs de mensen zonder benen die in het rond tolden wenkten mij. *Mondele! Le blanc! Ey, le blanc!*

Waarom?

De mensenmassa op de veerboot kwam in beweging en schoof

duwend en vechtend naar de rand. Toen er nog een gat van een meter was tussen het dek, dat meedeinde met de stroom, en de aanlegplaats, die weliswaar stillag maar helemaal vol stond met soldaten met geweren en roepende bedelaars, begon het ambulante deel van de passagiers op onze boot aan wal te springen. Mijn drager sprong ook. Ik zou nog gewacht hebben, maar ik werd van achteren in de rug geduwd; ik sprong over het water, smakte tegen de armen en ruggen van degenen voor me en deed alles om mijn evenwicht te bewaren en niet in de nauwer wordende spleet tussen de boot en de wal te vallen. Maar ik was in ieder geval op de kant.

Ik drong me in het kielzog van mijn drager verder naar voren.

'Op de plaats halt!' commandeerde een stem kortaangebonden in het Engels. 'Ik ben van de SNIP. Uw papieren!'

Een rijzige man met een Ray-Ban-zonnebril op en een stevig kakement, gekleed in een glimmend groen tweedjasje, een gesteven wit overhemd en een geperste broek van de marine, stond stram te midden van om hem heen wervelende dragers en militairen, en hield me een gelamineerde identiteitskaart voor. Ik las wat erop stond: SNIP was de afkorting van Service National de Investigation et Protection. Ik pakte mijn paspoort en hij graaide het uit mijn vingers. De soldaten, in werktenue met zwarte baret, hun ogen roodbewaasd, drongen zwaaiend met hun geweer langs hem heen en grepen me vast. Hij wuifde met zijn arm en ze stoven uiteen als een troep geschrokken honden. 'U, meekomen met mij!'

Hij draaide zich om en begaf zich in de mensenmassa. Wegkijkend van de paren woeste rode ogen probeerde ik hem te volgen, maar zodra hij gepasseerd was, sloot de stroom lijven zich weer aaneen, zodat ik me wringend een weg moest banen langs maaiende onderarmen, geweerkolven en van zweet doordrenkte uniformen. Mijn lenige, magere drager had geen moeite om me bij te houden.

We kwamen bij een ijzeren deur waar de SNIP-functionaris doorheen glipte. Aan de andere kant stonden er mensen tegenaan te duwen, zodat de deur voor mijn neus dichtsmakte en met een klap tegen mijn wang sloeg; van pijn sprongen de tranen me in de ogen en

mijn hoofd begon te bonken. Achter me stonden de mensen te dringen en te duwen, zodat ik tegen de spijlen werd aangedrukt; mijn
wang zat klem; ik probeerde te schreeuwen, maar kon geen lucht
krijgen. Mijn drager werd onder mijn onderarm geplet. Ik slaagde
erin te denken: *Hij heeft mijn paspoort!* Toen zwaaide de deur open en
rukte de SNIP-man mij en mijn drager erdoorheen. '*Viens!*' zei hij,
me aan mijn arm meetrekkend als was ik een crimineel die werd op-
gebracht.

De soldaten waren hier het opdringerigst. 'Maak die tassen open!'
'Geef me geld!' 'Laat uw papieren zien!' Van links en rechts kreeg ik
bevelen in het Frans in mijn gezicht geslingerd, vergezeld van de
lucht van bier; een soldaat greep me bij mijn riem vast en gaf er een
ruk aan, waardoor ik achteruit schoot en mijn evenwicht verloor. De
veiligheidsfunctionaris gaf hem een trap tegen zijn schenen en toen
liet hij los, zijn gezicht in een akelige warboel van benige kaken en
kwaaiige wenkbrauwen en zijn ogen rood van de drank.

'*Viens!*' De SNIP-man stootte door naar voren, duwde kaki opzij
en werkte zich met zijn vuisten door het woud van baretten en geweren. Hij liep in de richting van een grote blauwe barak –
Immigratie en Douane.

Vlak bij de barak raakte een vrouwelijke soldaat mijn arm aan. Ze
droeg haar lange ontkroesde haar in een knotje en had grote gouden ringen in haar oren; haar baret stond ver naar achteren, als een
modieus Frans hoedje. Ze was kauwgum aan het kauwen. '*Ouvrez vos
bagages!*' commandeerde ze. Ze lachte erbij zodat de kauwgum zichtbaar werd.

De SNIP-man zette haar meteen op haar nummer. 'De Amerikaan
mag alleen in het Engels worden aangesproken!' Hij zette zijn hand
tegen haar borst en duwde haar tegen de wand van de barak.

We gingen de Immigratie-barak binnen. Mijn drager liep nog
steeds naast me, mijn tas was nog heel en mijn rugzak ook. Maar
hier waren halletjes, gangen waar de blauwe verf afbladderde en donkere kamertjes. Ik had over die kamertjes gehoord. Die moest je koste
wat het kost zien te vermijden. In die kamertjes konden functiona-

rissen je in alle rust geld afhandig maken. Je liep kans om in elkaar geslagen te worden als je niet genoeg smeergeld ophoestte. Ze konden je grondig fouilleren en elke cent die je bij je had opsporen, waar die ook verstopt zat.

'Kom mee!' Hij liep de gang in. Bij een kamertje bleef hij staan. Hij sloeg het stof van zijn revers en zette zijn Ray-Ban ietsje anders op zijn neus. 'Vertel op, hoeveel geld hebt u bij u?'

Ik zei zestienhonderd, instinctief noemde ik een lager bedrag; ik zou hem alleen mijn travellerscheques laten zien, maar bedacht vervolgens dat ik nog te veel had gezegd.

'Wat?'

'Een zes nul nul dollar.'

'Honderdzes dollar?' Hij keek naar het kleine kamertje. 'Komt u naar Zaïre met maar zo weinig geld?'

Wat moest ik nu doen? Moest ik zijn verdenking dat ik loog zien weg te nemen door zijn vergissing te corrigeren, of moest ik maar hopen dat hij het idee kreeg dat ik voor hem niet de moeite waard was? Het was het eenvoudigst om gewoon bevestigend te antwoorden.

'Ja, maar zo weinig geld.'

Hij schreef '106' op een memopapiertje en voerde me aan mijn arm mee de gang door. Aan het eind, buiten, wachtte ons een mollige man op, blootsvoets en vrolijk, met een gezicht dat glibberde van zweet en olie en onder de pukkels zat. 'Bonsoir!' zei hij tegen mij, en rinkelde met de autosleutels in zijn zak. Hij zag eruit als een opblaasbare duikelaar – als je hem een duw gaf zou hij vanzelf weer terugstuiteren.

Aan deze kant van de barak lagen ruimten die aan de straatkant open waren, maar van spijlen waren voorzien, een soort kooien. In de kooien stonden bureaus met daarop door ratten aangevreten dossiers, in piramidevorm opgetaste paspoorten – groene, rode en blauwe –, bergen vergeelde papieren, verspreide bananenschillen, scherven van bierflesjes en stapels documenten vol koffievlekken. Erachter zaten mannen die eruitzagen als gevangenen. De SNIP-man wierp mijn paspoort tussen de spijlen door en een van de gevangenen plukte het uit de lucht. Er barstte een gekrakeel in het Lingala los terwijl mijn kostbare blauwe boekje van de ene crimineel naar de volgende fladderde.

De SNIP-man wisselde enkele woorden met hen en wendde zich toen tot mij. 'Er is een probleem. *Un grand problème.*' Zijn trekken verstrakten tot een masker van intense zorgelijkheid. 'Dit is de eerste keer dat u in Zaïre bent. *C'est vrai?*'

'Ja.'

'Ze willen weten waarom u hier bent.'

Het olieachtige gezicht van de chauffeur bootste zijn achterdocht getrouw na. Dit was een ernstige zaak, o, o, *très trrrès sérieux!* Ze waren het helemaal met elkaar eens; in koor lieten ze op on-Franse wijze hun r rollen, terwijl ze grinnikend hun hoofd schudden.

'Ik, eh... ik ben hier als toerist.'

Dit klonk zelfs mij belachelijk in de oren. Maar iets weerhield me ervan om over mijn plannen te vertellen – die waren te groots voor iemand met maar 106 dollar op zak, en waarschijnlijk zou ik er alleen maar meer hun interesse mee opwekken en zouden ze me fouilleren. Ik keek opnieuw naar de gevangenen die mijn paspoort hadden en zag toen dat Zaïrese zakenlui hun dollarbiljetten aanreikten, waarna ze hun papieren terugkregen.

SNIP schudde zijn hoofd en ook de chauffeur liet zijn beoliede knikker heen en weer zwaaien. SNIP trok zijn gezicht in een frons. '*Que c'est sérieux!* U moet de chef immigratie vijf dollar geven om uw probleem op te lossen.'

Ik keek een andere kant op. Ik stak mijn hand in mijn zak en tastte tussen de voorgevouwen briefjes naar een van vijf. Toen ik het te voorschijn haalde, kwam er helaas ook een van vijftig dollar mee, dat ik er kennelijk bij vergissing tussen had gestoken; het fladderde op de grond. SNIP en ik doken er tegelijk op af zodat we bijna met onze koppen tegen elkaar stootten, maar ik was er het eerst bij en stak het briefje weer in mijn zak. Hij nam het vijfje aan en liep ermee naar de kooi. Een ongeschoren jonge vent in een overhemd van spijkerstof en een broek vol vlekken stak zijn arm tussen de spijlen door en pakte het aan.

Er volgde opnieuw een woordenwisseling in het Lingala en beiden onderwierpen mijn paspoort aan een nauwkeurig onderzoek. Mijn chauffeur rinkelde met zijn sleutels. SNIP kwam weer naar me toe, geagiteerd en geprikkeld.

'U liegt! *Quelle est votre mission ici?* U bent geen toerist!'

'Ik ben wel toerist, dat heb ik u al gezegd.'

Hij stampvoette. 'Dat bent u níet! We hebben hier helemaal geen toeristen! De chef immigratie wil weten wat u echt in de zin hebt. Wat is uw missie hier? Wat komt u in Zaïre zoeken? Goud? Diamanten?' Op zijn voorhoofd waren gezwollen aderen te zien en hij stampvoette opnieuw. 'U *moet* de chef vijftig dollar geven, anders laat hij u niet door!'

Ik wendde me af. Ik kon zo gauw geen antwoord bedenken, maar ik hoopte dat mijn zwijgen zou worden opgevat als uitdrukking van de hooghartigheid van iemand die boven dit alles stond – van een man met een missie, inderdaad, een missie waarvoor ik van ergens hogerop opdracht had gekregen. Hij zei alleen maar vijftig omdat hij dat briefje had gezien. Ik was niet van plan hem vijftig te geven, ook al zou dat de voortgang bespoedigen – het was gewoon te veel. En die ongeschoren hufter achter de tralies zag er niet uit als de chef.

De SNIP-functionaris reikte tussen de spijlen door, griste mijn paspoort van het bureau en bladerde het door tot hij bij mijn visum kwam. 'Kijk hier maar. U hebt een meervoudig inreisvisum voor zes maanden. U mag zes maanden in en uit. Toeristen krijgen zo'n visum niet. U hebt een missie en wij moeten weten wat die missie is.'

'Ik ken de Zaïrese ambassadeur in de Verenigde Staten.' Dat was een leugen, maar ik wendde me af alsof dit genoeg zei.

Het zou al spoedig donker worden. Ik kreeg het benauwd bij de gedachte in het duister door Kinshasa te moeten. Het barstte hier werkelijk van de dragers, militairen en vrachtwagens; de rook, van waar in de stad die ook mocht komen, werd steeds dikker. Ik stopte mijn hand in mijn broekzak, haalde er een briefje van vijftig franc uit (tien dollar) en reikte het SNIP aan. Hij gniffelde en keerde zich van me af, maar nam het toen aan en gaf het door aan de 'chef', die daarop in het Lingala begon te schreeuwen. Maar hij gaf me mijn paspoort terug.

De drager hees mijn tas op zijn schouder, de chauffeur zwaaide met zijn sleuteltjes en we liepen naar zijn taxi – een scheefhangende stationcar uit de jaren vijftig met kapotte zijramen en een gebarsten voorruit. Ik betaalde mijn drager en zei hem gedag. De SNIP-man bevond zich vlak achter me; ik ging voor in de auto zitten en hij sprong op de achterbank.

'Nu komt het grootste probleem nog,' verklaarde hij, terwijl hij zijn gezicht tot bij mijn oor bracht. 'Er zijn tien politieposten waar u langs moet. Die kosten u allemaal tien dollar. U moet mij honderd dollar geven zodat ik bij alle controles smeergeld kan geven, anders wordt u teruggestuurd.'

'Nee.'

Hij begon de hele komedie weer op te voeren, inclusief beschuldigingen van spionage en handel in diamanten, maar de chauffeur startte de motor.

'Nee,' zei ik weer.

Toen SNIP bij zijn eis bleef, stak ik een briefje van tien dollar omhoog. Hij lachte, schudde zijn vuisten, krijste van ongenoegen, smeekte en tierde; hij schopte tegen de rugleuning van mijn stoel. De chauffeur trok op en bleef een meter verder weer stilstaan. SNIP staakte zijn geschreeuw, plukte het briefje met duim en wijsvinger uit mijn hand, sprong de auto uit en boog zich door mijn raampje. 'Oké dan,' zei hij met een glimlach, 'wanneer zien we elkaar weer?'

'*Allons!*' zei ik tegen de chauffeur.

Hij trapte met zijn blote voet het gaspedaal in en slingerend reden we het terrein af.

Ik leunde ongelovig achterover in mijn stoel. Het hele gedoe zou wel een toneelstuk zijn geweest om mij iets lichter te maken – of niet soms? Stel dat SNIP niet was komen opdraven, wat zouden de militairen dan met me hebben gedaan? Niets? Of zouden ze me hebben beroofd en tot moes geslagen?

Vijftien meter verderop, bij een streep over de weg, sprong een soldaat voor de auto. Hij zoog zijn wangen vol lucht, blies op zijn fluitje en hief zijn arm op.

'Halt! Arrêtez-vous!'

Hij deed zo overdreven dat ik moest lachen, waarop hij ook begon te lachen; hij lachte zijn tanden bloot en stak zijn hoofd door mijn raampje naar binnen. 'Paspoort! Aha, Amerika. Machtig land! Geef me een groot Amerikaans cadeau!'

Ik weigerde lachend. In mijn zakken zaten alleen nog briejes van tien en het briefje van vijftig, en ik was niet van zins daar afstand van te doen. Maar hij lachte nu niet meer en zijn stem werd hees. 'Ik zei: geef me een cadeau. Hoeveel geld hebt u?' Uit de hut achter hem kwamen nu twee andere soldaten naar buiten, hun geweer bungelde aan hun schouder.

De chauffeur trok snel een stuk of wat zaïres uit zijn zak en gaf ze aan hem. Toen de soldaat opzij ging staan om de biljetten te tellen, schoten we bij hem vandaan. 'De soldaten zijn gevaarlijk,' zei de chauffeur met doffe stem. 'Met soldaten moet u geen geintjes uithalen.'

Er waren verder geen controleposten. De zon ging onder, heel snel. We zwenkten af naar een boulevard met een wegdek van gebarsten asfalt, die langs de grillige bidonvilles van de Cité, de oude stad, voerde. Op iedere straathoek lagen een tot anderhalve meter hoge afvalhopen te branden en de rook sliertte rond in lagen, hier en daar goudkleurig door de gloed van het vuur; al rammelend reden we door de rook heen. De verkeerslichten werkten niet. De chauffeur hield zijn blote voet voortdurend op het gaspedaal; in de strijd om een plekje moesten we het opnemen tegen toeterende vrachtwagens waaraan zich aan de zijkanten magere jongemannen vastklampten, vrachtwagens die de rook uiteensloegen tot sierlijke kringels die even bleven hangen en dan langzaam uiteenvielen. Hier en daar liepen vrouwen in dashiki twee aan twee en wiegend met hun achterwerk te slenteren, op hun hoofd een mand meedragend; ze lachten en praatten met luide stem en hun blote voeten deden trage wolkjes as en stof opwervelen; uitgemergelde kinderen renden rond, duwden met stokjes wielen voor zich uit of trapten tegen van lompen gemaakte voetballen, in dit decor van palmbomen, afvalhopen en platgegooide buurten met hutjes van b2-blokken en stalen keten. Het zag er allemaal vaag en spookachtig uit door de versluierende rook die nu doortrokken was van de gesmolten tinten van de ondergaande zon.

De hemel werd zwart. Op de hoeken brandden kookvuurtjes, die de gezichten en gestalten verlichtten; de rook kleurde rood en oranje van het schijnsel.

Na een halfuur draaiden we de zanderige parkeerplaats van Hôtel Afrique op.

Een biljet van honderd zaïre

Kinshasa

DE BEDRIJFSLEIDER VAN HÔTEL AFRIQUE WAS EEN LANGE vrouw met de sierlijke, soepele gang van een leeuwin en de gebeeldhouwde jukbeenderen en adelaarsneus van een Ethiopische prinses. Althans, ik vond dat ze eruitzag als een Ethiopische prinses. Mijn gids, die het hotel ten zeerste aanbeval, omschreef haar als een 'vriendelijke Ethiopische dame', dus toen ik om een kamer had verzocht stelde ik haar een geïnteresseerde vraag over Addis Abeba, om mezelf eveneens van een vriendelijke kant te laten zien.

'Addis wat?' Ze keek verbijsterd. Ik legde het haar uit. Ze schudde loom haar hoofd. 'Die Ethiopische bedrijfsleidster waar u het over hebt ken ik niet. Ik kom uit Rwanda. Misschien was ze hier vroeger wel, maar sinds de pillages is alles veranderd.' Les pillages, zo duidden de mensen de grote plunderingen door het leger in 1991 en 1993 aan, die het land tot een woestenij maakten.

Ze ging me door de gang voor naar een kamer waarvan ze de deur openmaakte. Ik keek binnen rond. De airconditioner was van de met schimmel uitgeslagen muren gerukt; wat er nog restte aan elektrische apparatuur was een knetterend kaal peertje aan een door ongedierte aangevreten draad. Het bed was een janboel van doorzwete, vlekkerige lakens die voor de geest riepen hoe een vorige gast hier een slapeloze nacht had doorgebracht, verwikkeld in een gevecht met muskieten, waarvan er blijkbaar heel wat waren geweest; de ramen sloten niet, maar dat maakte niet uit: er zat toch geen glas in. Ik sneed mijn duim aan de gebarsten knop van de badkamerdeur toen ik ernaar greep. De wc had geen bril en de douche geen kop.

Kakkerlakken zo groot als padden scharrelden over de halfvergane fruitschillen op de betonnen vloer.

De bedrijfsleidster keek me aan. 'En?'

'Ik neem hem.'

Ik wilde op dit late uur Kinshasa niet meer in. Ze gaf me de sleutel en slofte de deur uit. Ik haalde het bed af, hing mijn muskietennet erboven – een soort tent van gaas met stevig nylon aan de onderkant – en besloot er het beste van te maken.

Die hele nacht sliep ik slechts met tussenpozen; futloos lag ik in de vochtige hitte te luisteren naar het gesjirp van krekels, het gefladder van motten en het gepiep van ratten. Muskieten zwermden door de kamer; steeds als ik met een van mijn ledematen het net raakte werd ik belaagd en gestoken tot het pijn deed. Nu en dan nam ik Nabokovs *Lolita* ter hand dat ik op het kantoor van het Peace Corps had aangetroffen, en probeerde erin te lezen. Maar steeds weer keek ik op van de pagina's om vol verwondering te constateren: ik was aangekomen.

's Ochtends bestookte de zon de palmen en verhitte alle nevel tot stoom. Ik stond vroeg op en besloot naar het stadscentrum te gaan, want het eerste dat me te doen stond was geld wisselen. Buiten het hotel sputterden scheefhangende vrachtwagens en rammelende pendelbusjes stampvol mensen toeterend langs over het gebarsten asfalt, wolken as en stof opjagend. Ze zagen er niet erg betrouwbaar uit, dus ik wachtte op een echte taxi.

Al claxonnerend kwam een rokend metalen geval op wielen met uitstekende draden langzaam van het midden van de weg naar de bestofte berm zetten, recht op me af. Aan de sporen gele verf op de geroeste zijkant kon ik nog net zien dat het een taxi betrof.

'À la *Banque de Zaïre!*' schreeuwde ik die kant uit. De chauffeur, een oud kereltje in lompen, vertraagde maar stopte niet; zwakjes gebaarde hij me in te stappen. Op een drafje meelopend probeerde ik het portier open te trekken, maar de kruk zat vast; hij frunnikte aan de greep aan de binnenkant en gaf een duw. Het portier zwaaide open – en de motor sloeg af. Ik klom in de auto.

Het gezicht van de chauffeur had roze en bruine vlekken van de pellagra; zijn armen waren niet meer dan stakerige botten in een omhulsel van slappe huid. Even bleef hij naar beneden kijken als moest hij bijkomen van een tragedie. Toen tastte hij onder het dashboard en trok twee draden naar zich toe die hij tegen elkaar hield; na enkele minuten vonkengeflits kwam de motor moeizaam weer tot leven. Ik probeerde een comfortabele positie op mijn stoel te vinden; de veren staken tussen restjes bekleding uit; de raamslingers waren afgevallen; de voorruit was een soort spinnenweb van barsten dat met een licht tikje van de vingers moest zijn in te drukken.

De bestuurder kuchte, drukte met zijn knokige tenen het gaspedaal in en draaide aan het stuurwiel, wat een piepend geluid voortbracht. Langzaam rolden we van de kant van de weg vandaan en voegden ons in de karavaan van door elkaar bewegende rammelkasten op weg naar het centrum. De chauffeur zat van voren naar achteren te zwaaien op zijn stoel alsof hij zijn vehikel op die manier meer vaart kon meegeven. Misschien maakte hij deze bewegingen niet met opzet – leed hij aan een nerveuze aandoening of had hij last van kramp – maar ze gingen in ieder geval gelijk op met onze steeds dubieuzere voortgang. De taxi vulde zich nu met uitlaatgassen, maar dat was niet erg – in de zijramen zat toch geen glas en de dampen konden naar buiten wervelen. Toch zou het niet overdreven zijn te stellen dat we 'in vuur en vlam' stonden, maar te oordelen naar het reutelende en rokende assortiment net zo aftandse voertuigen in onze karavaan, stuk voor stuk een mobiele verzameling draden, kaalgesleten banden en roest plus aanhangende jonge kerels, was deze staat van ontbranding beslist niet exceptioneel en ik probeerde er kalm onder te blijven.

De verkeerslichten werkten niet en elke kruising was een geïmproviseerde marktplaats voor voetgangers: magere jonge mannen die in de zon rondliepen met sigarettendisplays op hun hoofd; magere jonge mannen die in bladeren verpakte maniokwortels verkochten, *shikwanga* in het Lingala, magere jonge mannen die leurden met horloges, waarvan ze er om elke arm wel twintig droegen, of met grijsrode papegaaien in kooien, dezelfde vogels die je overal in de bomen zag zitten. Met hun hoge jukbeenderen en keurig bijgehouden haar zagen deze straatventers er op een bepaalde manier kek uit; ze waren zo mager dat ze waarschijnlijk honger leden, maar toch gedroegen ze zich met een *joie de vivre* en een zwier die ik in het welvarender Brazzaville niet had gezien.

Plotseling werd er venijnig op de achterkant van de auto geroffeld. Een soldaat liep met hanige stappen naar het portier van de chauffeur, zijn knuppel met zuurstokstreep in de hand. Mijn chauffeur kromp ineen op zijn stoel en kreunde: 'De garde civile.'

De soldaat stak zijn kop door het open raam, zijn witte helm met de te strakke kinriem reikte tot aan zijn rode ogen. '*Tes papiers! Tes papiers tout de suite!*' krijste hij.

De bestuurder reikte naar het handschoenvakje en rommelde tussen fragmenten van vergeelde documenten, vettige wikkels en potloodstompjes; zijn ademhaling klonk rasperig, hij knipperde met waterige ogen en zijn vingers trilden.

'*Tes papiers!*' *Pok-pok-pok.*

De rook van de stationair draaiende motor drong de cabine binnen. De chauffeur vond zijn vergunning, maar hield die boven mijn schoot; ik dacht dat hij om de een of andere reden wilde dat ik hem aanpakte en deed dat dus, maar hij trok hem meteen weer uit mijn hand.

'*Pesa ngai ton permit!*'

De soldaat krijste, leunde door het raampje naar binnen en greep naar de vergunning; zijn vingers met lange nagels schoten als klauwen voor mijn ogen langs, *grijp, zoef, grijp*. De chauffeur hield het document zo ver mogelijk weg zodat hij er niet bij kon, hijgerig grommend van inspanning, zijn tenen gespreid op de bodem van de auto.

Het verkeer raakte uit de knoop. De chauffeur trapte het gaspedaal in en we schoten naar voren terwijl het hoofd en de schouders van de soldaat nog binnen de taxi waren. Een ogenblik later sloeg hij naar achteren en tuimelde in het stof, met zijn knuppel de lucht doorklievend.

'De garde civile. Ze geven je vergunning nooit meer terug als je 'm hebt afgegeven,' zei de chauffeur, achterom kijkend om te zien of de soldaat ons niet achterna kwam. 'Ze willen geld. Ze zijn *méchants.*' *Méchant.* Kwaadaardig, gemeen. Het was een woord dat ik in Zaïre aan de lopende band zou horen. Mannen in uniform, of het nu soldaten van de garde civile, gendarmes of politieagenten waren, waren altijd *méchants.* Ze werden in zekere zin als een apart volkje gezien, net zo verschillend van gewone mensen als wezels of jakhalzen en met ontelbare akelige trekjes.

Voor ons uit verrezen de moderne hoge woon- en kantoorflats die ik vanuit Brazzaville had gezien. Aan de voet ervan, tussen de palmen op de Boulevard du 30 Juin, maakten verschoten billboards reclame voor huidblekende crème van het merk Miki, voor Shabair, Primus-bier en Scibé-Airlift, allemaal vrolijke, geschilderde advertenties in jaren-vijftigstijl. Mannen – niet veel meer dan in lompen gehulde skeletten – zwierven in door de zon gebleekte zijstraten vol troep en wierpen askleurig stof op. Uitgehongerde mensen zaten op hun knieën te wroeten in de afvalhopen, die nog nasmeulden van de vorige avond; anderen lagen kreunend en met hun ledematen trekkend in het afval en de smurrie, te zwak om nog overeind te komen.

Ik kon het niet aanzien en wendde me af.

'Wij zijn allemaal ziek,' zei de chauffeur. Zijn gele, bewaasde ogen vestigden zich op de mijne. 'Wij zijn een ziek volk. We lijden aan malaria en andere ziekten.'

Ik wist niets te zeggen en kon het niet verdragen hem in de ogen te kijken. Mijn blik viel op zijn gerimpelde handen, de huid van zijn armen. Misschien was hij wel helemaal niet zo oud; misschien was hij uitgedroogd door honger en ziekte en teerde hij weg, misschien was één jaar voor hem wat tien jaar voor mij was.

We reden verder over de Boulevard du 30 Juin. Dat de stad als boegbeeld voor Mobutu's Zaïre had gediend, daar kon je hier niet omheen. Het Sozacom-gebouw, eenentwintig verdiepingen glas en beton, hoofdkwartier van de eens zo bloeiende mijnbouwindustrie van het land, torende nog altijd hoog boven de Boulevard du 30 Juin uit, een brede doorgaande weg van meerdere rijstroken met aan weerszijden bankgebouwen en vervallen kantoorpanden, veel ervan gesloten of verlaten, en ambassades. Maar de rook van brandend afval hing onder de palmen; de zon stortte meedogenloos zijn stralen over alles uit, zodat kleuren verbleekten en de stad de verschroeide aanblik kreeg van Hiroshima na de bom. Stof, verval, waanzinnige mannen in uniform, uitgehongerde en kreupele mensen – ineens kwam alles op me af en dreigde me te overspoelen. Ik voelde misselijkheid opkomen; ik was bevangen door medelijden, afkeer en schrik tegelijk, zodat de angst die ik gedacht had te zullen ervaren naar de achtergrond verdween. Ik had verwacht met armoede confronteerd te worden, maar had geen idee dat het me zo zou aangrijpen, ook lichamelijk.

De taxichauffeur zette me af bij de Bank van Zaïre. De bank leek de meest logische plek om Zaïrees geld te gaan halen, maar de bankbediende die ik met dit doel benaderde, onthaalde me op ongelovige spot vermengd met verontwaardiging ('*Geld?*! De bank heeft geen geld! De bank heeft al geen geld meer sinds de *pillages!*') en gaf me de raad het bij een groot hotel te proberen. Dus toog ik vervolgens naar het Intercontinental. Maar het Intercontinental was ook door zijn contanten heen. De receptionist, die in ieder geval nog zo goed was te zeggen dat het hem speet me niet van dienst te kunnen zijn, kwam achter zijn balie vandaan. 'Geld is hier een probleem. U kunt het op Wall Street proberen. Zo noemen we hier de zwarte markt van geldwisselaars. Maar het is wel riskant. Er lopen daar dieven en soldaten rond, dus u kunt er maar beter niet in uw eentje naartoe gaan. Ik zou het voorlopig proberen in een Indiase winkel, gewoon voor iets goedkoops betalen met groot geld. Dat lukt waarschijnlijk wel.'

Op een hoek niet veel verderop vond ik een door Indiërs gedreven kruidenierswinkel, waar ik met een biljet van vijftig dollar betaalde voor een candybar. De man achter de kassa, een Hindoestaan met donkere kringen onder zijn vriendelijke ogen, gaf me mijn wisselgeld in zaïres – bijna tweeduizend briefjes – en deed er een papieren zak bij om ze te vervoeren.

Nu moest ik op zoek naar een boot voor de tocht stroomopwaarts.

Op de kade van de grootste rederij voor de Kongovaart, Marsavco, bivakkeerden honderden mensen. Het was al laat in de middag toen ik er aankwam. Vrouwen in bloemetjesjurken bakten bananen en deegballen op houtskoolbranders; naakte kinderen speelden tikkertje; bejaarde mannen zaten te midden van een vracht dekens en koffers van karton te wachten. Achter hen stroomde breed de rivier, een verblindend spiegelende zilverblauwe massa met hier en daar drijvende klompen waterhyacinten. Heel ver weg aan de overkant, als een visioen van een voorbij leven, lag Brazzaville.

De bewakers aan de poort verwezen me naar het administratiekantoor. Daar legde ik een medewerkster uit wat ik wilde. Ze zei dat er over een paar uur een boot ging, een vrachtschuit, en dat een plaats aan dek dertig dollar kostte. Geen bed, geen eten, geen toilet, geen water: hierin werd niet voorzien. En het was zelfs twijfelachtig of er nog wel ruimte aan dek zou zijn; een kaartje gaf me alleen het recht om aan boord te gaan, waar ik met de rest van de passagiers zou kunnen knokken om een plekje. De tocht kon twee weken gaan duren, of een maand, of zes weken. Maar ik moest wel meteen beslissen.

Ik zei dat ik niet met deze boot mee wilde: ik had mijn spullen nog niet bij elkaar. Maar hoe zat het met de boten van de overheid die heen en weer voeren over de rivier? Ik had in Brazzaville gehoord dat de *Colonel Ebeya* nog altijd deze route bevoer. Ze vertelde me dat de *Ebeya* al in vier jaar niet meer gevaren had, en dat alle andere veerboten het al langer geleden begeven hadden. Het viel nog te bezien of die gerepareerd zouden worden. Ooit.

Ontmoedigd bedankte ik haar en liep naar een balkon dat op de haven uitkeek. Ik keek naar de mensen die er kampeerden. Wat moest ik doen?

Iemand klopte op mijn schouder. 'Staat u naar die mensen te kijken?' Een jonge man met een zeer platte neus en een bezweet voorhoofd, gekleed in een roze overhemd van katoen met een blauwe stropdas en een crèmekleurige pantalon, leunde naast me op de bovenkant van het hek. 'Ze zitten al een week op de boot te wachten. Maar de boot vaart niet.' Hij sprak Engels, op een afgemeten en ietwat pedante manier. 'Neemt u me niet kwalijk dat ik u lastig val. Mijn naam is Luv. Kan ik u misschien helpen?'

Luv vertelde dat hij als leraar Engels bij de rederij werkte; hij veegde zijn voorhoofd af en omklemde het hek; zijn gezicht was asgrauw geworden. Toen vroeg hij wat ik kwam doen. Ik vertelde hem dat ik inlichtingen had willen hebben over bootdiensten.

'Dan moet u met mijn leerling praten, met Pierre, het hoofd transport. Kom maar mee.' Hij begeleidde me weer naar binnen, tot voorbij het bureau van de medewerkster.

Pierre zat achter een plomp bureau in een smetteloos van airconditioning voorzien kantoor, met een mobiele telefoon die dienstdeed als presse-papier en een computermonitor met een groen scherm dat vaarroutes en -schema's te zien gaf. Hij droeg een geruit overhemd en een op maat gesneden blauwe blazer, en zijn snor en brede voorhoofd deden me denken aan Martin Luther King, evenals zijn gulle bariton. Zijn robuuste schouders wekten de indruk van kracht, voldoende kracht om dingen voor elkaar te krijgen. Dat ervoer ik als vertroostend – ten minste één iemand hier was gezond – en in zijn bijzijn ontspande ik wat. In het Frans heette hij me welkom in zijn kantoor en vroeg me te gaan zitten. Ik wilde meteen terzake komen en naar bootdiensten vragen, maar Luv onderbrak me, zwetend en opnieuw van kleur wisselend, en legde hem in het Engels uit wat ik van hem wilde. Pierre, die het Engels maar matig beheerste, had enige tijd nodig om te snappen waar het om ging.

Pierres mobiele telefoon ging en hij pakte hem op. Terwijl hij zat te praten, boog Luv zich naar me toe. 'Neem me niet kwalijk: ik geloof dat ik last heb van malaria. Tachtig procent van ons volk lijdt honger of is ziek. Als je naar het ziekenhuis gaat zie je lijken van kinderen, volwassenen en oude mensen. Hun familie heeft geen geld om hen te begraven, dus laten ze dat aan de overheid over, maar die heeft ook geen geld en dumpt de lijken in de rivier. Politici, die paar procent die de top uitmaken, stelen van de mensen voor wie er niets anders op zit dan te sterven.' Hij hoestte. Op zijn voorhoofd parelden opnieuw zweetdruppels. 'Ja, de dood is nog de enige uitweg voor de mensen.' Hij stond op. 'Neemt u me niet kwalijk alstublieft. Mijn student zal u helpen.'

Hij gaf me een koortsig aanvoelende hand en ging weg.

Pierre beëindigde zijn telefoongesprek en keek me aan. 'Goed, wat een boot betreft. Vandaag zou er een boot naar Kisangani gaan – de Forestière, maar ik heb net gehoord dat die pech heeft. Ik zal een boot voor u regelen, voor later deze week of anders volgende week. Ik zal zorgen dat u een hut krijgt, een luxehut. Maar waarom wilt u eigenlijk naar Kisangani?'

Ik vertelde hem over de tocht die ik per prauw wilde maken. Hij zei dat hij nog nooit had gehoord dat iemand op die manier geprobeerd had de rivier af te varen en volgens hem had ik een motorboot nodig. Ik zei nadrukkelijk dat ik de tocht in een prauw wilde maken. Ik moest zelfs per prauw, want daar was het me nu eenmaal om te doen. Hij keek me aan en liet even een stilte vallen. Na zijn boord verschoven en zijn mouwen rechtgetrokken te hebben ging hij verder: 'Dit is een serieuze zaak. U kunt niet alleen gaan. U zult twee mannen nodig hebben, een om te peddelen en de andere als gids. De rivier is breed, ontzettend breed! De wind jaagt hoge golven op en het kan geweldig stormen. In het oerwoud kunt u dagen reizen zonder één dorpje tegen te komen, en er zijn daar heel veel beesten. U zult een geweer nodig hebben.' Hij sprak heel precies en zijn manier van doen was bedaard. 'Van Kisangani tot Mbandaka hebt u te maken met de gevaren van de jungle: krokodillen, nijlpaarden en luipaarden. Maar tussen Mbandaka en hier doet zich een ander probleem voor, dat veel erger kan zijn: de soldaten. Dat gedeelte van de rivier vormt namelijk de grens met de Republiek Kongo en er wordt daar gepatrouilleerd om smokkelaars te vangen. De soldaten hebben honger. Ze worden niet betaald en zijn vaak stoned of dronken. Ze zullen u plunderen.' Hij leunde achterover. 'Ja, ze zullen u plunderen, daar kunt u op rekenen. Bovendien zult u voor spion worden aangezien als u zonder toestemming van de militairen reist.'

'Voor spion?'

'Voor spion, ja. Blanken reizen niet op die manier, afgezien van huurlingen misschien. U zult toestemming moeten vragen aan de militairen.'

Toen hij over militairen begon, verstijfde ik. Ik moest denken aan de elite om Mobutu heen, en aan politieke moorden, zwarte handel in diamanten, de handel in koper en corruptiepraktijken. Het kon gevaarlijk zijn om me met dit soort lieden in te laten, en ik had alleen maar een bezoekersvisum; ik beschikte niet over een sponsor of officiële contacten die hard konden maken wie ik was en die me bescherming konden bieden. In een poging van onderwerp te veranderen zei ik dat ik voorlopig alleen maar geïnteresseerd was in een hut op een schip dat stroomopwaarts ging; over de rest kon ik later nog beslissen.

'Zelfs op een veerboot hebt u bescherming nodig,' hield Pierre vol. 'U moet toestemming hebben voor uw tocht per prauw. Zonder toestemming en zonder bewakers kunt u niet reizen. Ik zal dit morgen allemaal voor u regelen. Zorg dat u hier 's ochtends exact om negen uur bent. Dan wordt u meegenomen voor een bezoek aan een kolonel die dicht bij Mobutu staat.'

Die dicht bij Mobutu staat? 'Maar...' Ik wist niet wat ik zeggen moest. 'Maar ik...' Toen hield ik op, want ik had tijd nodig om na te denken.

Pierre stond op. 'Het spijt me, ik moet nu naar huis. Het is al laat.'

Hij liep met me mee naar buiten. Aan de horizon waren eilandjes zichtbaar geworden die eerder in het volle licht van de zon verborgen waren gebleven, eilandjes die gaten sloegen in de uitgestrektheid van de rivier die nu oranje en roze glinsterde in de weerspiegeling van de door de zon in gloed gezette hemel. Gezinnen waren zich aan het opmaken voor de nacht – de kade leek nu wel een vluchtelingenkamp. De muskieten zwermden alweer rond. Ik vroeg aan Pierre hoe de mensen zich er zonder net tegen verweerden.

'*Ils sont habitués.*' Ze zijn eraan gewend. Hij schudde me vluchtig de hand, zei: '*À demain*' en liep weg, en ik nam een taxi naar mijn hotel.

In de buurt van mijn hotel ontdekte ik die avond een chic restaurant van een Japanse eigenaar en ging er eten. Het interieur was glimmend wit. Op de televisie dartelde het *Baywatch*-team over een Californisch strand ten behoeve van de gecoiffeerde Zaïrese eters, die van hun cola met ijs nipten en in kaas gedoopte frietjes aan hun glanzend gepoetste vorken spiesten. Pamela Andersen, Frans nagesynchroniseerd, wekte geen bijzonder commentaar op, zelfs niet bij de mannen; de aanblik van strandscènes en gezonde lijven werkte eerder als een soort drug die de noodzaak tot converseren onderdrukte; de gasten deden niets anders dan op hun voedsel kauwen en naar het scherm turen.

Aan de tafel naast me ging een mobiele telefoon. Een Zaïrees met een zwartleren broek, een paarszijden overhemd en vingers die bijna schuilgingen onder de gouden ringen, legde zijn vork neer en antwoordde: 'Oui.' Hij stond op en liep een paar passen weg van het getetter van de televisie, met zijn ene hand aan zijn riem van goudbrokaat plukkend en in zijn andere hand de telefoon. 'Oui... oui... *tout est en règle! Tout est en règle!*' schreeuwde hij, in afwisselend Frans en Lingala. Er werd een tijd afgesproken: ze zouden elkaar ontmoeten in de Belgian Club. Hij liep terug naar zijn tafel, stopte het servet tussen zijn boord, blies het stof van zijn vork en plantte hem in een brok vers gegrild rundvlees. Steeds als de deur van het restaurant openging, staken bedelaars die buiten met door polio verschrompelde stompjes van benen in het vochtige, van muskieten vergeven pikkedonker op de stoep zaten, hun broodmagere handen uit en riepen klaaglijk naar de gasten.

Het viel niet mee om begeleid door hun gejammer mijn maaltijd te nuttigen. Wat weerhield die arme mensen hier ervan de rijken af te slachten? Wat zou hen moeten weerhouden, hier waar de rijken alles inpikten en de armen lieten verhongeren? Wie kon de plunderaars en bandieten iets verwijten? De rijken in Zaïre beroofden de armen; de armen zouden moreel in hun recht staan als ze omgekeerd hetzelfde deden. Dit was geen origineel idee natuurlijk, maar plotseling kwam het me als geheel nieuw, vanzelfsprekend en onweerlegbaar voor; volkomen gestaafd door wat ik die dag gezien had en nu zag terwijl ik probeerde mijn eten door mijn keel te krijgen. Ik dacht aan de Koude Oorlog, aan de rechtvaardigingen die westerse landen gebruikten voor hun steun aan Mobutu, aan het feit dat het vaak geleken had alsof de Koude Oorlog maar weinig slachtoffers had gemaakt en eigenlijk niet meer om het lijf had gehad dan een gevoel van dreiging en hoge defensie-uitgaven. Maar die oorlog had wel degelijk slachtoffers gemaakt, miljoenen slachtoffers, en kende overwinnaars; beide categorieën bevonden zich nu vlak voor mijn neus en om me heen. Zaïrezen behoorden ofwel tot de ene ofwel tot de andere groep, zelden tot iets ertussenin, en verreweg de meesten waren verliezers.

Mijn land had deze hel (want zo had Kinshasa zich aan mij vertoond: als een hel waarin verval en malaria de boventoon voerden) helpen creëren, en mijn simpele gemijmer over het recht van de armen om te plunderen moest voor mij toch ook iets betekenen – want wie en wat was ik? Ik behoorde niet tot de armen. Ik had alles wat ik maar nodig kon hebben om in Moskou of de Verenigde Staten in leven te blijven; maar intussen maakte ik me op om mijn leven op het spel te zetten te midden van mensen die niets bezaten. Had ik recht op genade als een bandiet me aanviel terwijl ik terugliep naar mijn hotel, me van al mijn dollars beroofde en mijn keel doorsneed?

In het geheel niet.

In het geheel niet. Maar ik was nu hier. Ik had mijn baan eraan gegeven en mijn dierbaren achtergelaten, ik was al te ver om nog terug te gaan. Ik was geen Zaïrees; ik hield mezelf voor dat mijn aanwezigheid hier niemand zou schaden en dat niemand er anderzijds wat mee op zou schieten als ik mijn spullen pakte en terugging.

Als ik stil bleef staan bij de ellende om me heen zou ik uiteindelijk mijn oplettendheid laten varen, maar van een hongerige schurk of boosaardige soldaat die daar dan gebruik van maakte mocht ik geen clementie verwachten. Om mijn onderneming te doen slagen – en ja, om het er levend af te brengen – moest ik niet meer reageren op wat mijn hart me ingaf en gevolg geven aan de vereisten om in leven te blijven. Als het hier een hel was, zou ik zorgen dat een van de duivels me erdoorheen hielp. Ik pakte mijn vork en at. Ik dacht aan Pierres belofte dat hij me zou helpen. Ik wist wat me te doen stond, en dat ging ik doen ook.

De boot vanaf de oever gezien

Paul en Jilly

De kolonel

DE SECRETARIS VAN DE KOLONEL REED SNEL: HIJ SCHEURDE door de rotzooi op de Boulevard du 30 Juin, racete ongehinderd langs gendarmeposten, schoot rijstroken aan de verkeerde kant van de weg op om langs opstoppingen te komen en toeterde voortdurend om bedelaars en straatventers uiteen te jagen. Ergens achter de Marché Central draaide hij een smerige steeg in die naar een buurt voerde met muren van cement en anonieme lage gebouwen. Een bewaker in burgerkleren zat onderuitgezakt op een stoel naast een poort van dubbele stalen deuren, een automatisch geweer op zijn schoot. Toen we de oprit op draaiden kwam hij overeind en opende de poort. We reden een binnenplaats op waar nog veel meer bewakers rondliepen. Een van hen kwam toegesneld om het autoportier voor me te openen en ik stapte uit. Voor ons stond een witgepleisterd gebouw zonder verdiepingen.

De secretaris nam me mee naar binnen. Achter een eiken bureau troonde de kolonel. Hij was stevig gebouwd en geparfumeerd, droeg een zwarte pantalon en over zijn buik spande een nachtblauw zijden overhemd; hij zag eruit als begin veertig. Zijn kaken en neus staken zo naar voren dat zijn gezicht aan een vossenkop deed denken. Zijn heen en weer schietende ogen vulden het vertrek met de geladen energie van een roofdier en die energie verleende hem een verontrustende, nogal dreigende uitstraling. Boven hem hing een portret van hemzelf in wit gala-uniform; aan een andere muur hing Mobutu met zijn muts van luipaardvel op het hoofd; een derde foto toonde Mobutu en de kolonel die elkaar bij een of andere plechtige gelegenheid begroetten. Onder de portretten zat een tiental smekelingen diep weggezonken op lage sofa's; hun knieën kwamen bijna tot aan hun borst. De kolonel schonk geen aandacht aan me toen ik binnenkwam. Ik nam plaats op een van de sofa's, en mijn knieën reikten ook aan mijn borst.

In een mengeling van schel Lingala en Frans zat de kolonel over zaken te praten met een man op een stoel tegenover hem. De kolonel bejegende hem meedogenloos: de man had geen idee hoe hij een winstgevend handeltje moest presenteren. 'Ik doe mee om eraan te verdienen,' siste de kolonel met tot spleetjes toegeknepen ogen. 'Dat schijn jij maar niet te snappen. Je praat als een kind en met kinderen verdoe ik mijn tijd niet.'

Met zijn handen tegen elkaar gedrukt begon de smekeling zijn zaak opnieuw te bepleiten, maar de kolonel wendde zich van hem af en zei tegen een kolossale jongeman die achter hem stond iets over de *mondele* en het Secrétariat Général. De jongeman stapte naar voren, haalde een setje autosleutels uit zijn zak en knikte in mijn richting. Hij had een beter figuur dan de kolonel, maar leek op hem. Zijn schouders bolden onder zijn gesteven witte overhemd zonder boord en zijn lichtblauwe spijkerbroek spande strak om de spierbundels van zijn dijen en kuiten. Hij droeg een spiegelende zonnebril en een gouden armband; aan zijn plompe vingers prijkten gouden ringen. Ik bevrijdde me uit de omhelzing van de sofa en liep achter hem aan naar buiten. Ondanks zijn omvang liep hij elegant en hij liet een geurspoor van Italiaans reukwater achter.

Hij ging me voor naar het parkeerterrein. Aan een kant stond een bakbeest van een Mercedes met donkergetinte ramen, zilverkleurig en pas gewassen. Hij stak zijn sleutels in de lucht en de deuren werden met een klik ontgrendeld.

Terwijl we achteruit de parkeerhaven uitdraaiden, begon hij in het Frans tegen me te praten, zijn basstem had het zangerige van het Lingala. 'Ik ben de broer van de kolonel. De kolonel heeft je onder mijn hoede gesteld. We gaan nu eerst naar het Secrétariat Général du Tourisme om een fotografeervergunning te halen.' De Mercedes snorde, de airconditioning zoemde. Achter de getinte ruiten gleed Kinshasa voorbij als een stomme film. We draaiden de boulevard op en hij ploegde door de menigten, hij reed met één hand aan het stuur en bij de bochten rinkelde zijn armband. 'Het is hier verboden om zonder vergunning foto's te maken, tu vois.'

Een eind verder op de boulevard reed hij het trottoir op en stopte. We betraden een onopvallend overheidsgebouw. Hij liep met grote passen voor me uit, met zijn hand op zijn met gel in vorm gebrachte kapsel kloppend. Aan het eind van de gang stond een bewaker.

'Ik ben de broer van kolonel Ekoondo,' kondigde hij zichzelf aan. De wacht ging opzij. We liepen langs hem heen en gingen de trap op naar het kantoor van de directeur.

De broer onderbrak een gesprek tussen de directeur en een andere man en stelde me voor als 'de toerist die per pirogue van Kisangani naar Kinshasa wil... die een fotovergunning moet hebben'.

'Kom morgen maar terug, dan ligt hij klaar,' zei de directeur, half omhoog komend uit zijn stoel en een buiging voor ons makend. Ik schreef mijn paspoortgegevens voor hem op en we gingen weer.

Toen we terugkwamen bij het gepleisterde gebouw zagen we de kolonel net naar buiten komen. 'Meekomen!' commandeerde hij zonder speciaal naar iemand te kijken toen we elkaar bij de deur passeerden. De broer liep door naar binnen. In de veronderstelling dat de kolonel het tegen mij moest hebben, volgde ik hem naar de zwarte BMW waarnaar hij op weg was en stapte bij hem in de auto.

We reden de stad weer in. Na een poosje begon hij te praten. 'Ik neem je het hele eind naar Kisangani mee, op mijn boot. Ik doe dit om Pierre, mijn grote vriend, een dienst te bewijzen. Ik zal het hoofd van de militaire inlichtingendienst van het kabinet van de president verzoeken je een lettre de recommandation mee te geven voor op reis. Die geeft je het recht op hulp van militaire bases langs de rivier. En ook het recht op een gewapend escorte. Je hebt gewapende bewakers nodig, anders overleef je het niet.'

Het kabinet van de president – dat betekende dus: Mobutu! Ik wist niet wat ik zeggen moest. Ik voelde me ineens ongerust: waarom deed de kolonel dit voor mij? Wat zou hij in ruil van mij verwachten?

Hij was de vraag voor: 'Je betaalt mij helemaal niets.'

We kwamen op de kade aan. Het was een bewolkte dag. De grijze rivier strekte zich voor ons uit, versmolten met de grijze lucht door paarlemoeren mist. De *pirogues* op het water leken notendopjes en de vissers erop zagen er al even nietig uit. Ze boomden en peddelden verwoed tegen de stroom in, die hen elk moment de mist in dreigde te sleuren.

De kolonel stapte uit en begon zonder me een blik waardig te keuren met grote soepele passen te lopen. Ik liep achter hem aan en had moeite om hem bij te houden. 'Mijn boot!' verkondigde hij met een weids gebaar, als had hij het tegen de rivier.

Een schuit van geroest staal met een lengte van om en nabij de vijftig meter en aan de voor- en de achterkant twee oranje hutten lag een meter of drie onder de kaderand te deinen (de rivier stond laag); de achtersteven was met enorme kettingen aan de boeg van een blauw-witte sleepboot bevestigd. Aan boord waren hier en daar werklieden bezig op metaal te hameren, hout te zagen, met emmers verf rond te zeulen. Een plank van zo'n dertig centimeter breed die met de deinende boot meebewoog, verbond de kade met het dek in een hoek van vijfenveertig graden. De kolonel rende eroverheen en de plank wiebelde heftig onder zijn gewicht.

'*Viens!*' schreeuwde hij, zich voor de eerste maal omdraaiend om naar me te kijken.

Ik zette een voet op de plank en zag tegelijk het woest stromende water tussen de wal en het schip. Ik voelde hem schudden en bleef stokstijf staan.

'Ha, ha! Je bent bang!' Hij brulde van het lachen. Iets verderop was een ladder naar het dek en daar klom ik vanaf. 'Kom mee, ik zal je rondleiden,' zei hij, me opnieuw zijn rug toekerend. Hij ging me van de boot voor naar de sleepboot, die hij de *pousseur*, de duwboot, noemde. Via een ladder klommen we naar het bovendek, waar hij een deur openwierp.

'Mijn hut!'

Zijn hut had een bed en een douche in het achterste gedeelte en werklieden waren bezig het voorste vertrek te voorzien van boeken-planken, een videorecorder en een stereo-installatie. Het was alles bij elkaar een comfortabel en zelfs knus appartement, met witte wan-den.

We daalden de ladder weer af, liepen via de zijkant terug naar de schuit en klommen weer aan boord. De kolonel trok een luik om-hoog. Het ruim. *'Viens!'*

Hij klom naar beneden en ik volgde hem.

We bevonden ons benedendeks in een onverlicht soort kerker waar een geweldig gepiep van ratten te horen was en minstens een centimeter water om onze voeten klotste. Prompt voer er een huive-ring van claustrofobie door me heen.

'Jij mag hier slapen,' zei hij met een gebaar naar het ons omrin-gende duister. Terwijl hij naar buiten klom, wierp hij een blik op mijn gezicht. 'Hahaha.'

Vervolgens slenterde hij naar een van de hutten op de achterplecht en opende daar de deur van: het bleek een raamloos, door en door roestend ijzeren kot met twee houten kooien boven elkaar en nau-welijks plek om te staan. 'Of je mag hier slapen,' zei hij. Ditmaal lachte hij niet. Hij liep weg en begon met de werklieden te praten. Toen nam hij opeens zonder verdere aankondiging met een sprong de loopplank naar de kade. De rondleiding was ten einde. Ik ging via de ladder en volgde hem naar zijn BMW.

Onderweg praatte hij strak voor zich uit kijkend tegen me aan; als ik probeerde hem een vraag te stellen viel hij me in de rede. Dit zou de eerste reis van zijn boot worden. De tocht van bijna achttienhonderd kilometer stroomopwaarts zou twee weken duren en geen dag langer; het schip had krachtige, gloednieuwe motoren. Hij had een bediende en zijn eigen proviand; ik zou voor mezelf voldoende voedsel en wa-ter moeten meenemen en zelf moeten koken. Was ik sterk? Ik kon maar beter sterk zijn, want onderweg zouden we veel met malaria en dysenterie te maken krijgen zonder dat er een dokter in de buurt was.

Ik raapte alle geestdrift waartoe ik in staat was bijeen en zei dat ik sterk was en klaar om te gaan. Maar ineens was ik bijna ziek van angst. De reusachtige rivier, het roestige schip, het water in het ruim, de dompige hut – zou ik het allemaal wel aan kunnen? En de *lettre de recommandation* van het kabinet van de president – ik wist nog steeds niet wat ik daarvan moest denken. Wat had ik gedaan – of wat werd ik geacht te doen – om die te verdienen?

De volgende dag ging ik weer naar het kantoor van de kolonel, waar de bewaking me zei dat ik buiten op zijn broer moest wachten – hij zou me meenemen voor iets belangrijks. Weldra kwam de zilverkleurige Mercedes aanrijden en ik stapte in.

Een halfuur later bevonden we ons in de bosrijke omgeving van Kinshasa en waren we over een grindpad op weg naar een poort met een slagboom. Aan weerszijden van de poort stonden hoge muren, bekroond met prikkeldraad. Het hoofdkwartier van de militaire inlichtingendienst, zei de broer. Uit een hut kwam een groepje bewakers met een rode baret op het hoofd te voorschijn. Ze waren van het slungelige, opgefokte type met wilde blik in de ogen; hanerig en op hun dooie gemak kwamen ze zwaaiend met hun geweer op ons af en schreeuwden iets in het Lingala.

Traag draaide de broer zijn hoofd in hun richting. 'Ik ben de broer van kolonel Ekoondo.'

De wachten richtten zich ogenblikkelijk op en traden terug. We reden de poort door, parkeerden en liepen naar een deur met nog meer bewakers ervoor.

'Ik ben de broer van kolonel Ekoondo.'

De wachten weken uiteen en we gingen naar binnen. De broer liep met grote passen verder, liet de sleutels aan zijn sleutelhanger zwaaien, klopte op zijn haar en liet zijn spoor van Gucci-parfum achter. Aan het eind van de hal maakten weer enkele soldaten zich voor hem uit de voeten en hij gooide een deur open.

'Ik ben de broer van de kolonel.'

Een beambte kwam vliegensvlug achter zijn bureau vandaan en

beduidde ons door te lopen naar een ander kantoor, een koel, ge-lambriseerd vertrek waar zware rode gordijnen het zonlicht buiten-hielden en een airconditioning zoemde. Een stuk of vijf gardisten in camouflagepak stonden om het bureau van een kleine man in bur-ger geschaard.

'Deze Amerikaan moet een soldaat hebben,' kondigde de broer aan. 'Hij vertrekt op een gevaarlijke missie.'

De kleine man vroeg me beleefd om mijn paspoort, nam er de ge-gevens uit over en gaf het me toen terug. Hij schraapte zijn keel en keek op. 'Bent u bereid zijn eten voor hem te betalen?'

Ik antwoordde bevestigend.

'*Bon. Pas de problème.*'

De broer draaide zich om en liep de deur uit. Ik bedankte de man en volgde de broer terug naar het parkeerterrein. Na de airconditio-ning kwam de vochtige hitte als een dreun tegen me aan. Terwijl we de poort van het terrein uit reden pakten donkere wolken zich sa-men boven het woud.

Pierre ried me aan weg te gaan uit Hôtel Afrique (volgens hem was het een rovershol) en mijn intrek te nemen in het hotel binnen het ommuurde terrein van het Centre D'Accueil Protestant, enkele stra-ten van de rederij gelegen in de rustige oude koloniale wijk van Kinshasa, die als de Ville bekendstond. De receptionist van het Centre, een slonzig ogende jonge Zaïrees in een kerkelijke blazer met een nepdasje, fronste zijn wenkbrauwen toen ik er binnenkwam. '*Ici, pas de putains, pas d'alcool!*' verklaarde hij direct, als verdacht hij me ervan zijn missie speciaal te hebben uitgezocht als plek om me aan liederlijke uitspattingen over te geven. Ik zei dat ik daar geen probleem mee had. Hij gaf me een dure maar schone, uiterst sobere kamer, direct grenzend aan de minutieus bijgehouden tuin. De an-dere gasten waren uit het hele land afkomstige Zaïrese zielenher-ders – een glimlachend clubje dat kennelijk kledingvoorschriften volgde waarbinnen alle Afrikaanse kleurige uitbundigheid en na-tuurlijke stoffen uit den boze waren. Maar het Centre was een kalme, heilzame plek waar ik goed zou kunnen slapen, en ik was blij dat ik er terecht kon.

Later kwam ik daar op de parkeerplaats een Amerikaan tegen, Jim, een fletse figuur met een oubollige manier van doen die werkzaam was voor een protestantse Amerikaanse organisatie in Zaïre; aan zijn plompe handen kon ik zien dat hij toch iets anders deed dan aldoor in de bijbel bladeren. Hij bleek landbouwkundige te zijn en bracht een groot deel van zijn tijd in het oerwoud door. Hij vroeg of ik de volgende dag met hem wilde brunchen en ik nam de uitnodiging aan.

De zondagse brunch in de American Club was voor veel expatriates in Kinshasa een vaste gewoonte. De ommuurde en goedbewaakte Club bevond zich in de Ville, niet ver van het Centre, en had zijn eigen tennisbanen, recreatieruimte en bar. Binnen de muren van de club leek het chaotische Kinshasa oneindig ver weg. Hoewel de club geen banden had met het Centre D'Accueil Protestant heerste er dezelfde bloedeloze, verkrampte Angelsaksische atmosfeer. Jim stelde me voor aan onze tafelgenoten – een overvoed Canadees stel van ergens in de veertig met hun tienerzoon, en een gedrongen, vaalbleke Amerikaan genaamd Bob, aan wiens verder kale, eivormige hoofd net boven de oren wat muizig bruin krulhaar ontsproot. Het waren zendelingen en ze waren al heel lang in Zaïre.

We bestelden hamburgers, frites, cola en milkshakes. Er werd wat heen en weer gepraat over kerkelijke zaken en toen legde Jim uit wat ik in Zaïre kwam doen. De man van het stel knikte zonder een woord te zeggen, zijn vrouw besmeerde een broodje met boter. Er werd druk geglimlacht. Toen liet de zoon een kanjer van een scheet. Iedereen bescheurde zich van het lachen en vond het bovendien nodig om commentaar te leveren. ('Nou, nou, die mocht er wezen! Tjonge, wat een lucht!') Toen Bob ongeveer was uitgehinnikt wendde hij zich tot mij: 'Is me dat lachen! Hèhè. Maar hoor eens, je zult onderweg heel wat over Zaïre aan de weet komen. En *wat* hoef je mij niet meer te vertellen. Ik zeg altijd maar: ik ben geen racist, maar een realist. Ja, zo zeg ik dat. Weet je, ik heb ook een tijdje in die buurt gewerkt, verder stroomopwaarts.'

Ik had moeite om de vloedgolf aan negatieve reacties die in me opwelde te bedwingen en vroeg: 'Hoe was dat?'

'Zwaar. Ze hebben daar vreselijke toestanden gehad met mensen die er in mootjes werden gehakt' – hij zweeg even om smakkend en wel met knaagdierachtige hapjes een frietje naar binnen te werken – 'met machetes en zo. In *piepkleine* mootjes gehakt.'

'Ik hoorde dat er bij Pimo in de buurt hele hordes bandieten zijn,' zei Jim.

'Ja,' antwoordde Bob. 'Die lui snijden je voor een dollar je strot af. Zei je dat je met zo'n schuit de rivier opgaat? Nou, ik kan je vertellen dat er heel wat zijn die het einde van zo'n tocht niet halen.'

'Hoezo?'

'Die Zaïrese passagiers op zo'n schip – dat is me een een stelletje. Reken maar dat je er honderden om je heen zult hebben. Ze piesen in het water, ze drinken het en krijgen cholera.' Hij klokte cola naar binnen en smakte met zijn lippen. 'Zulke goochemerds zijn het. Zoals ik al zei, ik ben geen racist, maar een realist.' Er klonk een boer.

De zoon zat zijn cola door een rietje te slurpen. Ze keken naar hem met gespeelde walging. Hij lachte en liet cola door zijn neus naar buiten spuiten. Opnieuw werd er geschaterd en van pret op tafel geslagen. Tjongejonge!

Bob praatte verder. 'Maar om terug te komen op wat ik zei – ze krijgen dus cholera en dan gaan ze dood en dan wordt hun lijk doodleuk overboord gekieperd. Maar je kunt ook doodgaan aan malaria. Dat is daar een gigantisch probleem. Misschien moeten ze je er wel met een helikopter komen oppikken.' Hij zette zijn tanden in zijn hamburger. 'Heb je dat wel eens meegemaakt?' vroeg hij, terwijl hij me een mond vol hamburger toonde.

De Canadees zei dat de rivier net een labyrint was, 'en veel zijarmen komen uit in het moeras. Zonder gids verdwaal je.'

'Hoe kom ik aan een gids?' vroeg ik.

Bob antwoordde in zijn plaats. 'Dan moet je in Kisangani met Frère Franky gaan praten. Als hij daar nog is tenminste. Frère Franky had een drankprobleem, moet je weten. Misschien staat hij intussen wel droog in Europa.'

De Canadees gooide zout op zijn frieten. 'Ik vrees dat de meeste missionarissen langs de rivier al weg zijn. Ze waren het zat om aldoor steekpenningen te moeten betalen. Veel gezelschap zul je daar niet hebben.'

'Wat je zegt,' zei Bob, terwijl hij de afdruk van zijn tanden in zijn hamburger bestudeerde. 'Er zitten daar alleen nog maar Zaïrezen, dus dan kun je je lol op. Wat ik al zei, ik ben geen racist, maar een realist.'

De Canadees ging op het onderwerp door. 'Het is treurig, maar het is echt geen goeie tijd om in een kano door Zaïre te peddelen. Het is veel te gevaarlijk met al die loslopende militairen. Voor je het weet breekt er weer een opstand uit.'

Ik legde uit dat ik hulp kreeg van een Zaïrese kolonel. Ik vertelde over zijn boot, de vergunning die ik zou krijgen, mijn bezoekje aan de militaire inlichtingendienst en het gewapende escorte dat me was aangeboden. Ze legden hun vork neer en zwegen een tijdje, eensgezind in hun ongeloof.

Jim verbrak de stilte. 'Waarom helpt die kolonel jou? Heb je officiële contacten of zo? Sorry dat ik het vraag, hoor, maar wie ben je eigenlijk? Ze trekken zich hier normaal geen snars van expats aan.'

'Geen *snars*,' echode Bob, terwijl hij zijn laatste brok hamburger wegwerkte.

Ik zat met mijn mond vol tanden. Waarom hielp de kolonel me?

Jim vervolgde: 'Kijk maar uit. Kijk maar heel goed uit als je je met dat soort lieden inlaat. Je moet weten wat hun motieven zijn, en die deugen nooit. Moet je horen, afgelopen maand nog, toen ik met een Zaïrese vriend in de jungle hier vlakbij zat. We stonden bij een of andere militaire controlepost en waren aan het marchanderen over het smeergeld dat we moesten betalen om verder te kunnen: steekt een van die gasten met zijn bajonet onze achterbanden kapot. Maar dat wisten we niet. We reden door en even later *hobbeldehobbel*, band lek. Ik zei dat ik hem ging verwisselen en wilde al stoppen, maar die vriend schreeuwde: "Nee, niet stoppen! Als we stoppen komen ze ons achterna om ons te beroven!" Dus we reden nog een paar kilometer door met die lekke band voordat we hem vervingen. Om tijd te winnen. Want weet je, ik dacht dat we aan ze ontkomen waren omdat we betaald hadden, maar die kerels hadden iets heel anders in gedachten.'

Bob deed er nog een schepje bovenop: 'Al die generaals kopen een rivierboot, want dan hebben ze iets om van te leven als Mobutu verdwijnt. Dat valt dus wel te snappen. Maar dat geldt niet voor wat jij geacht wordt voor *hem* te doen. Wat zit erachter? Een kolonel heeft jou niet nodig. Helemaal nergens voor.'

De lunch zeurde voort. Zoonlief liet nog meer boeren. Ze sloegen zich op de knieën van het lachen. We kregen de rekening, betaalden allemaal voor onszelf en gingen ieder ons weegs. Of de Zaïrezen er ook zo over dachten of niet, ik vond de aanwezigheid van deze zendelingen in Zaïre een aanfluiting, een restant uit de koloniale tijd dat even vernederend was voor het land als weerzinwekkend en beschamend voor mij; ik nam me voor om tijdens mijn tocht bij hen geen hulp te zoeken, onder wat voor omstandigheden dan ook. Maar hun wantrouwen ten aanzien van de motieven van de kolonel verschilde niet van het mijne en ik vroeg me af of ik me niet iets op de hals haalde waar ik niets van snapte.

Op een dag zou ik even bij Pierre langs gaan en merkte ik dat ik weer geld moest wisselen. Na een rondgang door de Ville kwam ik uit bij een Zuid-Afrikaanse bank vlak bij de Boulevard du 30 Juin. Daar werd ik door twee hartelijke jonge managers, Marc en George, onthaald als een goede vriend die ze in geen jaren hadden gezien. Ze wisselden dollars voor zaïres en boden me voor de duur van mijn reis het gebruik van hun kluis aan. Ze zeiden zelfs dat ze zouden doen wat ze konden om me bij de voorbereidingen voor mijn tocht te assisteren. Ik vertelde dat ik spullen nodig had voor de reis op de rivierboot

– konden zij me misschien een auto met chauffeur lenen? Dat zou geen enkel probleem zijn. De volgende dag zou een chauffeur me in het Centre komen ophalen.

Het was het droge seizoen in Kinshasa. Elke dag opnieuw trokken zich boven de palmen wolkenmassa's samen, maar er viel geen druppel regen uit. Die volgende ochtend was het meteen al broeierig heet. Iriserende kolibries flitsten tussen de vuurrode en roze bloesems voor mijn raam in het Centre. Een glanzend rode Land Rover met getinte ramen reed het parkeerterrein op. André, zoals de chauffeur zichzelf voorstelde, was eind twintig en droeg een spijkerjasje over zijn magere lijf; zijn baard verzachtte de contouren van zijn v-vormige kaak. Met zijn donkere bril zag hij eruit als een keiharde knaap, maar toen hij hem afzette bleek dat hij heel vriendelijke ogen had.

'Valt die Land Rover niet heel erg op tussen alle wrakken die hier rondrijden?' vroeg ik terwijl ik erin klom. 'Heb je geen last van militairen die denken dat je rijk bent?'

'Ik doe net alsof ik een stille ben – met die zonnebril, snap je? – en dan zijn ze bang voor me. Ik moet er niet aan denken soldaat te zijn. De soldaten... de soldaten zijn een *schande* voor Zaïre. Elke soldaat is mijn vijand. Als er ook maar een het waagt om aan de Locomotief te komen, dan...'

'De locomotief?'

'Zo noem ik de Land Rover. De Locomotief.'

Onze missie was de aanschaf van alles wat ik nodig had om een tocht van twee weken op de rivier te kunnen doorstaan. 'Of drie, vier weken,' zei André. 'Je weet maar nooit. Maar het maakt ook niet uit, *pas de problème*. De Locomotief brengt ons wel waar we wezen moeten. We beginnen bij de Simbazigita-markt.'

Weldra gleden we door de zondoorstoofde asgrauwe bidonvilles van de Cité, waar de Locomotief overal blikken naar zich toe trok. Glimlachende vrouwen met bloemetjeshoofddoeken zaten gehurkt *shikwanga* te verkopen. Kongobeat op salsamelodieën blèrde uit gettoblasters in de kraampjes met frisdrank. En overal waren kinderen aan het spelen. Het begon tot me door te dringen dat Kinshasa een uiterst levendige stad was, met inbegrip van de sloppenwijken. Ik begon aan de armoede voorbij te kijken, of mijn ogen ervoor te sluiten.

Op de weg naar Simbazigita lieten we een pluim van fijn stof achter ons. De markt, een rommeltje van krotten van B2-blokken en houten kraampjes die op een veldje tegen elkaar aan hingen, bevond zich aan het einde van een start- en landingsbaan van het vliegveld. Toen we parkeerden dreunde er net boven ons een gigantisch Russisch vrachtvliegtuig voorbij. De kraampjes schudden van het geraas van de motoren.

Zodra we uitstapten werden we belaagd door een menigte venters die ons bananen niet groter dan een duim, stukken maniokwortel, emmers met palmlarven en bakken met rupsen onder de neus duwden. Ze hadden knokige knieën en door hun T-shirt waren hun ribben zichtbaar. Achter mijn donkere zonnebril probeerde ik zo onaangedaan mogelijk te blijven. André beschermde me als een lijfwacht, op een waardige manier die geen weerstand opriep trok hij me mee door het gewoel. We kochten onder andere rijst, macaroni, uien, tomaten in blik, erwten, bestek en plastic jerrycans voor water.

Knappe koopvrouwen flirtten met André. De markt was een plek om een vrouw op te pikken, vertelde hij, maar hij zei erbij dat hij 'God vreesde' en altijd in zijn eentje weer vertrok. We namen weer plaats in de Land Rover.

'Nu de *bambula* nog.'

'De *bambula*?'

'De houtskoolgrill. Heel belangrijk. Je zult zelf moeten koken.'

In Zaïre, waar houtskool vaak de enige brandstof was, waren *bambula*'s een gewild artikel. We gingen nog een rij kraampjes af, maar bleven daarbij in de auto zitten. André liet zijn raampje zakken. 'Hé, we zoeken een *bambula*!' schreeuwde hij naar de menigte. Het was alsof iemand het startschot voor een wedstrijd had gelost: de mensen waaierden uit naar de verschillende kraampjes en kwamen toen weer onze kant uit rennen, zwaaiend met *bambula*'s en bedragen roepend. Een stuk of zes, zeven *bambula*'s zweefden voor mijn gezicht, *bambula*'s kletterden tegen de motorkap, dansten door de lucht, mannen trommelden er met messen tegen. André deed zijn raampje weer omhoog tot er niet meer dan een kier overbleef.

'Niet met de *mondele* praten! Ik voer hier de onderhandelingen, niet de *mondele*!' Opnieuw vertrok er een vrachtvliegtuig dat de lucht deed trillen. André schreeuwde boven het gebulder uit. 'Nee, vijftienduizend zaïre, geen vijftigduizend! Hé, naar mij kijken' – hij wees naar zijn ogen – 'niet naar de *mondele*!'

De menigte drong op, waardoor de Locomotief begon te schudden. André opende zijn raampje om een *bambula* te bekijken en meteen werden er een stuk of drie naar binnen gegooid. We gooiden ze weer terug en sloten de ramen. Elk plekje glas werd afgedekt door de gezichten van de kooplui en het ijzer van *bambula*'s.

'Vijftienduizend!' schreeuwde hij. 'Dertig!' schreeuwden ze terug, hun benige handen en gezichten platgedrukt tegen het glas.

'Ach, jullie zijn geen serieuze kooplui!' André zette de Locomotief in zijn achteruit en begon weg te rijden. We waren nog geen meter gevorderd of de prijzen waren al naar vijftienduizend zaïre gezakt. Ik kon kiezen en pakte de *bambula* die ik wilde.

André wierp de verkoper het geld toe en reed verder achteruit. 'Zoals je ziet zijn de Zaïrezen een opgewonden volkje,' zei hij met een glimlach. 'Je moet beleefd tegen ze zijn en er begrip voor hebben dat ze honger lijden. Als ze niets verkopen, hebben ze niets te eten.'

De volgende dag kwamen de kolonel en zijn broer me ophalen in de zilverkleurige Mercedes. We reden door Gombe – een kakwijk vol koloniale huizen met witte muren en gemaaide gazons – waarbij de kolonel voortdurend gebeld werd en in het Lingala in zijn mobiele telefoon zat te praten. Zijn stem had een opvallend nasale klank die contrasteerde met de dreunende tonen die de meeste Lingala-sprekenden voortbrachten, en ik vroeg me af of dit soms iets te maken had met zijn eigen oorspronkelijke dialect (hij was afkomstig uit Equateur, de Evenaarsprovincie). We stopten voor het hek van een villa en een Europeaan van middelbare leeftijd kwam naar buiten – een slonzig, jichtig type in een zijden badjas met een knolvormige neus die rood zag van de drank. De kolonel stapte uit en samen gingen ze naar binnen.

'Een Belg,' zei de broer. Hij klopte op zijn haar en inspecteerde zichzelf in de spiegel. 'Weet je, je zult een prauw met een motor moeten hebben als je de rivier op wilt.'

'Waarom?'

'Om uit de buurt van draaikolken te kunnen komen.'

'De mensen die daar wonen hebben toch ook geen prauw met motor?'

'Maar de slangen dan? De leeuwen? De luipaarden? De nijlpaarden? Heb je daar wel aan gedacht? Nijlpaarden zijn het allerergst. Die bijten dwars door je prauw om je te grazen te nemen.'

De kolonel kwam het hek uitgeslenterd en maakte het portier van de auto open. Hij wendde zich tot mij, zijn ogen tot spleetjes geknepen. 'Diamanten!' riep hij uit. 'Ik handel in diamanten! Ha-haa!'

We reden verder rond om nog meer boodschappen op het lijstje van de kolonel af te werken. Als ik het woord tot hem richtte reageerde hij niet, en als ik midden in een zin was onderbrak hij me om zijn broer iets te vragen. Dat was een schokkende ervaring voor me. Het was op een bizarre manier onbeschoft, het kwam neer op een regelrechte ontkenning van mijn bestaan. Maar ik begon door te krijgen dat het koninklijke manieren waren waarvan hij zich bediende, de manieren van een Afrikaans stamhoofd: in zijn nabijheid mag men nooit het woord nemen tenzij men wordt aangesproken. Ik zou er als gewone sterveling geen aanstoot aan moeten nemen, maar me er simpelweg aan dienen aan te passen.

Toen we op zijn kantoor aankwamen, wachtten hem daar vele smekelingen. De kolonel nam plaats onder het portret van Mobutu en sloeg zijn armen over elkaar. Zijn broer stelde zich achter hem op. De telefoon ging. De kolonel sprak een wreed soort Engels met degene aan de andere kant – 'un *Arabe*' zei hij tegen mij, terwijl hij met zijn hand het mondstuk van de hoorn bedekte – en sprak over betalingstermijnen en de levering van palmolie.

Zodra hij had opgehangen, rinkelde de telefoon opnieuw. Hij nam op. 'De generaal,' fluisterde hij tegen mij. '*Oui, oui.*' Met zijn vingers knippend beduidde hij me mijn paspoort aan hem te geven. Ik reikte het hem aan en in de hoorn sprekend las hij het paspoortnummer op. '*D'accord, mon général.*' Hij hing op.

De elektriciteit begaf het; de fan aan het plafond draaide steeds langzamer en hield er toen krakend helemaal mee op. Binnen luttele seconden baadde het vertrek in een vochtige hitte en intense stilte. De kolonel boorde zijn ogen in de mijne en de anderen die dit zagen keken toe. Hij staarde me zo ingespannen aan dat ik merkte dat ik niet kon spreken; het leek wel alsof hij me in een soort hypnotische trance had gebracht; een druppel zweet liep via mijn linkerslaap naar beneden.

Hij staarde me aan en ik zweette.

Eindelijk verbrak hij de stilte met zijn nasale, schelle stem. 'Jij gaat een groots avontuur ondernemen! Jij zult de eerste zijn die in een prauw de Kongo afzakt! Je neemt een groot risico – maar dat geldt ook voor de soldaat die jou zal vergezellen. Hij krijgt zijn gezin niet meer te zien. Hij moet op krokodillen schieten. Hij moet tegen bandieten vechten. Zijn leven zal gevaar lopen. Wat zal hiervoor zijn beloning zijn?'

Ik wist niet zeker of ik wel een militair in dienst wilde nemen – ik had nog geen gegadigde ontmoet, voelde me op dit terrein ook helemaal niet thuis, en over een passende betaling had ik al helemaal niet nagedacht. Maar voordat ik kon antwoorden, richtte de kolonel zich alweer tot een smekeling en vuurde op hem een vraag af. Terwijl de man antwoord gaf, zat de kolonel met zijn gouden ring op het eiken bureaublad te tikken, zijn ogen gesloten. Toen deed hij zijn ogen weer open en vestigde ze op mij. 'Wat ontvangt de soldaat voor het risico dat hij loopt?'

Ik wist niet wat ik moest zeggen en om tijd te winnen besloot ik een oratie af te steken. Ik stond op.

'De soldaat, als ik er een aanneem, mag niet op geld uit zijn. Hij moet de moed hebben – ja, de *moed*! – om de rivier te trotseren! Als hij maar enigszins twijfelt, kan hij beter thuisblijven. Als het hem alleen om geld te doen is, kan hij beter thuisblijven. Als hij bang is, moet hij thuisblijven!'

'Ja!' schreeuwde de kolonel en hij sloeg op het bureau. 'Hij moet bereid zijn tot avontuur! Maar jij ook!' Zijn stem bereikte zijn nasale zenith. 'Ben jij klaar voor de tocht met mijn boot?'

'Ik ben er klaar voor.'

'Je krijgt aan boord met veel diarree en malaria te maken. Ben je sterk?'

'Ik ben sterk.'

'Je moet medicijnen meenemen. Je moet goed eten en je pillen innemen. Vijftien dagen lang – twaalf als ik er genoeg vaart achter kan zetten – zullen we de onstuimigste rivier van Afrika bevaren. Je moet de moed hebben, de *moed* inderdaad, om dat allemaal te doorstaan! De rivier is gevaarlijk voor iedereen, blank of zwart, zelfs op een boot!'

'Ik ben er klaar voor.'

Hij hield abrupt op met praten en keerde zich naar het raam alsof hij plotseling gegrepen was door een diepe gedachte die niets met de zaak te maken had. Mijn audiëntie was voorbij. Ik aarzelde een ogenblik en liep toen de deur uit.

De nacht voor het vertrek lag ik vol angst en onder het zweet wakker in mijn muskietennet, en luisterde hoe de hagedissen heen en weer schoten over de muren van mijn kamer en de muskieten drensden achter mijn raam. Na twee weken was ik gewend geraakt aan Kinshasa en ik voelde me er onderhand thuis. Iedere dag werkte ik een aantal bezoekjes af – aan de kolonel, aan Pierre, aan André op de bank. Marc en George nodigden me vaak uit in de Surcouf, een bar dicht bij hun huis in de Ville, waar we 's avonds aten en een biertje dronken. Ik genoot inmiddels tot op zekere hoogte het vertrouwen van de personeelsleden van het Centre en maakte graag een praatje met hen.

Maar aan dit alles zou nu een einde komen. Ik was alleen maar in Kinshasa om er weer weg te gaan, de rivier op. Intussen was mijn angst voor de rivier wel even groot geworden als mijn opgewonden enthousiasme – of was mijn angst misschien als enige overgebleven? Ik was geneigd het oordeel van de zendelingen naast me neer te leggen, maar Kinois (inwoners van Kinshasa) hadden me verteld dat er langs de rivier gevaarlijke stammen woonden (sommigen hadden het over 'kannibalen') en dat de wilde dieren er even bloeddorstig als talrijk waren. Daar stond tegenover dat maar twee van de Kinois die ik had ontmoet zelf de rivier op waren geweest, het kon dus heel goed zijn dat hun angsten voortkwamen uit de stereotiepe voorstellingen die stedelingen hebben van een onbekende wildernis. Tegelijkertijd vroeg ik me nog steeds van alles af over de kolonel, waarom hij de moeite nam om me te helpen.

De hitte was verstikkend. Ik ritste het net open en haalde diep adem, er dansten muskieten naar binnen en ik deed de rits weer dicht. Ik kon me alleen maar overgeven aan mijmeringen in het duister en de enige waarheid waar ik steeds weer op uitkwam was die van de tijd en eindigheid: we kennen allemaal een eindig aantal zonsop- en ondergangen, waarna alles voorbij is. We vullen onze dagen met troostrijke illusies – met godsdienst en gebruiken, met regels, doelstellingen, verwachtingen, hobby's en plannen – die ons de tijd helpen doorkomen en ons het idee geven dat er sprake is van een ordening, dat we iets kunnen bereiken, terwijl die illusies slechts één doel dienen: de Waarheid te versluieren. Ik stond op het punt me ervan los te maken, me te verwijderen van de veilige haven die ze vormden. Maar dat gaf me niet het gevoel van een naderende bevrijding. Integendeel, ik bespeurde een afgrond, zoals iemand die geblinddoekt over een loopplank loopt de leegte onder zijn voeten ervaart.

's Ochtends schreef ik een lange brief aan Tatjana. De tranen stroomden uit mijn ogen – ik kon ze niet tegenhouden – en toen ik ermee klaar was voelde ik me compleet verscheurd en uitgeput. Waarom kon ik me niet aan deze tocht onttrekken, niet toegeven dat het een vergissing was geweest? Er was nu geen weg terug meer, hield ik mezelf voor. Ik had alles achtergelaten om hierheen te gaan, en de enige uitweg die ik had was door te zetten, mijn wilskracht te beproeven en mijn eigen koers uit te stippelen. Nu ik zo ver gekomen was, *moest* ik wel tot het bittere einde doorgaan. Dit was de illusie die ik voor mezelf geschapen had.

Taferelen aan dek

Afvaart

DE RIVIER ZAG ER IN HET SCHELLE OCHTENDLICHT UIT ALS plaatstaal, bespikkeld met drijvende klompen waterhyacint; de boot kraakte en helde over in de woeste stroom; in het sprieterige gras op de oever liepen ratten en hagedissen loom rond te scharrelen. Er stond geen zuchtje wind en de smoorhete lucht drukte zwaar op mijn huid; een geur van rottend afval drong mijn neusgaten binnen. Het uur van vertrek was aangebroken, maar de hitte verstikte alle lust om in beweging te komen, zodat alleen de drang overbleef om de schaduw op te zoeken en de dag dommelend door te brengen.

Een open vrachtwagen van het Centre had me naar de haven gebracht. Ik zat onder een luifel op het schip te kijken naar de dragers – jonge knapen op blote voeten in een versleten korte broek – die balancerend met mijn proviand en andere spullen op hun van een handdoek gedraaide tulband via de wiebelige loopplank het dek op liepen. Net als de vorige keer was ik via de ladder afgedaald, maar nu met een goedgevulde papieren zak in mijn vrije hand. De vorige dag was ik bij Marc en George op de bank langsgegaan om vierhonderd dollar in te wisselen tegen een hele lading zaïres in kleine coupures. Het Zaïrese bankpersoneel had me verteld dat verder stroomopwaarts groot geld (dat wil zeggen alle biljetten groter dan vijfduizend zaïre oftewel ongeveer een dollar) doorgaans gewantrouwd werd, en ik had dus gevraagd om briefjes van honderd en tweehonderd zaïre (ongeveer twee en vier dollarcent), wat een flinke berg opleverde.

Ik haalde een briefje uit de zak om het te bekijken. BANQUE DU

89

ZAÏRE – CENT NOUVEAUX ZAÏRES. Hoewel het pas een jaar eerder gedrukt was in het kader van Mobutu's geldhervorming (door inflatie was de oude zaïre nog maar een miljoenste van een dollar waard), had het al een allesbehalve eerbiedwaardige glans van *shikwanga*-vettigheid en vingerafdrukken van *commerçants* gekregen. Op de voorkant was een blasé Mobutu afgedrukt met ernaast een lelijke afbeelding van een springende luipaard; op de achterkant stond een naamloze brug vergezeld van de waarschuwing: 'De vervalser wordt bestraft met dwangarbeid.' Onderaan stond de naam van het particuliere bedrijf in München dat het biljet had gedrukt. Het was een afgeleefd ogend stukje papier, het ontwerp verried geen spoor van verbeeldingskracht, trots of door nationaal besef gevoede gedrevenheid.

De dragers legden de laatste spullen voor mijn voeten. Ik liet mijn hand in de papieren zak verdwijnen en betaalde hun met een vuistvol briefjes.

Op de oever verzamelde zich een groep mensen die met de handen in de zij afwachtend naar de boot stonden te staren – maar waarop wachtten ze precies? De meesten keken naar de dragers die nu zakken suiker, zout en meel van zo'n vijftig kilogram per stuk aan boord sjouwden. Alles ging het ruim in, zak na zak na zak.

Ik stond op om mijn verblijf te gaan inrichten. In de hut met de houten kooien die ik eerder had bezichtigd lagen de spullen van iemand anders en ik legde mijn tas in de grootste hut op het dek, achter de luifel. Dit was een ruime, oranje geverfde stalen ruimte met een putje als toilet, een metalen douchecabine en drie lompe houten bedbakken boven elkaar. Op een ervan rolde ik mijn matras van schuimrubber uit.

Terwijl ik mijn spullen aan het uitpakken was, kwam er een nietig groenogig mannetje binnen met een plunjezak. Hij droeg een gloednieuwe zeegroene trainingsbroek en een pas gewassen wit overhemd; hij zag er aangenaam fris uit, maar zijn doortastende manier van doen had iets norsigs. Hij stak zijn kin in de lucht en zei: 'Ik ben Jean, de scheepsadministrateur, en dit is mijn hut.' Terwijl zijn ogen op mij gevestigd bleven, zocht hij een bed uit en smeet zijn tas erop. 'Hier opzij is een lege hut. Verhuist u maar, alstublieft.'

Ik verontschuldigde me en pakte mijn spullen weer bij elkaar. Ik sleepte mijn tassen de hoek om naar het metalen kot en kwam tot de ontdekking dat de bagage die er zoëven nog lag was weggehaald. Ik stapte naar binnen. Kakkerlakken schoten via mijn voeten alle kanten op en motten fladderden tegen mijn gezicht aan; ik spuugde, mepte en stampte in het rond, en sloeg de beesten uit mijn haar. Toen viel de deur krakend dicht en stond ik daar in het benauwde duister – er waren geen ramen en geen lampen, alleen zat hoog in een van de wanden een ventilatieopening. Het was bloedheet in de hut en overal wriemelden insecten.

Er werd op de deur geroffeld. Ik deed open. Voor me stond een man van tegen de dertig in een kaki uniform; zijn shirt van synthetische stof was bedrukt met een kotsachtige mengeling van bruine, gele en oranje tinten. Hij had een vlekkerig, vettig gezicht. Hij schraapte zijn keel en zei in het Engels: 'Ik ben predikant,' de klinkers rekkend. Hij schudde me de hand. 'Ik onderricht God.'

'Prettig kennis te maken.' Ik werd te zeer door mijn hut in beslag genomen om iets anders te bedenken.

'Bent u een *Belge*?'

'Nee, ik ben geen Belg.'

Ik vroeg hem me even te verontschuldigen zodat ik mijn hut op orde kon brengen, maar hij begon te praten in iets dat klonk als pidginengels, zwaaiend met een brochure die kennelijk, samen met God, het onderwerp van zijn uiteenzetting behelsde. Ik verstond hem niet en hij verstond mij niet toen ik hem vroeg nog eens te herhalen wat hij had gezegd, dus ging ik over op Frans, maar die taal weigerde hij te spreken. Ik gaf het op hem te vertellen dat ik bezig was en stapte naar buiten. Hij volgde me naar de hut van de administrateur, stelde me nog meer vragen in zijn gebroken Engels en raakte geïrriteerd door mijn onbegrijpelijke antwoorden.

Jean kwam zijn hut uit. Ik vroeg hem wanneer de kolonel zou komen. De predikant kakelde gewoon verder, dwars door zijn antwoord heen. Jean wierp hem een nijdige blik toe en herhaalde wat hij gezegd had: hij wist het niet, maar als de kolonel kwam zou hij ongetwijfeld zorgen dat het met mijn accommodatie in orde kwam.

Ik voelde me slapjes van de zenuwen en van de hitte; ik keerde terug naar mijn hut, met de predikant op mijn hielen. Die leuterde maar door. 'Alstublieft,' zei ik tegen hem, eerst in het Engels, en toen in het Frans, 'ik heb even tijd nodig om mijn hut in te richten. Kunnen we straks niet praten?'

Hij verhief zijn stem. 'Ik nu met u praten. Over Jimmy Swaggart.' Hij hield de brochure onder mijn neus: die ging over de met schande overladen Amerikaanse evangelist.

Ik duwde het pamflet weg, maar hij hield het opnieuw onder mijn neus. De gal die op dat moment bij me boven kwam, de verstikkende hitte, de doordringende stank van rattenkeutels en van de smerige rivier, de gedachte die zich begon vast te zetten in mijn hoofd: dat ik twee weken zou moeten doorbrengen in een smoorhete ijzeren doos en de rivier zou opvaren in het gezelschap van deze zwamneus van een predikant – dit alles bij elkaar leidde ertoe dat ik hem niet al te beleefd gedag zei en de deur niet al te zacht voor zijn neus dichtsloeg, waarna ik mijn zaklamp greep en mijn bagage begon uit te pakken.

De hele dag bleven de dragers bezig met het laden van de boot, maar de kolonel kwam niet opdagen. Hogere bemanningsleden timmerden erop los in de hutten op de *pousseur* om de laatste hand te leggen aan hun accommodatie. Dekknechten, een pezig stelletje met een tulband om hun hoofd, maakten hun kwartier beneden in het ruim, waar ze in houten kooien boven het klotsende water zouden slapen. Jilly, een lange, knokige vent die met een klembord met facturen rondliep, beheerde de lading. Hij had een handdoek om zijn nek en deed nogal hoogdravend; het leek wel of hij zich voortdurend belaagd voelde en hij reageerde furieus als klanten probeerden met een kilo suiker of een litertje olie langs hem heen te komen zonder te betalen. Een derde man, een gepensioneerde postbeambte met een dikke buik die Papa Jacques werd genoemd, werkte eigenlijk niet op het schip (al had hij wel een zak suiker bij zich die hij onderweg hoopte te verkopen), maar omdat hij een vrolijke ouwe kerel was die de bemanning goed kende, mocht hij bij Jeans hut op het verkopersbankje zitten, naast het kraampje met verfrissingen (een koelmachine gevuld met Primus-bier en cola). Jeans hut diende tijdens de reis als *Bureau de batelier* – scheepskantoor – en onofficieel centrum van het leven aan dek.

Rond half vijf had de zon zijn hoge boog door de lucht boven onze hoofden bijna voltooid. In het westen begon de hemel rood te kleuren en op de oever ontstond tumult. 'Yaka! Yaka!' Een tiental mannen sleepte bundels mee over de kade, in hun voetspoor gevolgd door huilende vrouwen die aan hun kleren rukten en met hun armen liepen te zwaaien. De predikant dook naast me op en hief uit volle borst een psalm in het Lingala aan, zijn eigen schrille hysterisch-religieuze noot aan het lawaai bijdragend. De vrouwen sloegen tegen hun dijen en stampten met hun voeten, jammerend als stierven ze van verdriet, en hun dierbaren klepperden met hun bundels over de loopplank en riepen vaarwel.

Een corpulent heerschap met een honkbalpetje kwam met ferme tred de boot op, een Kongobeat-deuntje neuriënd. De kapitein. Hij bezat een ongedwongen uitstraling, een slaphangend buikje en een brede glimlach; het leek iemand die na een dag werken graag een potje bier dronk. Met zijn buik vooruit maakte hij een draai en liep naar de *pousseur*. Even later lieten de motoren een puffend geronk horen, klonk de scheepstoeter en gooide de bemanning de meertouwen los, waarna de boot op de rusteloze stroom stampend tot leven kwam.

Moeizaam kwamen we los van de kant, het blauwe water ziedde en kolkte, en de torenflats en havenkranen draaiden om ons heen terwijl we in de richting van de vaargeul manoeuvreerden. De motoren brulden. Weldra verdween Kinshasa in de dompige grijze nevel van de schemering achter ons. Voor ons uit, de kant van de evenaar op, vervloeiden lucht en water ineen in een lichtende azuren mist. We waren onderweg.

Ik dacht aan de zendelingen en hun beschrijving van overvolle boten met piesende passagiers en cholera. Uiteraard hadden ze het mis gehad – wisten zij veel? Ik was vrijwel alleen aan boord, afgezien van de bemanning, de predikant en een aantal kooplieden. Ik zou de kans hebben om de rivier op mijn gemak te bestuderen, in mijn eigen tempo informatie op te doen.

Ik liep naar de boeg om van mijn mazzel te genieten. De predikant kwam vanuit het scheepskantoor achter me aandraven met de brochure in zijn hand.

Hij sprak in het Frans. 'Alstublieft, ik ben dit aan het lezen. Het gaat over Jimmy Swaggart. Ik houd van hem.' Intussen stond hij aan een bult op zijn kin te pulken. 'Hij komt uit uw land. U houdt ook van hem, toch?'

'Ik zou dat woord niet direct willen gebruiken.'

'*Comment?*'

'Ik denk niet dat u er veel mee opschiet als ik u vertel hoe ik over hem denk. We kunnen het beter over iets anders hebben.'

'*Comment?* Maar ik vraag u iets.'

'Nou goed dan. Ik zal het op een aardige manier zeggen: ik houd niet van hem. En ik heb ook geen respect voor hem.'

Mijn woorden leken pas na verloop van tijd tot hem door te dringen. Maar toen deed hij een stap achteruit, nam me vol wantrouwen op, draaide zich om en liep weg.

Een tijdje later dook in de nevelen voor ons iets op dat op een kanonneerboot leek. Toen we er dichterbij kwamen tekenden de contouren zich allengs scherper af en werd een groot vaartuig van twee verdiepingen zichtbaar, boordevol gewapende soldaten op de vele groen met witte dekken. De predikant kwam naar buiten en staarde ernaar. De *Kamanyola*, zei hij. Het jacht van Mobutu.

Het was gevaarlijk om dicht in de buurt van de *Kamanyola* te varen – we zouden voor aanvallers kunnen worden aangezien en beschoten kunnen worden – dus gaven we het jacht alle ruimte en voeren er verder stroomopwaarts met een grote bocht omheen. Weldra werd het jacht weer door de mist ingesloten en zagen we er niets meer van; alleen de vlag die Mobutu voor Zaïre had bedacht – een zwarte vuist die een brandende fakkel vasthoudt – bleef ons vergezellen, wapperend boven onze brug.

Ik wandelde over het dek. De predikant schaduwde me, onderwijl regels uit zijn boekje prevelend; blijkbaar was zijn teleurstelling in mij even groot als zijn vastberadenheid om me op het rechte pad te brengen. Binnen een halfuur koersten we echter weer naar de oever, naar de haven van Selza, een buitenwijk van Kinshasa, waar zich op de kade een grote menigte verdrong. Toen we nog ongeveer een meter van de kant verwijderd waren, begonnen mensen schuimrubber matrassen, manden en balen stof op het schip te gooien, waarna ze over het water op het dek sprongen, met strooien matten en *bambula*'s onder hun arm. Gendarmes sloegen met zwepen van touw op hen in, maar tevergeefs; tegen de tijd dat we aanlegden was elke vrije centimeter aan dek bezet.

De zon stierf een vurige dood in een violette hemel. Jean opende zijn kraampje met verfrissingen en het bier begon te vloeien. Kongobeat blèrde uit de luidsprekers van de boot; glimlachende mannen pikten het ritme op en begonnen losjes te dansen, zwaaiend en wiegend met hun heupen; vrouwen waren druk doende om dekens op het dek uit te rollen en een eigen plekje in te richten. De predikant klom op een krat en hield schreeuwend een preek voor een aangroeiende kring vromen.

Het was al met al een uitbundig schouwspel, maar het totale gebrek aan bewegingsruimte, de opeengeperste mensenmassa, het kabaal en de gedachte dat ik de komende twee weken niets anders zou kennen, kwamen hard bij me aan. Bij wijze van afleiding ging ik op de bank bij het scheepskantoor zitten en trakteerde Jean, Jilly en Papa Jacques op een biertje. Dat het zo druk was viel eenvoudig te verklaren, zeiden ze. Onatra, de nationale rederij, was bankroet en liet nog maar zelden een boot vertrekken. Daarom gebruikten de kooplieden particuliere schepen voor hun goederenvervoer en om handel te kunnen drijven in het binnenland, waar de meeste Zaïrezen woonden. Geen van de vierhonderd passagiers zou gedurende deze hele reis een hut vanbinnen zien. Zelfs wassen en baden zou aan dek moeten gebeuren: afgeschotte gedeelten op de boeg en op de achterplecht dienden op verschillende tijden als badruimte voor mannen en vrouwen. Er waren twee toiletten aan boord, maar de meeste mensen lieten simpelweg hun achterste over de reling hangen of staken hun edele delen over de rand om hun behoefte te doen. Ik vroeg hoe het zat met vers drinkwater en hoe ze daaraan moesten komen: als de passagiers wilden drinken, lieten ze hun emmer (een emmer met een touw eraan behoorde tot de standaarduitrusting van de reiziger) in de rivier zakken om water op te halen. Inderdaad ja, sommige mensen zouden last krijgen van dysenterie, tyfus en andere door water overgebrachte ziekten. Alleen de kolonel, de hogere bemanningsleden en ik zouden over schoon drinkwater kunnen beschikken.

Jean dronk van zijn bier en keek naar de dansers. 'Ondanks alles zijn ze gelukkig. Deze reis kan veel geld opleveren. Het valt allemaal niet mee, maar ze maken er het beste van.'

Ik was heel wat minder optimistisch; eerlijk gezegd had ik zelfs het gevoel dat ik zou gaan kotsen. Ik wenste de anderen nog veel drinkplezier, en uitgeput door een dag van hitte en oorverdovende muziek, misselijk van de enthousiaste, zweterig deinende mensenzee worstelde ik me tussen de kleine kinderen, dansers en kokende vrouwen door naar mijn van insecten vergeven kot om te kijken wat voor avondmaal ik in elkaar kon flansen. Ik moest en zou iets eten, hoe rot ik me ook voelde.

'U zit in mijn hut!' zei een man met een baard die door mijn deur naar binnen keek. Hij was klein van stuk en had iets dreigends en arrogants over zich; met een afkerig gezicht stond hij over zijn baard te strijken. 'Ik ben de purser hier aan boord. Wat moeten mijn vrouw en ik nu? Moeten wij soms aan dek slapen?'

'Ik verhuis wel, geen probleem.' Ik had geen idee waar ik naartoe moest, maar in deze hut hield ik het toch niet uit.

Hij keek me aan en krabde op zijn hoofd. 'Nou, goed, u kunt tot morgenochtend blijven.'

Buiten, voor mijn hut, maakte ik mijn keukentje: *bambula*, houtskool, een pot met water, rijst en vlees uit blik. Weldra dook de predikant naast me op. Hij stak zijn neus in de richting van de borrelende pot en snoof gretig de dampen op. Toen duwde hij de deur van de hut open en vergaapte zich aan mijn proviand. 'Is al dat eten van u? Helemaal voor u alleen?' Hij doorzocht de hele boel, bestudeerde elk afzonderlijk product nauwkeurig en merkte op dat ik gedurende de reis goed te eten zou hebben. En hij dan?

Ik richtte al mijn aandacht op het koken. Toen mijn maaltijd klaar was, dwong ik mezelf te eten. Ik lepelde de rijst naar binnen, kauwde op elke hap het aantal keren dat ik me vooraf had voorgenomen, slikte dan pas door en dronk er water achteraan. Met zijn Swaggartgeschrift in de hand, misschien een kwart meter van mijn gezicht vandaan, stond de predikant voortdurend van mij naar mijn eten te kijken.

Uiteindelijk diepte hij met een zwaai een kleine kom uit zijn achterzak op. 'Geef mij ook wat!'

Ik schepte wat rijst en vlees voor hem op. Hij schrokte alles naar binnen.

Ik werkte de laatste hap weg en verontschuldigde me beleefd. Ik liep mijn hut binnen, sloot de deur en ging in de houten kooi liggen.

Muziek schetterde uit een luidspreker die vlak boven mijn hut hing; de knoestige bedplanken en de heen en weer rennende kakkerlakken ontnamen me alle rust. Ik was nog steeds misselijk toen ik mijn muskietennet en lakens bijeenhaalde en de oversteek maakte naar de *pousseur*, waar ik de eerste machinist tegen het lijf liep, die zich voorstelde als Nze.

'Aan dek is het u te lawaaierig zeker? Kom mee, dan breng ik u naar een rustig plekje.' Nze was zo te zien in de vijftig. Hij had een stem waarin intelligentie en vriendelijkheid doorklonken en zijn vaderlijke manier van doen miste zijn uitwerking niet. Hij ging me voor over het achterste deel van de sleepboot en via een ladder naar een plekje op het dak boven de brug. 'Wat dacht u hiervan?'

Het was ideaal. Tussen ons en de boot bevond zich een ver-schansing van ongeveer een meter hoog die me enige privacy zou bieden en een buffer tegen het lawaai vormde. Maar nog veel be-langrijker was dat ik hier alleen kon zijn, dat ik een plek zou hebben om me terug te trekken.

Nze vertelde dat hij jaren geleden in Duitsland had gewerkt en dat hij wist hoe 'wij' leefden. De omstandigheden op de rivierboot zou-den me zwaar vallen, zei hij waarschuwend; het was trouwens voor iedereen moeilijk.

'Bedankt voor uw bemoeienis,' zei ik. 'Ik had niet verwacht dat het hier zo'n toestand zou zijn.'

'Als u hulp nodig hebt, kunt u altijd bij me terecht. Ik zal zorgen dat u morgen goed kunt douchen; dat zult u wel nodig hebben.' Hij hielp me mijn muskietennet op te zetten.

'Waar is de kolonel?'

'De kolonel heeft een villa in Selza; daarom hebben we hier aan-gelegd. Morgenochtend komt hij aan boord. Nou, welterusten dan maar.'

Ik kroop onder het net, strekte me uit op mijn schuimrubber ma-trasje en keek naar de sterren tot ik in slaap viel.

Bij dageraad voeren we door een savannelandschap waaruit hier en daar bomen met een majesteitelijk bladerdak oprezen, die veel weg hadden van tegen de kale hemel afstekende groene reuzencham-pignons. Het was een grijze, frisse ochtend en ik had goed gesla-pen. Ik klom langs de ladder naar beneden.

Jean zat op de achterplecht van de *pousseur*. 'Wilt u zich wassen?'

Over de *pousseur* leidde hij me naar zijn verblijf en zijn badkamer, waarna hij een dekknecht opdracht gaf om voor water te zorgen. Even later kreeg ik een emmer met klotsend olieachtig groen water aangereikt, warm water met een schuimend laagje dat zoëven uit de Kongo was opgehaald. Terwijl ik me stond te boenen en het water over me heen goot, kreeg ik de gewaarwording dat ik me in een or-ganische vloeistof onderdompelde. Het voelde kleverig en vettig aan, alsof ik me in plasma waste. Het prikte in mijn ogen. Maar na afloop van mijn gepoedel voelde ik me op de een of andere manier verkwikt en schoon.

Toen ik weer uit zijn hut naar buiten kwam, waren de andere passagiers bezig het dagritme van het leven op de rivier weer op te pakken. Overal op het dek lagen strooien matten, met daarop uitgespreid rollen textiel, stapels ondergoed, plastic bekertjes, kleurige kralen, zakken suiker en zout, Ayu-zeep, malariapillen in witte doosjes, batterijen, naalden, draad en scharen, koekblikken, Bic-pennen, schoolschriften met het logo L'Éléphant op het groene omslag en wat al niet meer. De handelaars lachten en maakten gebbetjes met elkaar in het Lingala; als ik langsliep onderbraken ze hun gesprek en riepen: 'Ey, *mondele! Bonjour!*' Moeders wasten hun peuters; in koekenpannen lagen uien, moten vis en deegballen te sissen; *bonk-bonk-bonk* klonk het terwijl vrouwen in regenbooggewaden met hun met houtsnijwerk versierde hamers pisangs tot puree stampten; oude mannen met platvoeten draafden voorbij met ladingen bananen in hun armen. Op de achtersteven stond een schare vromen onder aanvoering van de predikant spirituals te zingen in het Lingala. Vlak achter hen had een prauw aangelegd; aan rinkelende kettingen sleepte de kano *boka*, Kongolese meervallen, mee van zo'n vierenhalve meter lengte, en daarnaast nog wat olieachtige bruine karpers van tegen de anderhalve meter lang en minstens een halve meter dik.

Aan dek was geen ruimte meer over, maar toch kwamen er nog altijd mensen bij. Prauwen met drie of vier passagiers aan boord doorsneden de rivier en kwamen zwenkend achter ons aan. Zodra ze ons op minder dan een meter genaderd waren, sprongen de mannen die in de boeg stonden over op onze boot, met in hun hand een touw dat aan het dolboord bevestigd was en waarmee ze hun prauwen vastmaakten aan onze reling. Als ze op deze wijze waren aangemeerd kwamen ook hun gezinsleden aan boord, met hun bezittingen in bundels vastgesnoerd aan hun schouders. Als ze mij zagen, keken ze nog een keer, waarna de meesten me lachend begroetten: *Mondele! Ey, mondele!*

Ik had nog steeds een onprettig gevoel in mijn maag en achtte me niet geroepen om gezellig te doen, maar door alle drukte, de hitte, de reis die me wachtte, het volstrekt nieuwe en onbekende van wat ik nu meemaakte was ik voor het eerst van mijn leven zo trillerig en onzeker – want ik had geen idee of ik de volgende dag zou halen – dat ik me wel moest verlaten op het praten en de vriendelijkheid van anderen om de moed er zo ver in te houden dat ik door kon gaan met eten, me wassen en slapen. Er waren maar twee mogelijkheden: in beweging blijven en contact zoeken met de mensen of in een hoekje blijven zitten, ten prooi aan misselijkheid en angst. Ik liep rond over de boot en probeerde vrienden te maken.

De purser eiste mijn hut uiteindelijk helemaal niet op. In plaats daarvan wees hij de onderste van de twee kooien toe aan Bopembe, een vriendelijke dekknecht die zich ernstig zorgen maakte of onze bezittingen wel veilig waren. Hij voorzag onze deur van een hangslot en gaf mij er een sleutel van. 'We kunnen maar beter voorzichtig zijn. Verder de rivier op komen er heel veel vissers en dorpelingen aan boord. Daar zijn veel Bangala bij en die lui zit het stelen in het bloed.'

Ik ging bij Papa Jacques voor het kantoortje zitten. De hemel was bewolkt, er stond een warm briesje, de stroming was sterk. Jacques klopte op zijn zak met suiker. 'Wil je wat kopen?'

'Hoeveel?'

'Honderd pond?'

'Zoveel suiker kan ik niet op.'

'Ja, maar ik moet die suiker zien te slijten. Ik ben gepensioneerd, zie je. Ik vaar voor niets mee, maar als ik deze zak kan verkopen, hou ik geld over om vis te kopen, en thuis zijn ze gek op vis.'

Ik zei dat ik het hem zou laten weten als ik een mogelijke klant tegenkwam. We leunden achterover en keken gezamenlijk uit over de rivier.

Later zat ik in mijn hut macaroni te eten toen de predikant zijn hoofd om de hoek van de deur stak. 'Ik nodig u uit voor mijn preek. Ik ga over God vertellen.'

'Bedankt.'

'Maar ik begin nu.'

'Ik ben nu aan het eten, maar bedankt voor uw uitnodiging.'

'Ik nodig u *nu* uit. Keer u niet van God af.' Hij haalde de deksel van mijn kookpotje en keek naar de macaroni. 'Ik heb honger. Ik moet voor mijn preek iets eten.' Hij diepte zijn kom op.

Ik hield op met kauwen. Na enige aarzeling schepte ik een portie voor hem op. Hij bedankte me niet, maar begon me uit te vragen hoe ik over Jezus dacht. Ik slikte de hap door en zei dat ik hem later wel zou spreken. 'Alstublieft...'

Terwijl hij overeind kwam, viel me een vraag in. 'Wacht nog even. Hebt u zelf niets te eten meegenomen?'

'Nee.'

'*Nee?* Hoe ver is uw dorp weg?'

'Vier dagen.'

'U begint aan een reis van vier dagen zonder eten mee te nemen?'

'Niet alleen geen eten, maar ook geen water. Ik ben predikant. De mensen geven me alles wat ik nodig heb. Ze denken dat het hetzelfde is als aan God geven.'

Enkele minuten later hield hij zijn preek, precies aan de andere kant van de wand van mijn hut, en die werd goed bezocht. Hij sprak in het Lingala, maar doorspekte de preek met de Franse woorden voor verlossing, wederopstanding, verdoemenis en eeuwig leven – Europese begrippen waar het Lingala geen woorden voor kende. Of misschien kende het die ook wel, maar was het vanuit de predikant gezien logischer om Frans te gebruiken. Voor de mensen die op en aan de rivier de Kongo woonden had het Frans waarschijnlijk nog steeds iets mysterieus en bezwerends, iets magisch dat maar vagelijk te begrijpen was en waarover hij als enige uitleg zou kunnen verschaffen.

'Tay-ler!'

De kolonel stond op de brug. Het was de eerste keer dat ik hem zag sinds we vertrokken waren. Toen ik opkeek, wendde hij zich af.

'U moet naar de kolonel toe,' zei Bopembe.

Het werd donker. Ik liep over de *pousseur* en klom de ladder op. De kolonel had zich in de zitkamer van zijn hut teruggetrokken. Zijn televisie stond keihard aan, er was een Zaïrees dansprogramma. Glimlachende vrouwen stonden daar met flinke billen en op blote voeten in met bloempatronen bedrukte gewaden gewikkeld, hun enkels dicht bijeen en hun knieën ver uit elkaar, als bereden ze een onzichtbaar paard; ze zwaaiden hun ellebogen heen en weer en maakten subtiel schokkende bewegingen met hun heupen op Zaïrese popmuziek. De camera zoomde in op hun wiebelende achtersten en zoomde weer uit, zoomde in en uit, bleef maar in- en uitzoomen. De muziek ging maar door; ze wiebelden, zwaaiden en schokten, flauw glimlachend als verkeerden ze in trance.

De kolonel was op blote voeten en droeg een flodderige gestreepte korte broek. Zijn buik bolde over het koord om zijn taille heen. Tegen de wand leunde een M-16.

'Tayler!' Hij trok me mee naar de bank en legde een arm om mijn schouder. 'Hoe gaat het met je? Wat vind je van mijn boot?'

'Ik maak het uitstekend. U hebt een prima boot.'

'Geen problemen?'

'Nee, helemaal niet.'

Schuddende billen op het scherm. Billen van indrukwekkende omvang.

'Ik handel in diamanten, moet je weten. En in goud. Ik ben in jouw land geweest en in België. Ik weet hoe het bij jullie toegaat en hoe jullie eten. Ik ken jullie gewoonten. Die Coke Light die je gedronken hebt – heb je die in Zaïre gekocht? Die heb ik geïmporteerd, speciaal voor jou! Een van de handeltjes waar ik me mee bezighoud is de import van voedingsmiddelen uit Europa.'

Hij sprong van de bank en rommelde in papieren die op een plank lagen. De vrouwen op het scherm zagen er met hun wiebelende kont en gespreide ellebogen opeens als eenden uit. Het nummer was afgelopen, maar begon onmiddellijk weer van voren af aan.

'Kijk, dit zijn mijn bedrijven. Ik heb met behulp van een computer een lijst opgesteld van mijn personeel. Ik heb drie ondernemingen en ik heb zestig mensen in dienst. Ik heb driehonderdduizend dollar uitgegeven aan de bouw van deze *pousseur*. Zie je wel?'

Op rekenbladen die helemaal slap waren geworden van al het vocht stonden allerlei beroepen vermeld, van bewaker tot accountant en bedrijfsleider. Ernaast waren namen ingevuld en wat de betreffende personeelsleden verdienden. Hij bezat verschillende woningen en een uitgebreide persoonlijke staf.

Er werd op de deur geklopt. Een man van meer dan twee meter lang stapte naar binnen met een knuppel in zijn hand; hij had een buik minstens zo omvangrijk als zijn spiermassa.

'Kolonel!'

De kolonel greep zijn m-16 en volgde hem de deur uit.

We voeren langzamer. Onze schijnwerper speelde over de eilandjes, ketste op de bomen, verlichtte het moerasland en de tapijten van waterhyacinten die vanuit de duisternis voor ons uit naar ons toe dreven. Op de voorplecht stonden soldaten. De kapitein riep door de luidspreker: 'Lichten uit allemaal!'

De boot werd in duister gehuld. Het geluid van de motor klonk, het licht van de schijnwerper bescheen het water, het woud en de ruggen van de soldaten. We waren zo- even Maluku gepasseerd, de laatste nederzetting in de provincie Kinshasa. De kolonel keerde niet terug naar zijn hut en daarom klom ik naar de brug en maakte me op om te gaan slapen.

Na middernacht... een enorme oranje maan... een snijdende kilte. Ik werd wakker en lag zo te rillen dat ik mijn deken niet snel genoeg over me heen kon trekken. Ronkend leverden de motoren het vermogen om al schommelend tegen de aanstormende stromingen van de reuzenrivier op te tornen. Laag boven het zwarte water wervelden slierten mist rond. De hemel rond de halo van de maan was een grenzeloos kobaltblauw firmament glinsterend van de sterren en planeten, waarin meteoren af en toe strepen trokken om voorbij het lage gebergte achter de horizon te verdwijnen.

Ik lag naar de sterren en de meteoren te kijken. Ik voelde me plotseling heel alleen en ontzettend ver verwijderd van alles wat ik gekend had; het was alsof mijn verleden nu tot een andere wereld behoorde, een verdwenen wereld waarin ik nooit meer kon terugkeren. Maar terwijl ik zo naar de hemel lag te kijken, kwamen allerlei dingen me helder voor de geest te staan. De diamanten speldenprikjes licht en de brokjes hemels vuur voerden mijn gedachten weg van mezelf, de ether in, en schonken me een kille maar esthetische troost te midden van de melkwegen, melkwegen die hier bij de evenaar duidelijker zichtbaar waren dan elders, melkwegen die ik voor het eerst met eigen ogen zag, melkwegen, sterrenstelsels en poederachtige blauwwitte galactische nevels die lichtjaren, lichtmillennia weg ronddreven, zo ver weg dat ze misschien al lang geleden gestorven waren en alleen hun in de oneindigheid uitgezonden licht nog over was. Onze zon was vijf miljard jaar geleden ontstaan uit een vurige explosie en zou over vijf miljard jaar als supernova weer uitdoven. Terwijl ik lag te mijmeren over dit soort afstanden, deze eonen, losten mijn persoonlijke zorgen en vraagstukken, de ongemakken van de boot – loste dat alles op in het niets.

Aldus getroost en langzaam aan weer een beetje warm geworden onder mijn deken dommelde ik in.

Op dag drie stonden er witte schuimkoppen op het water om ons heen en waaiden er rukwinden. De leigrijze hemel hing lager; voor ons uit, in de richting van de evenaar, flikkerden bliksemschichten. We ploegden door vlotten van waterhyacinten in het smalle gedeelte van de rivier dat de Chenal genoemd wordt. Er kwamen ons hier geen kano's tegemoet en er waren maar weinig dorpen. Maar de eerste tekenen van een gigantisch oerwoud dienden zich aan. Op richels stonden enorme bomen met brede takken; het kreupelhout van de savanne reeg zich aaneen tot hogere, dichtere bossen vegetatie. De wind bestookte ons met afgedwaalde woudbewoners – termieten zo groot als een duim, kevers, waterjuffers.

Voor mijn hut, die ik alleen nog als opslagruimte gebruikte, waren mensen neergestreken: een fletse vrouw met beestjes in haar

haar en haar twee jaar oude zoontje, een slap ventje met een huid die
er eigenaardig los bijhing. Hij huilde zachtjes, aan één stuk door, en
hij had een T-shirt aan waar PARTY NAKED! op stond.

De moeder vestigde haar ogen op mij. '*Mondele*, geef me een ui!'

Ik vond wat uien tussen mijn mondvoorraad en gaf ze aan haar.
Ik vervolgde mijn route over het schip naar de bank bij het scheepskantoor waar ik na mijn ontbijt een cola ging drinken, hetgeen een
gewoonte begon te worden.

Een jonge man greep me bij mijn arm. 'Ik wil met u praten, *mondele*.' Zijn handdruk was krachtig en hij had een spleetje tussen zijn
voortanden; hij zei dat hij Patrice heette. Patrice was vijfentwintig
jaar en kwam oorspronkelijk uit Bandundu. 'Ik werkte als kleermaker in Kinshasa, maar toen de *pillages* begonnen, ben ik mijn bedrijf
kwijtgeraakt en zodoende ben ik op de rivierboten terechtgekomen.
Ik heb een verloofde – als ik geen jurken en sieraden voor haar kan
kopen, geeft ze me de bons. Daarom neem ik het risico van deze reis.
Op zo'n tocht krijgen de mensen diarree en dysenterie en soms zinkt
er een boot. De mens wikt, God beschikt. Maar vertelt u me nu eens
waarom u, *un blanc*, met deze schuit meevaart.'

'Ik ben van plan om met een prauw vanaf Kisangani de rivier af
te varen.'

Hij zei dat dat een krankzinnig idee was, zo krankzinnig dat hij
zich niet verwaardigde erover door te praten. In plaats daarvan vertelde hij me wat reizen op de rivierboot voor hem en de andere handelaren inhield. Als ze ver genoeg van Kinshasa verwijderd waren
zouden ze hun waar – de artikelen die overal verspreid op het dek
lagen – verkopen aan dorpelingen die met hun prauw langszij kwamen. Dan zouden ze de opbrengst onmiddellijk gebruiken om van
deze zelfde dorpelingen maniokwortels, gerookte vis, aap, krokodil en antilope te kopen. Die voedingsmiddelen zouden na aankomst
in Kisangani op de markten daar aan de man worden gebracht. Zelfs
bemanningsleden sloegen gerookte vis of aap in om te verhandelen
of mee naar huis te nemen voor hun gezin. Iedereen aan boord ontwikkelde zich tot een gewiekste *débrouillard*, ofwel een meester in de

kunst van het overleven, want anders redde je het niet. Op het moment, voordat de handel op gang kwam, aten de handelaren niet veel en veel van hen leden zelfs honger. Ze moesten hun spullen zien te verkopen en er vis voor terugkopen, maar we waren nog te dicht bij Kinshasa – zelfs na drie dagen varen werd het nog te dichtbij gevonden – en de paar dorpelingen die aan boord kwamen waren om die reden nauwelijks geïnteresseerd in hun spullen en hadden in hun prauw ook weinig anders bij zich dan veel te dure vis, te duur althans voor de meeste passagiers. Pas verderop viel er goed handel te drijven, in het echte oerwoud. 'Tot die tijd zullen we honger hebben, *mondele*. Denk daaraan! Dank u dat u naar me hebt willen luisteren.'

Hij schudde me de hand en begaf zich weer de menigte in.

De honger, het oerwoud, de jagers en vissers, het leven afgemeten naar maaltijden. Ik was toeschouwer bij iets heel ouds, iets oerouds zelfs, en iets waarachtigs. De paar mensen hier die rijk waren aten er goed van, ze aten hun buik letterlijk rond, terwijl het overgrote deel van de mensen mager was en van het ene karige maal naar het volgende leefde. Hun leven bestond uit overleven en dat was iets waar ik nooit werkelijk mee te maken had gehad. Mensen als deze kleermaker, mensen die hun waardigheid wisten te bewaren en respect afdwongen, ook al leden ze honger, wisten meer dan ik en ik wilde van hen leren.

Op de bank voor het kantoor zaten Papa Jacques, die bezig was het zeildoek recht te trekken om te zorgen dat, mocht het gaan regenen, zijn suiker niet zou bederven, en Jilly, die gebogen over zijn tabellen met vrachtinkomsten met zijn handdoek zijn voorhoofd afveegde. Op strooien matten voor hen zaten twee jonge vrouwen die een hele troep kinderen in het oog hielden. Een van hen droeg haar lange haar in een knotje en was heel knap: hoge jukbeenderen, een lange neus en ogen met spikkels goud in de irissen, goud dat heel goed uitkwam door het vergulde borduursel op haar donkergroene jurk. Vaak draaide ze zich om om naar me te kijken, met gefronste wenkbrauwen, waarna ze begon te lachen, zich op haar knie slaand. Als ik haar aankeek, wendde ze haar ogen af. Ik zou heel graag met haar praten, maar ik had de indruk dat zij en haar gezellin familie waren van een van de bemanningsleden en het leek niet gepast om ook maar een vraag in die richting te stellen.

We tjoekten voort. Toen we de volgende ochtend wakker werden hing er een regenachtige mist. Beladen met ananassen en maniok-wortels schoten v-formaties bestaande uit drie tot vier prauwen in de motregen op ons af en meerden aan. Ik stond op en liep naar het dek om bij de reling foto's te gaan maken met mijn Nikon. Door een felle wind opgejaagde mist trok over onze hoofden, nu en dan wijkend zodat op de hoge oevers beboste berghellingen zichtbaar werden.

'Nina! Nina!' schreeuwde iemand. 'Nina!' Op het dek ontstond een opgewonden geroezemoes. Een man drong zich tussen de menigte door en sprong in het water, op het nippertje langs een prauw heen. Op tien meter afstand van onze boot in de grijze, golvende stroom dreef een dode vis, opgerold en met zijn buik naar boven, zo groot als de binnenband van een auto.

'Een siddermeerval, een nina!' schreeuwde een jongen naast me. 'Een geweldige vangst als hij hem kan pakken! Hij krijgt er zo tien dollar voor. Maar als de nina nog leeft wordt hij geëlektrocuteerd!'

De man kreeg hem niet te pakken, de vis dreef voorbij. Maar toen werd het nog spannend of hij wel weer aan boord zou kunnen komen. Hij maaide door het water met sterke, maar slordig uitgevoerde crawlslagen en gooide zich steeds half omhoog uit het water. Hij kwam uit bij de achtersteven, vlak bij de *pousseur*, en hees zich aan boord. Hij stak zijn armen in de lucht, tot held verheven omdat hij voor zoveel vermaak had gezorgd. Iedereen applaudisseerde.

Juist op dat moment kwam er een stem door de luidspreker. 'Hallo, mensen! Jullie hebben van de reis op onze boot kunnen genieten. Maar hebben jullie wel allemaal een kaartje? Wij denken van niet!'

We keken allemaal op. Wie was dit?

'Oké, mensen, we krijgen jullie wel!'

Danger de Mort (links)

Verstekelingen

'CLANDESTIN! FRAUDEUR! CLANDESTIN!'

Het geschreeuw kwam van ergens diep in de menigte. Kleren werden stukgetrokken, sandalen sleepten over het dek, handelaars zochten dekking achter hun koopwaar.

'*Clandestin!*' Verstekeling!

Augustin, het hoofd van de beveiliging (ook bekend als de chef), kwam uit het woeste gedrang te voorschijn en stampte over het dek met een knuppel in zijn ene en een tegenstribbelende jongen die hij bij de kraag vasthield in zijn andere hand. Achter hem liep een pezige Bangala-soldaat met een rode baret diep over zijn verwilderde ogen getrokken, een dolk aan zijn riem en een zweep in zijn handen; op zijn arm stond DANGER DE MORT getatoeëerd. Achter hem bevond zich de mistroostige purser. De mensen maakten zich vrolijk om de kronkelende *clandestin*. Op de boot kwam dit schouwspel het dichtst in de buurt van variété en hoe harder hij jammerde en verzet bood, hoe leuker ze het vonden.

De chef voerde hem mee naar de achterplecht en bij mij bleef hij staan. 'Deze jongen is een *fraudeur* en een leugenaar,' verklaarde hij. 'Hij heeft niet betaald voor de overtocht. Wilt u een foto van hem maken?' Hij hield de verstekeling voor zich uit: de arme knul bengelde aan Augustins arm, schoppend en trekkend als een gehangene, zijn tenen kwamen nauwelijks bij de grond.

Ik hield mijn camera omlaag en zei nee.

Augustin haalde zijn schouders op. '*Bon.*' Hij kleedde de jongen uit tot hij alleen zijn ondergoed nog aan had, trapte de deur naar het ruim open en gooide hem erin.

Terwijl de boot tegen de stroming in ploegde, op weg naar een horizon waaraan onweerswolken verschenen waren, zetten de chef, de soldaat en de purser over het hele schip de jacht in op verstekelingen, geassisteerd door een paar jongemannen die bij Jean om betaald werk hadden gebedeld. Verdachten doken weg onder stapels textiel, verborgen zich tussen balen suiker, groeven zich in tussen zakken graan. Een pukkelige jongeling die me iedere ochtend begroet had met de kreten 'Rambo! Terminator! Clin-ton!' raakte bij de zoekactie betrokken en hielp mee de verstekelingen uit hun schuilplaats te wringen. Hij schreeuwde mijn naam en riep 'Look! Look, Rambo!' terwijl hij stompen en trappen uitprobeerde op zijn gevangenen. De chef – die optrad als politieagent en rechter tegelijk en ook nog eens de straffen voltrok – greep een schreeuwende knaap vast, gooide hem in zijn prauw en sneed het meertouw door; van anderen nam hij de handelswaar in beslag. Een uur lang werd de een na de ander gegrepen, naar het achterdek gesleept, ontkleed en in het ruim gesmeten. Kleine jongetjes sprongen op en neer op het luik naar het ruim waarin de gevangenen om frisse lucht schreeuwden, en hadden de grootste lol. De chef bewerkte de paar verstekelingen die weerstand boden met zijn blote vlezige vuisten.

Weldra was het ruim overvol, was er op het achterdek geen doorkomen meer aan en was er zelfs aan de reling van de *pousseur*, die benut werd om verstekelingen met handboeien aan vast te zetten, bijna geen plek meer over. Jean en de chef ondervroegen alle gevangenen. Ze kregen ieder de kans om alsnog te betalen, in geld of in goederen. Velen hingen een smoesje op, sommigen beriepen zich op hun armoede, maar de meesten hoestten voldoende zaïres op voor de reis.

Maar niet iedereen. Toen hij klaar was met ondervragen pakte Augustin een van de niet-betalenden achter in zijn nek vast en schreeuwde de menigte toe: 'Wil iemand voor deze leugenaar het kaartje betalen? Nee?' Hij haalde een scheermes te voorschijn. De man worstelde om vrij te komen en begon in het Lingala te schreeuwen. Kleine meisjes verstopten hun ogen achter de rok van hun moeder, vrouwen wendden hun hoofd af.

De chef dwong de man op zijn knieën en bukte zich over hem heen, zwaaiend met zijn scheermes. Toen greep hij hem bij zijn kaken.

'Heb je nog steeds geen geld?'

'Ik ben arm. Genade, alstublieft! Heb medelijden!'

De chef verstevigde zijn greep en begon het hoofd van de man te scheren, streek voor streek, tot hij volledig kaal en vernederd was. Vervolgens schoor hij ook de anderen die weigerden te betalen het hoofd, waarna hij ze liet gaan. Ze mochten zich vrij over het dek bewegen, maar in het volgende dorp zouden ze aan de politie worden overgedragen.

Toen alles voorbij was, maakte ik voor mijn hut een lunch voor mezelf klaar bestaande uit rijst, erwten en knakworst. Een paar van de kaalgeschoren verstekelingen kwamen naar me toe, hielden me hun etenskom voor en smeekten me hun ook wat te geven. Dat deed ik. De chef zag het en duwde ze weg met de woorden: 'Genoeg! Weg jullie!' Hij glimlachte naar me, met zijn knuppel tegen zijn handpalm tikkend. 'U moet ze niks geven. Het zijn leugenaars en bedriegers.'

Die dag, toen de boot de engte van Chenal uitkwam en de rivier weer breder werd, kwam de predikant me de hand schudden waarna hij in een prauw sprong. Die zou hem naar zijn dorp aan de rand van de wildernis brengen, en ik zou hem niet meer terugzien.

De volgende ochtend was mijn muskietennet overdekt met libellen en dikke, traag met hun vleugels slaande motten. De hitte in de provincie Kinshasa was draaglijk geweest, maar de handelaars hadden me gewaarschuwd dat het na Bolobo, waar we zojuist langs waren gekomen, heel erg heet zou worden. Ik kwam onder het net vandaan en zag dat de rivier nu leek op een zich tot in de oneindigheid uitstrekkende glasplaat waarboven een verstikkende nevel hing; de atmosfeer was drukkend en ik rook de zurige lucht van tropische verrotting. Er waren geen oevers te zien, alleen dreven zo nu en dan eilanden – grillige contouren van zwarte boomsilhouetten – in de witte damp voorbij. Het middaguur bracht witte gloeihitte en blikkerend wit licht; de rivier werd een doodse, volslagen bewegingloze hittepoel, vijftien kilometer breed, en door het wit van water en lucht werden alle kleuren teruggebracht tot zwart en grijs. Alle oppervlakken van de boot werden te heet om aan te raken en terwijl de zon tot recht boven ons klom was er bijna geen schaduw meer te vinden. De handelaars hadden zeildoeken boven het dek gespannen en lagen er languit onder, overmand door de hitte. De bemanning hing zwetend achterover in beschaduwde hoekjes op de *pousseur*, loom vliegen wegslaand.

Ik ging naar Jeans hut om me te wassen, maar zijn metalen badhokje was een waar inferno, en terwijl ik me afspoelde zweette ik nog. Later vond ik een schaduwplekje op het dek van de brug waar ik ging liggen. Om me heen zoemden bijen, ik werd geplaagd door vliegen, maar toch maakte de hitte me slaperig en al snel zonk ik weg in koortsige hallucinaties, in akelige dromen waarin ik viel en tegen van alles aanbotste.

Er klonken kreten op. Ik opende mijn ogen en zag een andere boot langs ons heen varen, in stroomafwaartse richting. De vlag van de Centraal-Afrikaanse Republiek hing futloos boven de *pousseur*. De boot was nog voller dan de onze. Na ons met opgeheven armen te hebben gegroet losten passagiers en bemanning weer op in de dampen.

De fletse vrouw die voor mijn hut was neergestreken klopte op mijn deur; Party Naked hing half ondersteboven onder haar arm. Hij jammerde aldoor, zonder echt te huilen, zijn stem klonk zwakjes, als van ver weg. Als hij plaste deed hij dat meestal op de rok van zijn moeder. Dan nam ze hem op haar andere knie en liet de vlek opdrogen in de zon. Ik zag dat de nagel van zijn linker grote teen gekleurd was met zuurstokroze nagellak.

'*Mondele*, geef me een ui!'

Dat deed ik. Ze pakte hem aan, stopte Party Naked met een zwaai onder haar andere arm en ging naar haar petieterige *bambula*. Vandaag maakte ze net als anders pap van maniokmeel. Ze vroeg me vaak om eten, en ik gaf haar altijd wat ze vroeg, maar wel stiekem. Als anderen het zouden zien, zouden ze ook om eten vragen, en ik had niet genoeg om met iedereen te delen.

Toen ik mijn deur weer wilde dichtdoen, bleef een tiener onderweg naar de *pousseur* ervoor staan en stelde zich aan me voor. Hij sliste, maar sprak vloeiend Frans. 'U bent anders dan wij,' zei hij, me van boven tot onder opnemend. 'U hebt goed te eten en daarom bent u sterk. Aan alles is te zien dat u rijk bent en goed te eten hebt. Uw huid, uw haar. U hoeft niet echt te werken. Maar kijk eens naar ons. Wij moeten peddelen in onze prauwen en dat put ons uit. Wij zijn een heel zwak volk, we zijn verzwakt van de honger.'

Nors zei hij me gedag en vervolgde zijn weg. Ik ging door met afsluiten. Het hangslot op mijn deur staarde me aan en hield me een waarheid voor: ik moest mijn eten achter slot en grendel houden, anders zou het worden gestolen door mensen die honger leden. Ik kon dat voedsel niet eens vrijelijk ronddelen uit angst dat ik niets zou overhouden, want de vraag zou overweldigend zijn. Mijn hut was gevuld met voedsel en water – van beide had ik voldoende om het tot Kisangani uit te houden – en ik had een som geld bij me die waarschijnlijk het jaarinkomen van vijfentwintig Zaïrezen vertegenwoordigde. Ik voelde me opeens een weerzinwekkende indringer op deze boot; ik voelde me machteloos en nam het mezelf op een rare manier verschrikkelijk kwalijk dat ik hier was.

Ik kon niets anders doen dan de schaduw opzoeken om te wachten tot de hitte afnam.

Het brede dampende rivierbekken leverde hier een overvloed aan producten op die de handelaars vrolijk stemde. Steeds vaker peddelden er vissers naar ons toe, afkomstig uit huizen op palen die in groepjes langs de rivier stonden; ze brachten rieten korven vol gerookte vis aan boord. Weldra lagen deze korven overal opgestapeld.

Er werd ook steeds meer verse vis aangevoerd en door het overvloedige aanbod zakte de prijs tot een betaalbaar niveau. Handelaars kochten verse vis in en begonnen die voor de duur van de reis te conserveren: ze sneden de buik open, haalden de ingewanden eruit, zoutten de vis en legden hem in de zon te drogen. Vliegen streken op de vis neer en legden er eitjes in; als er wriemelende maden uit kwamen, schoten de handelaars ze met hun vingers weg.

De zinderende hitte hield niet lang aan: het weer in het gebied rond de evenaar kent korte perioden van intense verschrikking, maar daarop volgt verlossing. Toen de zon begon onder te gaan, baadde de rivier in paarse en rode tinten en stroomde er koele lucht over ons heen. We voeren nu door zijarmen van niet meer dan twaalf tot vijftien meter breed en passeerden het ene beboste eiland na het andere, waar eenzame reuzenbomen als eerbiedwaardige senioren oprezen te midden van massa's zaailingen en ontelbare krijsende vogels en apen.

De muziek begon weer te tetteren en Jilly nodigde me uit om op het scheepskantoor een biertje te komen drinken – of liever gezegd, hij nodigde me uit om hem op een biertje te trakteren. Ik nam de uitnodiging aan. Ik speelde met de gedachte om hem als gids te vragen, mocht ik besluiten er een aan te nemen. Hij had de rivier tientallen keren bevaren en kende hem uitstekend; hij was naar mijn idee hartelijk en betrouwbaar en hij kweet zich monter en met zwier van zijn moeilijke baan in dienst van de kolonel. Bij het kantoor troffen we de purser aan, somber als altijd, en de sympathieke oude Jacques met zijn baal suiker. Jacques zat kniezend op zijn hoofd te krabben. 'Niemand wil mijn baal suiker kopen. Allemaal willen ze kleinere pakken. Kan ik je echt niet interesseren voor mijn baal suiker?'

Ik bestelde een rondje bier. Overal om me heen lagen baby's aan hun moeders borst, stoofden vrouwen vis of hakten ze pisangs in stukken, dansten mannen op het ritme van de muziek. Ik zat ertussen en liet het allemaal op me inwerken. Voor het eerst voelde ik me ontspannen, had ik deel aan de gemoedelijkheid van de Afrikaanse manier van leven, had ik het gevoel dat dit avontuur meer zou kunnen worden dan alleen maar een poging tot overleven, dat ik de rivier opvoer op weg naar een nieuw begin, een frisse start.

Jilly nam een slok van zijn bier. Zijn echtgenote, een aardige vrouw met tot strakke vlechtjes geknoopt kort haar, was met haar gezicht van ons afgewend maniok aan het stampen. Jilly wees naar haar. 'Zie je het respect dat mijn vrouw me betoont? Ze laat zien dat ze respect voor me heeft.'

'Hoe dan?'

'Ze kijkt niet naar me en bemoeit zich niet met mijn zaken.'

'En daarmee toont ze haar respect?'

'Ja, ze kent haar plaats. Jullie vrouwen weten niet wat respect is. Ze tonen geen respect. Ze willen maar weinig kinderen.'

Ik wist dat grote gezinnen hier dienden als ondersteunend netwerk voor ouders op leeftijd, maar Jilly's tartende opmerkingen brachten me ertoe mijn eigen gezichtspunten in de strijd te gooien. 'Er zijn zelfs vrouwen die helemaal geen kinderen willen. Ik heb zelf vriendinnen die geen kinderen willen.'

'Maar waarvoor zijn ze anders op aarde?' Hij begon zich vreselijk op te winden. Blijkbaar was dit een onderwerp waar hij heel wat denkwerk in had gestoken. 'God heeft ze op aarde gezet ter vermenigvuldiging. Wij hebben een hoop kinderen. Sommige zijn zwak en sterven, maar andere zijn sterk en blijven in leven. Het is de wil van God dat vrouwen veel kinderen krijgen, zoveel baby's als maar mogelijk is.'

'Maar waarom zou je niet maar één of twee kinderen krijgen en proberen die al het mogelijke te geven in plaats van zeven of acht in de hoop dat de sterkste in leven blijven?'

'Omdat we op deze aarde zijn om kinderen te krijgen, dat zeg ik toch! Dat is Gods bevel! Die vriendinnen van jou zitten helemaal fout en dat moet je ze vertellen. Ze overtreden het gebod van de Heer. Ik doe dat niet. Ik wil een heleboel kinderen, want dat is Gods wil.'

'Tay-ler!'

De kolonel kwam naar ons toe. De bemanningsleden zaten meteen stijf rechtop. 'Heb je hun verteld wat je van plan bent? Deze Amerikaan hier,' zei hij, naar mij wijzend, 'gaat proberen met een prauw de rivier af te varen.'

Jilly's vrouw draaide zich om en staarde me met wijdopen ogen aan. 'Dat wordt je dood, jongeman!' Ze schudde haar hoofd en richtte haar aandacht weer op de maniok.

'Wij Afrikanen houden niet van avontuur,' zei de kolonel met zijn intens nasale stem. 'We begrijpen daar niets van. Een van je problemen is dat niemand je zal geloven als je vertelt waarom je op de rivier zit. De mensen zullen je wantrouwen en bang voor je zijn.'

Hij hield op met praten. De muziek was gestopt en ook Jilly deed er het zwijgen toe. We keken allemaal naar de rivier. De nacht viel en het woud verduisterde.

Onze kapitein hield van praten; hij vond het fijn als ik bij hem op de brug kwam en ik ging geregeld naar hem toe. Dan liet hij me op zijn oude kaart kijken en wees de route aan die we tussen de eilanden door namen. De rivier stond laag en navigeren was lastig – lopende zandbanken vormden een van de grootste bedreigingen voor het schip.

De volgende middag waren hij en ik samen bezig onze voortgang te bestuderen – we hadden inmiddels ongeveer vierhonderd kilometer afgelegd – toen voor ons uit, op het dak van het scheepskantoor, zich een Zaïrees in een lang wit gewaad en met een schedelkapje voorover boog op een gebedskleedje en kralen door zijn hand liet glijden.

De kapitein gebaarde naar hem. 'Wij moeten de Arabieren niet, ook geen zwarte Arabieren zoals die daar. Ze zijn naar hier gekomen en hebben ons aan de blanken verkocht. En nu komen ze hier om diamanten in te slaan. Ze spelen onder één hoedje met onze machthebbers. Onze machthebbers laten de Arabieren koffers vol diamanten het land uit smokkelen in ruil voor een *matabiche* van een paar zaïre. De Arabieren verdienen ontzettend veel geld aan ons, maar ze investeren nog geen cent in dit land. Heel anders dan de Indiërs en Pakistanen, die doen dat wel, die hebben hier hun eigen bedrijven.'

Tijdens ons gesprek verschenen er in de hemel voor ons zwarte wolkenformaties die met dondergerommel en bliksemgeflits onze kant uit kwamen tuimelen. De handelaars begonnen hun waar af te dekken, eerst traag, maar even later als gekken.

De kolonel schreeuwde van het dek omhoog naar de kapitein: 'Een tyfoon! Naar de kant, snel!'

De kapitein draaide verwoed aan het stuurrad. De boot draaide naar stuurboord en koerste op de oever aan. Ik rende naar het dak en griste mijn spullen bij elkaar. Terwijl ik met mijn muskietennet onder mijn arm de ladder afklom, sloeg een gordijn van regen tegen ons aan, gevolgd door een hete windvlaag die de boot als een gek heen en weer schommelde en een kolkende zuil water opzweepte; de bomen op de kant bogen dubbel. De slappe zeildoeken die over het dek waren gespannen vulden zich met water en scheurden, zodat de lading regenwater zich over de handelaars en hun koopwaar uitstortte. Voor mijn ogen ontvouwde zich een waanzinnig tafereel van meteorologische chaos, een orgie van plotseling door de hemelen ontketend geweld.

Een koopman met een honkbalpetje op zijn hoofd stond op het dak van het scheepskantoor te dansen, zijn mond opengesperd om het regenwater op te vangen.

Toen de nacht was gevallen werd de hemel weer helder. We vervolgden onze reis via kronkelende zijarmen. De melkweg spreidde zich als een sluier van sterrenstof boven het water uit; de rivier breidde zich donker uit onder een mistwade.

'*Mayee! Mayee!*'

Een oude dekknecht stak steeds opnieuw een meterslange stok met rood-witverdeling in het water onder het roepen van '*Mayee! Mayee!*' (Water! Water!). Zijn weeklacht herinnerde ons eraan dat we ons niet op de rivier konden verlaten. Maar op het ons omringende woud, een grillige zwarte massa die oprees in de richting van de sterren, konden we ons al helemaal niet verlaten.

De pousseur

Een dorp

Dansen op de evenaar

OP EEN OVERWOEKERDE OPEN PLEK OP DE OEVER STOND een majestueuze verzameling rottende muren en met klimplanten begroeide Romeinse zuilen: Mobutu's half afgebouwde paleis aan de evenaar. Terwijl we erlangs voeren, stonden de handelaars zich er vanaf de zijkant van het schip aan te vergapen. 'Het paleis van de *Grand Voleur*,' noemden ze het. De Grote Dief had zich echter, toen de *pillages* begonnen, gedwongen gezien het in de steek te laten, evenals zijn andere woningen op het land, om zijn toevlucht te zoeken op zijn jacht. Uit de statige ruïnes sprak nog altijd Mobutu's in de kiem gesmoorde verlangen om zijn gehechtheid aan de regio te demonstreren: hij was afkomstig uit Equateur, de Evenaarsprovincie, waar we ons nu bevonden, evenals de kolonel en het merendeel van de elite van het land.

Al snel na het passeren van het paleis bereikten we in een slopende hitte de precies op de evenaar gesitueerde stad Mbandaka. De zon hing als een glansloze schijf van gesmolten zilver aan de hemel en scheen door de asgrauwe mist boven de asgrauwe rivier heen; de atmosfeer was van water verzadigd en ik merkte dat ik door mijn kleren heen zweette en bijna naar lucht moest happen. De wildernis drong op in de stad, smoorde de vervallen witgepleisterde huizen en de op strooien parasols gelijkende hutten op het open terrein boven de haven.

Om onze komst aan te kondigen zette de kapitein de muziek aan. Danger de Mort kwam overeind en ging bij de loopplank staan, met een klap zijn zweep van touw ontrollend, maar de hitte bracht hem weldra op andere gedachten en hij ging weer zitten. Toen de loopplank was uitgeworpen drentelden een paar bewoners van de stad de boot op om te kijken wat onze kooplui te bieden hadden; een paar passagiers, onder wie de kolonel, gingen de boot af om te kijken wat er in de kraampjes op de oever aan eten te krijgen was. Het was bijna te heet om te bewegen en Mbandaka zag er niet erg verlokkelijk uit; ik bleef waar ik was, op het dak.

Twee mannen met een donkere zonnebril op en een gesteven wit overhemd aan kwamen over het open terrein onze richting uit. De bemanning keek naar hen, en toen naar mij. Zelfs hier, in deze afgelegen nederzetting, beschikte de staat over agenten, en die waren begerig naar *matabiches*, smeergeld.

'Niks aan ze geven,' zei een dekknecht tegen mij. 'Ze komen voor u. Ze zullen voor problemen zorgen, want problemen leveren geld op. Ze zijn van de Bangala-stam, ziet u; dat zijn de grootste dieven. Mbandaka is de eerste stad in het gebied van de Bangala.' Ik keek naar Danger de Mort die tot de Bangala behoorde; zijn benige gelaatskenmerken en maffe hanig-schokkerige manier van lopen zag ik terug bij deze veiligheidsmensen.

Toen ze de loopplank op kwamen, maakte iedereen ruim baan. Eenmaal aan boord richtte de oudste van het stel zijn donkere brillenglazen mijn kant op en stak priemend zijn wijsvinger naar me uit, en vervolgens naar het dek bij zijn voeten: *Naar beneden komen, nu!* Ik pakte mijn paspoort en klom naar beneden.

Voor de hut van de kolonel kwamen we tegenover elkaar te staan. Twee paar donkere glazen staarden me aan en weerspiegelden mijn glimmende zonverbrande gezicht in viervoudig miniatuur; boven de glazen dropen twee gefronste voorhoofden overvloedig van het zweet.

'Wij zijn van de SNIP. Laat uw papieren zien.'

'Ik ben de gast van de kolonel.'

'Ja, ja. Laat ons uw papieren zien, en vlug een beetje. We hebben informatie nodig. We moeten elkaar privé spreken. Kom mee hierheen.'

Op de brug bladerden ze door mijn paspoort en haalden voor alle stempels die erin stonden hun neus op; ze vonden ze blijkbaar volstrekt ontoereikend. De oudste van het stel schudde zijn hoofd. 'U zult mee moeten naar onze commandant in de stad.'

'Waarom?'

'Dat is een vraag die u niet hoeft te stellen. U zult verantwoording moeten afleggen bij de commandant over wie u bent en wat uw plannen zijn. Hij zal beslissen wat er met u moet gebeuren.'

Ik was niet van plan de boot af te gaan zonder de kolonel. 'Neemt u me niet kwalijk, maar mijn papieren zijn in orde,' zei ik vastberaden. 'Ik ben gast van de kolonel. Bespreekt u het alstublieft met de kolonel als er problemen zijn. Hij is op het ogenblik in de stad. U kent de kolonel toch wel?'

Hij hief zijn hoofd schuins omhoog en staarde me langs zijn neus aan. Ik staarde terug en voelde het zweet van mijn voorhoofd in mijn ogen druppelen. Het brandde. Ik wendde me af om het af te vegen.

Hij depte zijn voorhoofd en ging op de bank van de kapitein zitten. Zijn assistent volgde zijn voorbeeld. 'Nou goed, dan wachten we hier wel tot die kolonel van u terugkomt.'

'Fijn zo.'

Ik pakte mijn exemplaar van Nine Stories van J.D. Salinger, sloeg het op bij het verhaal 'De Blauwe Periode van De Daumier-Smith' en begon te lezen. De oudste agent rukte het uit mijn handen en bekeek het alsof het een pakketje zuivere heroïne betrof, waarna hij het me teleurgesteld teruggaf. In feite kon ik me niet voldoende concentreren om te lezen: ik voelde me zenuwachtig en te kijk gezet. Hoe moest ik een situatie als deze het hoofd bieden als ik in mijn eentje op de rivier was? Een lettre de recommendation van een generaal zei beambten die een gezin te onderhouden hadden mogelijk niet zo heel veel.

Weldra raakten we echter allemaal overmand door de hitte en doezelden weg, onderuitgezakt op de stoelen op de brug. Er ging een uur voorbij, en nog een...

De kolonel liep de loopplank op en kwam via de achtersteven de *pousseur* op. Ik haastte me om hem bij de ladder tegemoet te gaan. 'Hallo. De SNIP is hier om me mee te nemen.'

Hij bleef even staan zonder naar me te kijken en versnelde toen zijn pas richting brug.

Een paar minuten later kwamen de SNIP-mannen de brug af, glimlachten en wensten me 'Goede reis, mijn vriend!'

We hadden inmiddels een week op de boot gezeten en Mbandaka was tot nu toe de enige plek die nog iets weg had van een stad. Er was hier weliswaar geen sprake meer van stromend water en elektriciteit – door Mobutu's wanbeleid waren dit soort voorzieningen allang verdwenen –, maar Jilly en zijn vrouw, Mama Tété, vertelden me bij een maaltijd van gestoofde aal en geprakte banaan over een discotheek met een generator en stelden voor erheen te gaan. En zo daalden we onder flitsende bliksemschichten die in stilte de nachtelijke nevelen verlichtten de loopplank af; Jilly gebruikte mijn zaklamp om ons bij te schijnen. Terwijl we voortliepen kriebelden van onzichtbare bomen neerhangende klimplanten in ons gezicht en hoorden we krekels sjirpen in het met palmen begroeide open landschap; de indruk ontstond dat we ergens diep in de jungle zaten. Maar toen hoorden we muziek: de latinklanken van Zaïrese popmuziek.

'Daar is het,' zei Jilly. 'Dat is Chez Tatine. De club.'

Op het pad naar Chez Tatine zaten mensen gehurkt bij zwakjes brandende petroleumlampen *shikwanga*, palmlarven, kevers en rupsen te verkopen. Jilly bleef staan en richtte zijn zaklantaarn op hen. 'Wat vind je ervan als we eerst wat hors d'oeuvres nemen?'

'Ga je gang.' Het volgende moment snapte ik pas dat hij me om geld vroeg. Hij sloeg aan het marchanderen en ik betaalde wat er uiteindelijk gevraagd werd. Jilly pakte een groot blad vol kronkelende lekkernijen van de koopman aan en liet ze een voor een naar binnen glijden, met open mond kauwend. Sommige insecten klonken bros en knapperig; andere, de rupsen met hun zachte lijf misschien, verdwenen met een zompig geluid.

Voor ons uit zoemde een generator. Neonletters in blauw, groen en rood vormden het uithangbord van Chez Tatine – wat witte tafeltjes onder strooien parasols die rond een dansvloer van planken stonden en een bar met Primus-bier. Jilly begon al met zijn lijf te schokken en te swingen voor we binnen waren. Mama Tété klemde haar tasje tegen haar zij en stak preuts haar neus in de lucht. De dansenden waren voornamelijk mannen en prostituees. Van die laatste categorie leken er heel wat te zijn, gezien alle ogen die ons schattend opnamen.

'Onze leiders hebben besloten hier een bierfabriek neer te zetten in plaats van een ziekenhuis,' zei Jilly. 'En dus hebben we hier in Mbandaka bier in plaats van onderdak voor zieken. We zijn nu eenmaal gek op bier.' We bestelden drie flesjes.

Buiten zetten zigzaggende bliksemschichten de nevel in vuur en vlam; hier binnen onder de strooien parasols was muziek: een en al zangerige Zaïrese melodieën die goed aansloten bij de hitte en de sfeer en die weinig meer van de transpirerende dansers vroegen dan wat gezwaai en geknik op de maat.

We dronken bier. Jilly boog zich naar me toe. 'Luister eens, als je nou nog een keer uit de States naar hier komt, breng dan een scheepsmotor voor me mee.'

'Een wat?'

'Een motor zoals die van de *pousseur*.'

'Maar... de motor van de *pousseur* is zo groot als een vrachtwagen.'

'Nou en? Dat is voor jou toch geen probleem? Die hoef je alleen maar naar hier te verschepen. Dan bouw je er een boot omheen en dan kan ik op die boot komen werken. Dat kun jij je best veroorloven.'

'Hoe kom je erbij dat ik zoveel geld heb? Dat is niet zo.'

'Maar dat geld komt er nog wel. Aan deze expeditie ga je toch zeker miljoenen verdienen. Vertel nou eens, wat zoek je hier nu echt? Diamanten? Goud?'

'Jilly, ik heb je toch al verteld dat ik in een prauw de rivier af wil zakken?'

'Nou, mij maakt het niks uit, hoor, of het je nu om diamanten of om goud te doen is. Probeer in ieder geval de volgende keer een scheepsmotor mee te brengen.'

Hij zette zijn bier neer, sprong overeind, begaf zich tussen de hoeren en begon kringetjes te draaien; maar in hun midden danste hij alleen, genietend van de melodieën, zijn ogen half gesloten. De hoeren droegen los vallende rokken en half dichtgeknoopte blouses die af en toe open floepten zodat hun borsten te zien waren. Ze bewogen zich in een hypnotiserend door de hitte bepaald lijzig ritme; ze lachten en deinden op en neer in de vochtrijke lucht, hun gezicht stralend van vredigheid, volledig opgaand in zichzelf; niets bestond er op deze aarde behalve deze bar in de jungle, de in bier gedrenkte vrolijkheid, de salsabeat van Zaïrese popmuziek in de warmte van de nacht. Ik keek naar hun gezichten en vroeg me af waar ze over tien jaar zouden zijn. Hoe sleten ze hun dagen? Toen ik in Moskou zat weg te kwijnen kwamen zij iedere avond hier, naar deze bar, en dansten tot het ochtend werd. Zou ik het leven ooit zo luchtig leren opvatten?

Ik werd slaperig van de warmte en het bier. Om weer een beetje wakker te worden verontschuldigde ik me tegenover Mama Tété; ik liep naar de zijkant van de bar, stapte van het platform op het gras en begaf me de nacht in, tot buiten het bereik van de luidsprekers. Een tijdlang bleef ik ingespannen staan luisteren. Ik werd het gesjirp van krekels gewaar, het gekrijs van apen, het gekras van uilen, het veranderlijke dreigende gezoem van insecten – levensroepen die een andere wereld verkondigden, een wereld die aan mijn voeten lag en zich boven me uitstrekte, maar die verborgen bleef, stiekem doorging met bestaan, verstopt onder bladeren, takken, mist en duisternis.

De muskieten joegen me terug naar de bar. Een uur later klonk de scheepstoeter. We snelden Chez Tatine uit en volgden het paadje door de jungle naar de rivier. Het weerlichten leek nu op alarmeringssignalen, maar waarvoor ze waarschuwden zou ik niet kunnen zeggen.

Palmlarven en apen te koop

La grande fôret

DE DAGERAAD KONDIGDE ZICH AAN MET DE KLEUR VAN zwavel toen we ons opmaakten om uit Mbandaka te vertrekken. Het regende niet, maar overal aan de door geboomte begrensde horizon schoten bliksemflitsen naar de aarde, gobelins van nevel doorklievend. Vertraagde donderslagen overstemden de uit de luidspreker schallende bevelen van de kapitein aan de vissers: ze moesten maken dat ze met hun prauwen bij de boot vandaan kwamen of anders... Inwoners van Mbandaka die aan boord waren gekomen verdrongen zich bij de loopplank om weer aan wal te gaan, terwijl passagiers die Mbandaka in waren geweest samendromden op de oever en vochten om weer aan boord te komen. Bliksemstralen verlichtten het dek en toonden hoe Danger de Mort in woeste poses met zijn zweep op de mensenmassa insloeg ten einde de weg vrij te houden voor de chef beveiliging die met een machete op de van lianen gemaakte meertouwen van prauwen stond in te hakken. Van achter het oerwoud in het oosten rukte een helse rode gloed op aan de hemel, die zich uitbreidde over de nevels boven de rivier.

Eindelijk werd de loopplank binnengehaald. De *pousseur* sidderde toen de motoren werden gestart en we kwamen los van de kant, de boot maakte een draai naar achteren en het oerwoud, nu en dan verlicht door de bliksem, draaide om ons heen.

Plotseling klonken er kreten vanaf het water, gevolgd door gegil. De schijnwerper op de brug zwaaide rond, zond zijn zoeklicht door de nevelflarden en motten en bescheen een omgeslagen prauw, mensen die rondplasten tussen drijvende dozen, korven met vis en bamboematten die allemaal door de stroom werden meegevoerd. Er viel nu niets meer aan te doen. De motoren gierden en we vervolgden onze tocht stroomopwaarts.

Ik trok me terug op mijn plekje boven de brug met de gedachte dat ik misschien nog een uurtje of zo zou kunnen slapen. Maar het eindigde ermee dat ik zwetend en klaarwakker tussen de gazen wanden van mijn net lag waar lawaaierige muskieten omheen zwermden, terwijl de zon achter de wolken al snel een en al gloeiende hitte was. Uiteindelijk, toen het helemaal licht was geworden, gaf ik het op en begon mijn net naar beneden te halen.

'*Monsieur Jeff!*'

Roger, een van de machinisten, hees zich via de ladder omhoog en stapte het dak op. Ik wist waarvoor hij kwam. Al verschillende keren had hij me vrouwen van de boot aangeboden, tree voor tree mijn ladder beklimmend met mogelijke kandidates in zijn kielzog: groot, klein, licht, donker. Tijdens zijn inleidende praatjes was hij beleefd, zij het nogal formulair, en ik weigerde ook altijd beleefd. Het meisje dat hij dit keer bij zich had was een jaar of vijftien en had kleine vlechtjes in het haar; haar wikkelrok was op haar heup vastgeknoopt. Ze had een zedige, vertederende glimlach op haar gezicht. Maar voor dat zedige was weinig aanleiding: ik had haar iedere dag bij het ochtendkrieken uit de hut van steeds een ander bemanningslid zien komen.

Met z'n tweeën kwamen ze over het dak aanslenteren. Roger bleef staan en maakte een gebaar naar het meisje. Hij schraapte zijn keel. 'Ik bied u dit jonge meisje aan.'

Ze glimlachte bedeesd.

'Dank je, Roger, maar zoals ik je al eerder heb verteld, heb ik al een vrouw. En haar ben ik trouw.' Dit leek me de gemakkelijkste manier om hem af te wijzen zonder hem te kwetsen.

Hij hield zijn hoofd schuin en schraapte nogmaals zijn keel. 'Ik bied u dit jonge meisje aan, zei ik.' Hij maakte hetzelfde gebaar in haar richting. 'Zij kan uw vrouw zijn voor op de boot. Ze is jong.'

'Ja, dat is ze. Maar ik heb geen vrouw nodig. Ik ben blij met de vrouw die ik heb.'

'Wij hebben thuis ook allemaal een vrouw. Dit jonge meisje is alleen maar voor op de boot. We hebben allemaal een vrouw nodig als we niet bij onze vrouw zijn. Voor onze gezondheid. Geef haar te eten en ze is uw vrouw voor de hele reis. Dat is alles. Verder geen problemen.'

Haar bedeesde glimlach veranderde in een schalkse grijns. Ik glimlachte naar haar en zocht de Lingala-woorden bij elkaar voor: 'Het spijt me, maar ik heb al een vrouw', waarop ze haar schouders ophaalde en terugliep naar de ladder. Roger wendde zijn blik af en deed alsof hij ook vertrok, maar bleef toen staan en keerde zich weer naar mij. Hij nam me op en zijn wenkbrauwen fronsten zich, zijn ogen kregen ineens een harde uitdrukking. Ik vroeg of hij me soms iets te zeggen had.

Dat had hij. 'U moet onze vrouwen niet. U schrijft dingen op in een boek en maakt foto's. Wat voert u hier eigenlijk uit?'

'Ik ben de rivier aan het verkennen. Ik wil in een prauw van Kisangani naar...'

'Ik denk dat u voor iets anders hier bent.' Zijn ogen vernauwden zich. 'Ik denk dat u op zoek bent naar iets. Ons land is rijk. *Mondeles* komen naar ons toe vanwege de diamanten. U bent vast op zoek naar diamanten.'

'Ik ben helemaal niet op zoek naar diamanten. Ik ben hier om de rivier te bevaren, zoals ik je al verteld heb.'

Ik moest eraan denken dat hij me op de boot steeds met zijn ogen gevolgd had. Zijn vragen bezorgden me een gevoel van schuld en ik vroeg me af of hij me soms vrouwen aanbood om me op een bepaalde manier op de proef te stellen. Maar die gedachte zette ik van me af: wat voor reden kon hij daar nu voor hebben?

'Roger, ik ben hier om de rivier af te reizen, zoals ik je al een paar keer verteld heb.'

'Waarom?'

'Omdat het heel boeiend is.' Ik was niet geneigd heel diep in te gaan op de motieven voor mijn reis. We voeren langs huizen op palen. 'Om huizen te zien zoals die daar. Zulke huizen hebben wij niet in Amerika.'

'Jullie hebben veel betere huizen. Ik denk dat u een heel andere reden hebt om hier te komen. Als u weer weggaat, bent u rijk. Wat kost een vliegticket van uw land hier naartoe?'

Ik wilde geen antwoord geven op die vraag. Mijn retourticket Londen-Brazzaville dat ik met korting bij een reisbureau voor goedkope reizen had aangeschaft, kostte toch nog altijd vijf keer meer dan wat hij waarschijnlijk in een heel jaar verdiende. 'Luister nou eens, zou jij niet graag Amerika willen zien?'

'Jawel.'

'Waarom begrijp je dan niet dat ik Zaïre wil zien?'

'U vertelt me niet waarom u écht in Zaïre bent.' Terwijl hij dit zei draaide hij zich abrupt om en klom de ladder af.

Het begon te miezeren. Op een vreemde manier ontdaan door zijn wantrouwen pakte ik mijn spullen en trok me terug in mijn hut.

De hele dag stampten en slingerden we op de wilde rivier onder een hemel met staalgrijze wolken waaruit korte geselende douches van warme slagregen op ons neerkwamen. De bomen waren hier laag, het waren meest plompe palmbomen die uit het dichte moeras oprezen. Prauwen die van dorpen op palen naar ons toe werden gepeddeld slingerden heen en weer op de golven en vaak konden ze niet aanleggen en sloegen bijna om in ons kielzog. Desondanks was het best een vrolijke boel op de boot: vrouwen kookten, naaiden en gaven hun baby de borst; kooplui verkochten hun waar aan dorpelingen die in toenemende aantallen aan boord kwamen; kinderen speelden en renden rond of lagen te slapen onder zeildoeken of in hun prauw. Als het regende, werden we met behaaglijk warm vocht besproeid, wat heel wat beter voelde dan de uitputtende vochtige hitte die ons in de greep had gehouden sinds we de koele, winderige Chenal hadden verlaten.

Die dag zat ik urenlang bij de kapitein op de brug te kijken hoe de rivierkronkels zich voor ons ontrolden en ons dieper en dieper de wildernis in voerden; ik keek de klompen waterhyacinten na die langs ons heen joegen over de staalgrijze rimpelingen in het water.

De kolonel kwam langs. 'Tay-ler! Ha-ha-haa!' Hij greep me bij mijn schouder vast. 'Geen diarree? Geen malaria?'

'Nee.'

'We zijn in het gebied van de Bangala. Je moet eten en nog eens eten!'

'Waarom?'

'De Bangala zijn gek op het vlees van de *mondele*. Volgens hen smaakt het naar suiker!'

Hij wierp zijn hoofd achterover en lachte. We lachten allemaal. Het werd steeds gemakkelijker om met hem te praten en ik bedacht dat ik hem wel over Rogers argwaan kon vertellen om aan de weet te komen hoe hij daar tegenaan keek. Ik vertelde hem over het incident op het dak.

'Ja, ik weet dat ze zich van alles afvragen als ze jou zien,' zei hij. 'Dat moet je maar begrijpen. Wij zien blanken als intelligente mensen, mensen die weten hoe ze vliegtuigen moeten bouwen. Wij denken dat lieden die zo intelligent zijn het niet in hun hoofd zouden halen om naar ons land te komen om in een rivier rond te peddelen. Wij denken dat ze voor iets anders komen. Diamanten of zo. En dus bekijken ze jou nogal argwanend.'

De kolonel leek niet te behoren tot degenen die me wantrouwden. Misschien had hij door zijn rijkdom genoeg vrije tijd om begrip te kunnen opbrengen voor mijn min of meer existentiële drijfveren voor deze tocht. Ik had het er met hem nooit op die manier over gehad, ik had er de voorkeur aan gegeven hem te vertellen dat ik op avontuur uit was. Hij had er ook nooit naar gevraagd. Wat de anderen betrof, Roger en de handelaars die elke dag opnieuw moesten vechten om de eindjes aan elkaar te kunnen knopen – ik begreep inmiddels best dat dergelijke motieven op hen buitenissig en zelfs volstrekt ongeloofwaardig moesten overkomen.

Na een tijdje viel me het horloge op dat hij om had. Ik zag dat het van Russische makelij was.

'Vind je mijn horloge mooi?' vroeg hij. 'Het kan tegen de regen. Er staat iets op in het Russisch.'

Ik keek erop en las zonder er verder bij na te denken hardop wat er op de wijzerplaat stond: '*Vodonjepronitsajemji*.' Waterdicht.

Zijn glimlach verdween. 'Kun je die taal lezen?'

'Ja. Ik woon in Rusland. Dat heb ik u toch verteld?'

'Maar het zijn heel andere letters dan de onze.'

'Ja, die heb ik moeten leren.'

Hij bestudeerde mijn gezicht en keek me met een verbijsterde, enigszins vijandige uitdrukking die me mijn blik deed afwenden in mijn ogen. Zonder nog iets te zeggen draaide hij zich om en verliet de brug. De kapitein zat me ook al aan te staren; in zijn ogen zag ik hetzelfde domme wantrouwen dat ik eerder in die van Roger had gezien. Om een onverklaarbare reden werd ik onrustig en ik voelde me bijna schuldig. Ik leunde achterover in mijn stoel, deed mijn best om er onaangedaan uit te zien en ging weer naar de horizon zitten kijken. Waarom zouden *zíj* me wantrouwen? En als dat zo was, waarom trok ik me daar dan iets van aan?

Bliksemflitsen kronkelden door de bewolking heen en werden weerkaatst in de rivier; de wolken hingen lager boven de bomen, belaagden het woud.

De volgende dag kwam Nze de machinekamer uit, terwijl hij zijn gespierde handen afveegde aan een oude lap. 'Mijn vrouw heeft een *musumbu* voor u klaargemaakt. Een heel bijzondere vis. Heel lekker.'

Een paar minuten later bracht zijn vrouw, haar hoofd in een omslagdoek gewikkeld, me met een stralende moederlijke glimlach op haar volle gezicht een groot stuk visfilet, verser, sappiger en krokanter gebakken dan ik ooit op de boot of waar dan ook had geproefd. Ze had er als garnering mayonaise en uien bij gedaan. Ik zat te smullen. Nze keek vergenoegd toe terwijl ik zat te eten.

'Dank je wel, Nze,' zei ik, mijn lippen afvegend. 'Ik voelde me nogal down, de afgelopen dagen.'

'Dat weet ik. En ik weet ook waarom. Maar u moet die argwaan niet persoonlijk opvatten. Het leven hier is hard, moet u weten. Wij Zaïrezen zijn goeie mensen, maar we hebben een heel naar verleden achter ons en dat heeft zijn sporen nagelaten. Dat is alles.'

Ik worstelde met voor mij geheel nieuwe gevoelens. Ik was blank en bevond me in Zaïre, een land dat door blanken was geplunderd. Desondanks behandelden de Zaïrezen me over het algemeen met een enthousiast en ontwapenend respect, overal werd ik zonder enige verlegenheid begroet als *mondele* – een vriendelijke, zij het raciale begroeting; maar inmiddels begon me ook duidelijk te worden dat ik vanwege mijn kleur niet vertrouwd werd, dat dat nu misschien zelfs gold voor de kolonel, en van zijn goede gezindheid was ik afhankelijk om veilig te kunnen reizen. Nze vertrouwde me – althans ik dacht dat hij me vertrouwde. Met hem voelde ik me verbonden, maar het wantrouwen van anderen stootte me af en ik wist niet hoe ik ermee om moest gaan.

Op de negende dag voeren we dicht langs de oever onder een grote wirwar van groen, die door het zonlicht dat er vanboven op en doorheen viel aan de randen doorschijnend was, maar verder naar het land toe donker en nevelig. *La grande fôret* werd het genoemd. Af en toe sprong er een aap schreeuwend door de takken weg in de bomen, of vlogen papegaaien krassend op. Enorme slungelachtige *kulokoko*'s krijsten als ze ons zagen – net pterodactylussen die vol afgrijzen zagen hoe mensen hun prehistorische domein binnendrongen – en wiekten suizend weg op zware vleugels. Een keer kreeg ik een cobra in het oog die, zwart en vier à vijf meter lang, tussen de waterhyacinten zwom; zijn gebogen emblematische kop en nek sneden door het koffiekleurige water.

Op de boot was de handel op zijn levendigst. We sleepten nu tientallen prauwen achter ons aan en er waren drommen vissers aan boord, gespierde Bangala met een basstem, die door hun krachtige postuur gemakkelijk te onderscheiden waren van de kooplieden, voor het merendeel Kinois aan wie de ondervoeding in verschillende gradaties was af te lezen. Vaak doken Bangala-jongens vanaf de oever het water in om met krachtige crawlslagen naar ons toe te zwemmen. Maar de meesten kwamen in prauwen, beladen met palingen van wel anderhalve meter lang, van bamboe en lianen gevlochten kratten met maniokwortels, korven met gerookte vis, hompen geroosterd olifantenvlees ter grootte van een voetbal, antilopen met aan elkaar gebonden poten en krijsende varkens. Suikerriet was er nu in overvloed; het werd als lekkernij per stengel verkocht en na het schillen opgesabbeld.

Als ik zo naar het leven aan dek zat te kijken week de onrust van niet geaccepteerd te worden: het was net toneel, met zowel komische als tragische elementen. Een dorpeling kwam aanroeien met op de bodem van zijn prauw een levende krokodil van zo'n anderhalve meter. De kaken van het beest waren dichtgebonden. Na een stevig potje onderhandelen, waarbij de dorpeling zijn evenwicht moest zien te bewaren terwijl zijn vangst, door hem met zijn blote voet op de stekelige kop in bedwang gehouden, verwoed lag te kronkelen, wierp een handelaar uit Kinshasa hem zaïres ter waarde van vijftig dollar toe. Met dit bedrag nam hij genoegen en samen sloegen ze aan het worstelen om het kwaaie zwarte reptiel uit de prauw te hijsen zonder een klap van zijn staart te krijgen of het in het water te laten vallen; omstanders hielpen een handje mee, maar toch slaagde het erin een jongen met zijn staart een dreun in zijn gezicht te verkopen. Toen ze de krokodil van de rand van het dek hadden weggesleept, begon de handelaar met het handvat van een machete op zijn schedel in te slaan tot hij de strijd staakte; zijn smaragdgroene ogen met zwarte spleet bleven woest kijken ook al was hij dood.

Papa Jacques tobde nog altijd met zijn suiker, maar slaagde er toch in een deel ervan te verkopen tegen een lagere prijs. Hij telde zijn geld en riep naar een visser die naar een uitstalling van medicijnen stond te turen. 'Laat die vis van je eens zien. Ik heb honger en nu heb ik wat geld!'

De visser, gekleed in een groene korte broek die van rafels aan elkaar hing, kwam met iets dat op een verbrande tuinslang leek over zijn schouder naar hem toe.

'Hoeveel vraag je voor die gerookte paling?' vroeg Papa Jacques.

'*Vingt-cinq milles*,' antwoordde de man. Bedragen werden altijd in het Frans uitgedrukt, de rest van de onderhandelingen verliep in het Lingala.

'*Te. Cinq milles.*'

Het gezicht van de visser vertrok van pure walging. '*Vingt milles.*'

'*Te. Huit milles.*'

Het pingelen ging maar door, maar het ritueel leidde niet tot overeenstemming. Papa Jacques wond zich op. 'Die vissers denken dat ze heel wat zijn. Ze zijn stinkend rijk en gemeen. Ze lopen alleen maar in lompen zodat wij medelijden met ze krijgen. Maar ja, wat wil je? Het zijn Bangala, en die kunnen alleen maar stelen en vechten.'

De avond viel en het werd rustiger weer. We waren als een speerpunt die een azuren mengsel van rivier en hemel doorkliefde, schijnbaar bevrijd van de boeien die ons aan de aarde ketenden, drijvend in een blauw domein. Achter ons, in het westen, was geen oever te zien, de rivier verkleurde er van lila tot bloedrood en vervloeide vervolgens tot een koud purper in de ondergaande zon.

Nadat ik was bijgekomen van de hitte van overdag, installeerde ik me onder de lamp achter de hut van de kolonel en probeerde V.S. Naipaul te lezen, een tot mislukken gedoemde onderneming gezien alle motten en cicaden die om me heen dwarrelden. Toen sloeg iets ter grootte van een golfbal tegen mijn slaap. Ik keek omlaag en zag een enorme, hard gepantserde kever bij mijn voeten wriemelen. Jilly kwam naar me toe en pakte hem op. 'Wij eten deze kevers, weet je. Kom mee om wat vragen te beantwoorden.'

Hij bracht me naar een kring van mensen die op de boeg palmwijn zaten te drinken. Nu we in het dichte oerwoud waren, werd aan dek veel palmwijn verkocht, afkomstig uit dorpen waar die gemaakt werd door palmsap een aantal dagen in kalebassen te laten fermenteren. De mannen in deze groep zaten heel bedaard en op hun gemak met elkaar te praten, een groot verschil met het lawaaierige gekrakeel dat gewoonlijk van voor tot achter op de boot te horen was en meestal met geld te maken had. Ze groetten me en schonken uit een flinke kalebas wijn voor me in een houten beker. Een paar zaten marihuana te roken, *mbangi* in het Lingala, en het doordringende zoete aroma hing zwaar in de lucht. 'Neem een hijs,' drongen ze aan, hun ogen tot reptielachtige spleetjes geknepen.

Ik sloeg het aanbod af.

'Ach, *mondele*, kom op nou! Je weet niet wat je mist! Bob Marley had zonder *mbangi* nooit muziek kunnen maken.'

'Dat kan best zijn, maar ik heb in mijn hele leven nog nooit iets gerookt.'

Een van de drinkers verschoof zijn honkbalpetje. 'Vertel eens, hoe kijken de mensen in jouw land tegen de Zaïrezen aan?'

'Dat is moeilijk te zeggen. Er zijn in de Verenigde Staten maar weinig mensen die Zaïrezen kennen.'

'Dat is aardig van je. Volgens mij staan wij bekend als dieven. In sommige talen is "Zaïrees" synoniem met "dief". Dat komt door onze heerser. Die heeft ons over de hele wereld een slechte naam bezorgd.'

De drinkers aten bij hun wijn versnaperingen waar veel gekraak en gekauw aan te pas kwam; ze haalden ze uit een schaal bij hun voeten, stopten ze een voor een in hun mond en smakten dat het een aard had. Ik keek ernaar: het waren dikke witte gebakken palmlarven.

Dat moment zocht Jilly uit om de door de *mbangi* veroorzaakte rust te verstoren. 'Luister' – tegelijk pakte hij een opgerolde larve zo groot als een duim en met een wit schild en zwarte poten uit de schaal die hij gebruikte om mee te wijzen – 'Luister, jouw land komt zogenaamd op voor de rechten van de mens, maar nu moet jij me eens vertellen hoe het staat met de rechten van de man.' Hij beet de kop van de larve af en kauwde er lustig op los, vlak bij mijn gezicht. 'Hoe zit het met de rechten van de man? Nou? Hier, neem ook een larve.' Hij hield de schaal voor mijn gezicht. 'Ik heb gehoord dat jouw regering me zou verbieden er meer dan één vrouw op na te houden.

Maar ik zou in staat moeten zijn net zoveel vrouwen te nemen als ik maar wil – dat is mijn recht als man. Jouw regering zou me dat verbieden. Dat is niet eerlijk.'

Mijn vingers bleven boven de larven in de lucht hangen. Jilly pakte er een en duwde hem in mijn hand. Hij was zwaar en zijn schild was glad en hard als schellak.

'Dat is niet eerlijk! Nou, waar wacht je op? Eet die larve op!'

Iedereen in de kring keek naar me. Ik bracht hem naar mijn mond en... en... beet door het schild heen. Er spoot iets uit – palmolie misschien, of misschien knapten zijn ingewanden, ik weet het niet. Ik vond het hoe dan ook wel te pruimen; lekker niet direct, maar in ieder geval wel te eten.

'Nou, vind jij dat ook niet oneerlijk?'

Ik mompelde iets in de trant dat polygamie onchristelijk was. En toen drong het met een dreun tot me door. *Ik zit hier een larve te eten*, dacht ik terwijl ik het beest van wang naar wang verschoof, op het krokante omhulsel kauwde, kleine kriebelige pootjes op mijn tong voelde; met grote moeite bedwong ik de neiging tot kokhalzen.

'Onchristelijk!' ging Jilly meedogenloos door. 'Polygamie gaat terug tot de tijd van Christus! Jouw regering is onchristelijk, die laat op straat pornografie toe, maar ontzegt mij mijn fundamentele rechten als man! Als ik het kon betalen nam ik vijf vrouwen, en die zouden het goed hebben met elkaar, die konden elkaar dan allemaal helpen. Hier, neem een rups.' Hij hield me een andere schaal voor: wat erin zat was niet gebakken, maar zo levendig als wat, het was bruin en wriemelde. Ik ging nog bijna over mijn nek van de larve en kon niet anders dan weigeren, maar een klein meisje dat naast een van de *mbangi*-rokers zat, keek me met grote ogen aan, pakte een van de kronkelende beestjes beet, stak het in haar mond, beet het in stukjes en slikte die schrokkerig door.

'En nou moet je nog eens even luisteren,' vervolgde Jilly. 'Jouw land staat bekend vanwege de mensenrechten, maar de mensen worden er uitgebuit. Ik heb gehoord dat er in Amerika grotten zijn waar vrouwen voor een dollar in hun nakie dansen. Je gaat zo'n grot in en legt een dollar neer. En jouw regering wil mij verbieden zo'n vrouw te nemen als ik haar wat dollars meer geef? En dan nog wat: dat nudisme dat bij jullie in de gezinnen normaal is. In Afrika dient een vrouw van haar enkel tot haar nek bedekt te zijn.'

'Van haar enkel tot haar nek,' raasde hij door terwijl hij me de ene larve na de andere opdrong. Ik beet erin, de ene larve na de andere, ik kauwde het ene schild na het andere stuk. Mijn gehemelte zei me dat er op aarde beslist veel slechtere hapjes te vinden waren – maar op dat moment, nog helemaal geschokt door de gedachte aan *wat* ik zat te eten, had ik er niet meteen een kunnen noemen.

Het werd nacht en de muskieten verdreven ons van de boeg. Ik wilde weg bij Jilly en zijn schelle tirades, ik had mijn bekomst van zijn rancuneuze, van larven vergeven gastvrijheid, maar hij volgde me naar het scheepskantoor. 'Hoor eens,' zei hij, 'mijn vrouw loopt me nu al de hele dag te vragen: "Wanneer geeft Jeff me eens een keer geld voor vis?"'

Ze had me aangeboden een vismaaltijd voor me klaar te maken als ik haar het geld ervoor gaf. Dat had ik ook willen doen, maar het was er nog niet van gekomen. 'Morgen misschien, nu heb ik al gegeten.'

'Het is niet voor jou – voor haar! Ze heeft honger en ze wil dat jij vis voor haar koopt. "*Monsieur* Jeff heeft een heleboel geld," zegt ze, "een heleboel – maar mij laat hij verhongeren." Nou, wanneer ga je vis voor haar kopen?'

Het larvenfestijn, zijn hoogdravend gemekker, de muskieten die mijn blote enkels opvraten... ik ontplofte: 'Waar slaat dat op, Jilly? Het is jouw vrouw! Koop jij maar vis voor haar! Ik koop de hele tijd cola en bier voor je en nu wil je ook nog eens dat ik je vrouw te eten ga geven?'

In het geheel niet van zijn stuk gebracht vervolgde hij: 'Luister, vertel nou eens: hoeveel poen heb je bij je? Je hebt heel wat centen op zak, dat weet ik gewoon. Maar hoeveel heb je precies?'

Ik zei niets.

'Aan deze expeditie van je hou je miljoenen over. Je bent hier voor iets groots naartoe gekomen, dat weet ik gewoon. Dat weten we allemaal!'

'Ik heb je verteld waarvoor ik hier ben! En ik ben geen bank. Alleen een gek zou op zo'n tocht een heleboel geld meenemen. Denk toch eens na!'

'Maar je kunt altijd nog meer dollars krijgen uit Amerika!' Hij stampvoette. 'Je komt uit *Amerika!*'

Ik stormde naar mijn hut en liet hem aan zijn getier over. Ik deed de deur dicht en bleef in het pikkedonker zitten. Tien dagen achter elkaar hadden Jilly en ik 's avonds cola en bier met elkaar zitten drinken, maar voor hem was ik nog steeds niets anders dan een bron van contanten, een *mondele* die op iets uit was, een *mondele* die iedereen aan boord zand in de ogen strooide met een belachelijk onzinverhaal over een tocht per prauw. Wie vertrouwde mij hier? En wie kon ík vertrouwen?

In het duister zag ik Tatjana voor me en in gedachten zweefde ik terug naar een andere tijd, naar aangename ogenblikken, naar lange ontspannen autoritten in het weekend, via de met berken omzoomde weg van de stad Sergijev Posad met haar rijke kerken met uienkoepels naar Moskou, Tatjana naast me op de voorbank, Tatjana die zich naar me toe boog om mijn vingers op de versnellingspook te kussen, waarbij haar zachte zwarte haar over mijn arm streek; ik herinnerde me op herfstochtenden het ritselen van de populierbladeren op onze binnenplaats; ik bracht me de lange winteravonden te binnen wanneer we ons bedompte appartement ontvluchtten en wandelingen maakten in de vers vallende glinsterende sneeuw. En vooral dacht ik terug aan de dralende lavendelkleurige schemering toen we elkaar voor het laatst zagen, begin juni, aan de rivier in Poesjkino. Aan dat alles dacht ik en aan daar waar ik thuishoorde, maar waar was ik nu? En waar was Tatjana? Zou ze op me wachten of zou ze bedenken dat ze maar beter iemand anders kon zoeken als ik gek genoeg was om haar in te ruilen voor Zaïre?

Een steek en een knetterende vonk. Iets slijmerigs en stekends sloeg tegen mijn kuit. Ik sprong een gat in de lucht en bonkte nog net niet met mijn hoofd tegen de bovenste kooi. Toen deed Bopembe de deur open en vanaf het dek viel het licht op een siddermeerval van een meter lang die onder mijn kooi lag te kronkelen.

'Die nina heb ik vandaag gekocht,' zei hij. 'Pas alsjeblieft op dat je niet geëlektrocuteerd wordt.'

Die nacht staken enorme bomen als zwarte spookbeelden af tegen de weelderige plas sterrenstof van de melkweg. Met onze schijnwerper speurden we het water voor ons af naar zandbanken om door het donkere labyrint van eilandjes de weg te vinden; we beschenen dwarrelende kevers, vleermuizen zo groot als kraaien en een fijne mist van miljoenen muskieten. Tromgeroffel uit dorpen voor ons verkondigde onze komst en prauwen zwermden op ons toe, vele beladen met bergen geblakerde apenkadavers met wijdopen bek en ogen, als waren de beesten verstijfd van angst levend geroosterd. Sommige peddelaars waren vrouwen met blote borsten, de andere mannen in lendendoek. De hele nacht klonk er geschreeuw en tromgeroffel en werden we belaagd door stromen kano's met vlees van dieren uit de jungle.

De Bangala-soldaten – behalve Danger de Mort waren er inmiddels verscheidene andere aan boord – hielden de hele nacht de wacht; met hun geweer in de aanslag paradeerden ze over het dek, hun ogen op het duister voor ons gevestigd. Vanuit het oerwoud hoorden we gejammer, langgerekte kreten, aarzelende klachten; ze echoden over de rivier, kwamen nu eens van de rechter- dan weer van de linkeroever, stegen op uit waterwegen die als tunnels de pikdonkere wildernis in voerden. Het bloed stolde in mijn aderen van die kreten. Het waren vissers die naar de boot riepen, vertelde de bemanning.

'Tay-ler! Charles Tay-lor! *Le guérillero libérien!* Ha-ha-haa!'

De kolonel. Toen ik opkeek naar de brug, wendde hij zich af, geheel volgens zijn gewoonte.

Ik trof hem aan in zijn hut met zijn aantrekkelijke kokkin-bediende, een jonge vrouw met fijnbesneden gelaatstrekken in een blauwe blouse en een wijde rok, die behaaglijk tegen hem aan op de bank zat.

'Wil je met ons naar een film kijken? Zitten!'

Ik liet me neer op een stoel. Ze keken naar een horrorfilm waarin de hoofdrolspelers gekweld werden door een boze tovenaar en zijn trouwe handlangers, allemaal zombies. Telkens als de hoofdpersonen in slaap vielen, gingen er graven open waaruit halfvergane skeletten opsprongen. De bediende gruwde van alle onthoofdingen, openbarstende ingewanden en rondvliegende smurrie, maar de kolonel smulde ervan; hij leunde naar voren zodat zijn buik over zijn riem bengelde, moedigde de monsters schreeuwend aan en lachte om de ongelukkige slachtoffers. Omdat mijn zenuwen het toch al zwaar te verduren hadden, kon ik het niet aanzien en begon rond te kijken in de hut. Op een plank boven de videorecorder stond een rij gebonden boeken. Ik was nieuwsgierig: wat las de kolonel zoal in zijn vrije tijd?

'Mag ik?' vroeg ik, terwijl ik een boek van de plank pakte.

'Certainement!'

Het was een stripboek. Gebonden. Het waren allemaal stripboeken. Enkele waren net iets uitgebreider dan strips en bevatten foto's van blanken met wijd uitstaande kapsels en gehuld in kunststof kleding met brede revers, blanken die elkaar de liefde verklaarden en jaloers op elkaar waren. De dialogen waren in het Frans; een soort soap-opera's in stripvorm. Ik zette ze terug op de plank.

Op het scherm vlogen hoofden eraf en werden jonge maagden verkracht. De bediende wendde haar ogen af. De kolonel gulpte bier naar binnen, leunde naar voren, schreeuwde: 'Hah-ha-haa!' Er viel verder niets meer te doen dan weer op de bank te gaan zitten kijken en te wachten tot er een eind aan kwam.

In mijn heiligdom op het dak las ik overdag heel wat af. *Nine Stories* van Salinger, *In a Free State* en *One out of Many* van Naipaul, *Brazil* van Updike. Ik schreef brieven aan Tatjana (die ik in Kisangani hoopte te kunnen posten), maar als er mensen langskwamen verstopte ik ze;

sinds ik de wantrouwende reactie van de kolonel gezien had toen hij me Russisch zag lezen, leek het me het geraden voorzichtig te zijn.

De volgende middag kreeg ik op het dak bezoek van een slungelige en verlegen achtentwintigjarige handelaar uit Lokutu. Ik legde mijn boek neer. Hij stelde zich voor als Desi.

We voeren dicht langs de oever. We passeerden een dorp waar op een open plek kinderen aan het spelen waren. Toen ze me in het oog kregen, renden ze op een na met z'n allen weg in de richting van het bos. De jongen die was achtergebleven maakte met zijn armen een beweging alsof hij me onder vuur nam met een machinegeweer, en weldra deden al zijn speelmakkertjes het hem na en werd ik van overal uit de bosjes beschoten. Desi zei: 'Ze zijn bang voor u, de *mondele*. Voor hen zijn alle blanken moordenaars en schurken. De kinderen krijgen te horen dat de Belgen vroeger kleine meisjes en jongens opaten en ze denken dat iedere blanke een Belg is, u dus ook. Als ze u zouden doden, zou het uit zelfverdediging zijn.'

Ik keek naar Desi, onder de indruk van zijn openhartige en duidelijke uitleg. Hij was lang, had soepele ledematen en een klein hoofd, en zijn glimlach was innemend. Zijn manier van doen had iets zachtaardigs. Ik had eerder over hem gehoord dat hij een verre verwant was van de kolonel, die ergens aan de bovenloop van de rivier woonde en tot een stam hoorde die de Lokele heette; het waren mensen die opgroeiden in prauwen en van de visvangst leefden.

Desi nam de reactie van de jongens laconiek op: 'Het zijn Bangala. Ze zijn *méchants* uiteraard. Dat is hun aard nu eenmaal. Ze zijn uit op uw geld. U bent blank en ze denken dus dat u rijk bent.'

Zijn woorden deden me denken aan wat Stanley de ontdekkingsreiziger over de Bangala had gezegd. Stanley omschreef hen als 'een zeer superieure stam' die er een 'zeer uitgesproken antipathie ... tegenover vreemdelingen' op nahield, en bij wie de aanwezigheid van niet-Afrikanen 'de verschrikkelijkste haat- en moordneigingen' opwekte – en dat was nota bene al voordat de Belgen hen tot slaaf hadden gemaakt en verminkt en afgeslacht.

De volgende uren zaten Desi en ik gezamenlijk naar de wildernis en de dorpen die we passeerden te kijken. Desi leek me een veel geschiktere kandidaat als gids op de rivier dan Jilly. Nu ik de toenemende vijandigheid van de dorpelingen op de oevers gewaarwerd, neigde ik er steeds meer toe om in ieder geval niet in mijn eentje aan de tocht over de rivier te beginnen.

Op onze elfde dag slingerde de boot heen en weer door de wind. Er hing een verstikkend pak dichte wolken die regen beloofden. Ik ging bij de kolonel langs, maar trof in zijn hut zijn bediende aan die daar plechtstatig op de bank zat. 'De kolonel heeft verdriet,' kondigde ze aan. 'Zijn kleine zusje is gestorven.'

Ik liep door naar zijn slaapvertrek. Met zijn handen achter zijn hoofd gevouwen lag hij op zijn rug op bed en staarde door zijn zonnebril naar het plafond. Van onder de glazen stroomden de tranen van zijn gezicht zijn oren in. Ik ging bij hem zitten. Ik zei hem dat het me heel erg voor hem speet. Ik raakte zijn arm aan.

Zijn adem stokte door een ingehouden snik. 'Merci,' zei hij zonder zijn hoofd te bewegen.

Ik bleef een tijdje bij hem zitten zonder nog iets te zeggen. Sinds onze eerste ontmoeting had hij me niet toegestaan iets over hem te vragen, en ik wist niet meer dan wat hij mezelf tijdens joviale uitbarstingen had meegedeeld of wat de bemanning me gedempt over hem had toevertrouwd (dat hij zich Mobutu's gunst en daarmee zijn rang en vermogen, dat op zeven miljoen dollar geschat werd, had verworven door het verraad van een van de intimi van de dictator aan het licht te brengen). Mijn verdenkingen ten aanzien van zijn motieven waren verdwenen; ik was tot het inzicht gekomen dat hij me alleen maar ten behoeve van zijn eigen vertier had meegenomen, want ik was weer eens iets anders, en dat vond ik allang best. Omdat ik verder weinig van hem wist, kon ik hem moeilijk een vriend noemen, maar hij had me heel erg geholpen en ik had met hem te doen.

Ik stond op en liep naar de zitkamer. Daar was Nze. 'Het is de wil van God,' zei hij, waarna hij doorliep om de kolonel zijn deelneming te betuigen.

Ik bleef de hele middag bij zijn hut in de buurt omdat ik vond dat ik hem niet alleen kon laten. De dorpen op de oevers zagen er onderhand wanordelijk en slecht onderhouden uit. Het was er een janboel van verwaarloosde hutten en wasgoed onder een hoge overkapping van gebladerte, en de bewoners, die een smerige aanblik boden en in lompen gekleed gingen, zonden me verwensingen achterna. Maar het verdriet van de kolonel had sluimerende herinneringen aan recente sterfgevallen in mijn eigen familie gewekt en ik schonk er geen aandacht aan.

Vlak voor zonsondergang kwam de kolonel naar buiten. We voeren op dat moment langs een dorp. Toen ze mij zagen renden vrouwen en kinderen naar de beschutting van het woud, maar jongeren liepen naar de rivierkant en begonnen branieachtig te schreeuwen.

De kolonel liep naar de reling. Aan zijn riem hing een .38-kaliber pistool.

'Kijk die mensen toch eens! Hun namen staan nergens geregistreerd, niemand heeft ze ooit geteld en ze hebben geen papieren. Je hebt hun gehuil in de nacht ook gehoord! Wilden zijn het! Zaïre is wild! Wild!'

Hij ging zitten in de stoel naast de mijne en deed er het zwijgen toe.

Die nacht brak er een onweersbui los. De regen plensde in warme stromen op ons neer, terwijl de wind ons bestookte en de boot alle kanten op slingerde. Ik zat op het dak van de *pousseur*. Tussen de donderslagen in stegen er huilende kreten op uit het oerwoud, bloedstollend gekrijs dat de regenachtige lucht uiteenreet; de stug volgehouden bewering van de bemanning dat het Bangala waren die de boot begroetten, kwam me absurd voor; het klonk eerder alsof de Bangala de boot en de hemel beschimpten. Ik kon er uiteindelijk niet meer tegen en trok me terug in de hut van de kolonel, waar het stierf van de insecten – motten, termieten, traagvleugelige vliegen – en waar ik uitgestrekt op zijn bank de ochtend afwachtte.

Op de twaalfde dag legden we aan in Lisala, de eerste stad sinds Mbandaka. Langs de oever kwamen dragers aangesneld om de suiker en het graan uit het ruim te lossen. In ruil daarvoor namen we kippen en varkens aan boord. Zelf moesten we ook een varken afleveren, een enorme zwarte zeug die een paar dagen eerder aan boord was gebracht. Het beest gilde en trapte en weigerde de plank naar de oever af te lopen. De eigenaar duwde het er simpelweg af; het belandde met een dreun op de kant en zijn voorpoten knapten als lucifershoutjes.

De commandant van de SNIP in Lisala kwam met afgemeten passen aangelopen over het dek, geflankeerd door twee adjudanten. Hij droeg een geperst kaki uniform, net als zijn mannen. Hij en de kolonel omhelsden elkaar en begonnen een praatje. Na een tijdje stelde de kolonel me voor.

'Dit is Tayler. Hij wil in een prauw de rivier afzakken.'

Na alles wat we op de boot gezien hadden klonk dit idee, zo plompverloren uitgesproken, als complete waanzin, een hersenspinsel van een of andere idioot.

'Nou,' zei de commandant op nuchtere toon, 'het stuk tussen Lisala en Mbandaka is anders een abattoir. Dat is het gebied van de Bangala en de Ngombe. Misschien heb je het gehoord van die twee Belgen? Die vertrokken in 1988 of 1989 vanuit Kisangani in een Franse amfibische Phoebe-jeep. Ze kwamen aan bij een dorpje hier in de buurt. Ze gingen aan land en zetten een videocamera op een statief om de begroeting door de bewoners te filmen. De mannen van de stam kwamen te voorschijn. Terwijl een van hen de Belgen de hand begon te schudden, kwamen de anderen van achteren op hen af en sloegen hen met machetes neer. Ze hakten ze in mootjes, roosterden hun vlees en aten ze op. Dit stond allemaal op de video die we gevonden hebben. De stammen hier in de buurt zijn *méchants*. Echt *méchants*.'

Leden van de Ngombe-stam hadden zowel buitenlanders als Zaïrezen vermoord en opgegeten, zei hij. Vroeger kwamen ze in het geniep op de boten af en trokken met behulp van vissperen slapende mensen van het dek het water in; ze lieten ze verdrinken, waarna ze wegroeiden, het duister van de nacht in, met hun verminkte menselijke buit die ze rookten en later opaten. Dit waren geen dagelijkse praktijken meer, maar het gebeurde nog wel.

De commandant vervolgde: 'Veel mensen uit de dorpen hier in de omgeving hebben nog nooit een blanke gezien. Als ze je alleen aantreffen zullen ze je voor een huurling verslijten. In hun ogen ben je ofwel een huurling, ofwel je bent op zoek naar diamanten. Geen enkele blanke die uit Kisangani vertrokken is, heeft ooit Kinshasa bereikt. Geen enkele.'

De kolonel wees naar de M-16 die tegen de wand van zijn hut stond en zei dat die en de vuurwapens die zijn beveiligingsmensen droegen bedoeld waren als bescherming tegen bandieten die het op rivierboten voorzien hadden, die ze overvielen waarbij ze geld en vrouwen buitmaakten; om die reden voeren schepen altijd zo snel mogelijk door dit gedeelte van de rivier heen en namen ze maar heel weinig prauwen op sleeptouw. De SNIP-commandant bevestigde dit. 'Ja, het is hier niet pluis. Als je serieus van plan bent per prauw door deze streek te varen, moet je zorgen dat je gewapend bent en bereid zijn je leven op het spel te zetten, anders haal je het niet.'

Later die middag vertrokken we weer uit Lisala. De zon zakte weg achter de horizon en dompelde het westen in een oranjerode gloed.

Ik bleef aan dek bij de kolonel. Hij was duidelijk aangeslagen door de dood van zijn zusje en ik wilde hem nog niet aan zijn lot overlaten. Prauwen met jonge mannen erin kwamen onze richting uitgezwermd. De kolonel stond op en pakte zijn geweer.

'Verboden aan te leggen! *Voleurs! Voleurs!*' Hij schoot een reeks kogels af in de lucht. De prauwen weken terug. De kolonel kwam weer naast me zitten.

Een dikke kever sloeg tegen de zijkant van mijn gezicht. De kolonel lachte: 'Hij zegt: *Bonjour, mondele!* Ha-ha-haa!'

Ik lachte met hem mee. Na een minuut of zo wilde ik vragen hoe het met hem was. Ik wendde me in zijn richting. Hij zat naar de ondergaande zon te staren terwijl de tranen onder zijn zonnebril vandaan stroomden.

Die hele nacht liepen de soldaten wacht en verboden de dorpelingen hun prauw aan onze boot vast te leggen. Sommige handelaars beklaagden zich hierover: ze hadden klanten nodig. De schijnwerper op de brug gleed ononderbroken over de wildernis en het water voor ons.

Ik zat op de achterplecht met de kolonel. Twee schaduwen, zwarte vlekken te midden van het geglinster van de maan op het water, ontpopten zich als roeiers. De kolonel haalde zijn zonnebril van zijn neus om naar hen te kijken. Ze roeiden heel hard, hun peddels verdwenen diep in het water en ze kwamen sprongsgewijs dichterbij. We bogen ons nu allebei naar voren. De boot voer op volle snelheid, maar toch waren ze ons aan het inhalen. De kolonel greep zijn wapen. Ze bereikten de achtersteven en begonnen de liaan van hun prauw om de reling te slingeren. De kolonel schreeuwde naar hen; ze lachten; met zijn automatische geweer schoot hij een aantal keren achter elkaar in de lucht. De chef beveiliging kwam aanrennen en wierp een blok hout naar hen. Onder het uitstoten van een soort oorlogskreet, een kreet die de stilte uiteenreet, duwden de roeiers zich af, balancerend op de golven, en scholden ons de huid vol tot de duisternis hen had opgeslokt.

'Het is hier een verschrikkelijke wildernis,' zei de kolonel en nam zijn plaats weer in.

Later, toen hij naar bed was, kreeg ik buikpijn. Een felle wind verdreef me van het dak naar een plekje in de gang naar de brug, waar ik mijn muskietennet opzette. Toen begon het te regenen. Op mijn zij lag ik met vreselijke krampen in mijn ingewanden te kijken hoe de regen op de rivier neerdaalde, terwijl fijne waterdruppeltjes van opzij in mijn gezicht werden geblazen. Het gesprek met de SNIP-commandant had me ervan overtuigd dat mijn plan om in mijn eentje de rivier af te zakken niet bruikbaar was, en ik besloot een gids aan te nemen.

Ergens na middernacht werd ik gewekt door een kreet vanaf het water, een schreeuwend kind. Daarna hoorde ik een vrouw gillen. Meteen zat ik rechtop. De hemel was zwart, maanloos, een en al wolken; boven het water flitste de bliksem. Over het dek kwam een vrouw aanrennen, ze sprong van de grote boot op de *pousseur*, met haar ogen de donkere stromingen afzoekend. Haar zoon was overboord gevallen, gilde ze, en hij was daar ergens, worstelend en schreeuwend. Van over de hele boot sprongen mannen in prauwen.

We minderden vaart en de boot begon te keren. De schijnwerper zocht het bruine water en de voorbijvlietende klompen waterhyacinten af, maar het geroep werd zwakker en klonk van verder weg. De moeder sloeg haar armen ten hemel; haar gegil sneed door de lucht en weerkaatste tegen de wanden van het woud. Prauwen werden losgegooid, de roeiers peddelden als gekken om hun vaartuig bij de draaiende boot vandaan te houden.

De kapitein zette de machines stil. Het oerwoud hing over ons heen, hoog en zwart en behangen met nevelslierten, en het echode van gegil en kreten, van mens of dier, dat kon ik niet uitmaken.

Een halfuur later kwamen de prauwen weer teruggeroeid. De mannen hadden de jongen gevonden en hij leefde nog. De motoren kwamen ronkend weer tot leven en stuwden ons vooruit.

Prauwen langszij

Stroomopwaarts

'DACHT JIJ DE BAAS OVER MIJ TE KUNNEN SPELEN? IK BEN de baas over jou!'

De kolonel priemde zijn wijsvinger herhaaldelijk in de knokige borst van de SNIP-functionaris die in Bumba, bijna honderd kilometer stroomopwaarts van Lisala gelegen, aan boord was gekomen en mij wilde meenemen. De functionaris, een stakerige vent met een huid die glom als een paling van het vettige zweet, had me staan vertellen dat in mijn paspoort alleen 'een stempel van Ngobila Beach en niet *specifiek* van de SNIP' was gezet en dat ik dus 'illegaal in Zaïre' was en '*tout de suite*' mee moest naar zijn commandant in de stad.

Op dat moment kwam de kolonel met grote passen over het dek aangelopen; schouders gekromd, armen half gebogen langs zijn zij boorde hij zijn ogen in die van de paling. De confrontatie eindigde ermee dat de man terugkrabbelde met het dreigement dat hij de burgemeester ging halen.

'Doe dat, kom maar terug met de burgemeester!' zei de kolonel. 'En nu van mijn boot af!'

Een poosje later kwam een lange man aanzetten, met zijn gitzwarte huid, zijn hawaïhemd en suède instappers, zijn tonronde buik en in eau-de-cologne gedrenkte verschijning was hij een toonbeeld van Bumba-grandeur. Hij omhelsde de kolonel. Gedrieën praatten we die dag over mijn expeditie. Intussen stond de paling aan de kant zielig naar me te wuiven; hij voerde een boetvaardige pantomime op over honger en geldgebrek, een lege portemonnee en een lege maag – kreeg ik geen medelijden met hem en gooide ik hem niet wat zaïres toe?

Het was een functionaris zoals ik die op mijn route stroomafwaarts vaker zou tegenkomen en hij moest goed weten dat er met mij niet te spotten viel. Ik zou hem niets van medelijden laten blijken, want dat zou als zwakheid kunnen worden opgevat. Ik richtte al mijn aandacht op de kolonel en de burgemeester en luisterde aandachtig.

Bumba, een buitenpost met witgepleisterde winkelpuien en vervallen villa's uit de koloniale tijd, bevond zich aan de rand van de jungle en was de laatste stad voor Kisangani. In Kisangani was een prauw volgens de bemanning heel duur en ik kreeg de raad er hier een te zoeken. Bumba leek ook een goede plek om een beslissing te nemen over een gids. Desi had indruk op me gemaakt, maar ik wilde ook andere kandidaten spreken.

Tijdens ons gesprek met de burgemeester werd er op de deur van de hut geklopt. Een pezige man van in de veertig met een kalende schedel en een lange smalle neus kwam binnen.

'*Mbote. Mondele*, ik ben François. Ik ken de rivier. Ik ben tien jaar kapitein geweest op een rivierboot. Laten we over die expeditie praten.'

'Je kunt een slechtere gids treffen dan François,' zei de kolonel. 'Praat met hem.'

François gedroeg zich behalve zelfverzekerd ook verwaand. Hij bewoog en sprak traag, volgens een geheel eigen ritme, en antwoordde pas op vragen als hij er helemaal klaar voor was. Maar wie was deze François en hoe kwam hij aan dat air van hem? Hij nodigde me uit bij hem thuis in Bumba, en we vertrokken samen richting stad.

Op de erven en open plaatsen van Bumba schoten bomen en gras hoog op. We liepen door zonovergoten stegen met oranje stof, stapten over stroompjes rioolwater en laveerden om hopen as heen, tot we een verzameling met leem bepleisterde stenen hutten met strooien daken bereikten die gegroepeerd was rond een binnenplaats van aangestampte aarde, alwaar een blank meisje van een jaar of zes, zeven aan het spelen was. Het was een beeldschoon kind met een gebronsde huid en kastanjebruin haar, goudblond doorschoten. Ze sprak een luidruchtig Lingala met haar Zaïrese speelkameraadjes; ze verschilde in niets van hen wat taal en houding betrof – de nonchalante houding van kleine deugnieten die zich zowel bij volwassenen als bij leeftijdgenoten volkomen op hun gemak voelen. In de schaduw vlak bij haar zat haar moeder onderuitgezakt, een slonzige, weelderig gevormde Latijnse matrone met haar dikke zwarte haar in een paardenstaart en gehuld in een Afrikaanse rok.

'Jullie zijn de kinderen ontvlucht, hè?' zei François, die mijn verbazing over het kind opmerkte.

'Hoe bedoel je?'

'Jullie blanken. Jullie kwamen voor de diamanten, stichtten een gezin, maar als jullie eenmaal te pakken hadden wat je wilde hebben ontvluchtten jullie je gezin. Dit meisje hier en haar moeder zijn Portugees. De vader was ook Portugees. Hij heeft ze in de steek gelaten. En jullie blanken laten ook zwarte vrouwen met kinderen zitten. Jullie pakken maar wat je hebben wilt en dan vluchten jullie. Jullie laten zelfs je eigen kinderen in de steek.' Hij schudde zijn hoofd.

We betraden een van de vertrekken en gingen op krukjes op de lemen vloer zitten. François riep een jongen die met een houten schaal op zijn hoofd over de binnenplaats liep, naar binnen. De schaal was gevuld met kolanoten. Vol aplomb liet François zijn tong over zijn voortanden gaan, kneep vervolgens in alle zaden, rook eraan en beet het topje eraf alvorens er een uit te kiezen en de jongen een paar zaïres toe te stoppen. Hij stak de kolanoot in zijn mond en begon erop te zuigen, waarbij hij hem van wang naar wang heen en weer bewoog. Het was een natuurlijke amfetamine en hij ging er sneller van praten.

'Luister,' zei hij, 'ik wil die tocht wel met je maken. Maar ik treed alleen op als gids, begrijp je? Je moet ook voor roeiers zorgen en een soldaat. Ik vraag vijftienhonderd dollar, de helft vooraf te betalen.' Hij liet kolanootsap tussen zijn tanden door spuiten. 'Gesnapt?'

'Dat vind ik te duur.'

Hij spoot nog meer sap weg. 'Ik ken mijn rivier. Voor minder doe ik het niet.'

Hij kende de rivier dan wel, maar hij was ouder dan ik eigenlijk zou willen, hij was te duur en naar mijn idee wat al te arrogant. Mijn ideale gids zou evenveel moeten peddelen als ik en dat zei ik hem ook. Geen denken aan: een peddel raakte hij niet aan. We konden het niet eens worden.

Hij reageerde met een schouderophalen op mijn afwijzing en de rest van de verzengend hete ochtend zaten we gezamenlijk naar het blanke meisje en haar kameraadjes te kijken; toen de zon voorbij het zenit was keerden we weer terug naar de boot.

Onderweg naar de rivier zei François dat hij me toch wel wilde helpen en hij gaf de kinderen die we tegenkwamen opdracht om rond te bazuinen dat een *mondele* een prauw wilde kopen.

Daarna gingen we op de achterplecht van de *pousseur* staan wachten. Weldra kwamen er vissers tegen de ruige stroom in aangepeddeld; andere kwamen veel sneller van de andere kant aangegleden. Er ontstond een ware opstopping van prauwen, ze bonkten tegen elkaar terwijl de eigenaren naar me stonden te wuiven en in het Lingala naar me schreeuwden. Zelfs een heel contingent naakte kinderen maakte zijn opwachting, in pramen niet groter dan een strijkplank; ook zij schreeuwden om mijn aandacht te trekken.

Er was een prauw bij die me beviel: een kloek vaartuig van ongeveer negen meter lang, groot genoeg voor drie of vier personen, maar niet zo log dat je er met twee roeiers maar met moeite in vooruit zou kunnen komen. De eigenaar vroeg er zeshonderdduizend zaïre voor. Te veel, fluisterde François. Ik begon andere prauwen te bekijken. Meteen liet de eigenaar de prijs vijftigduizend zaïre zakken. Maar daarmee was hij nog te duur. Uiteindelijk kwamen we een prijs overeen van vierhonderdduizend zaïre, ongeveer vijfenzestig dollar, inclusief drie peddels – een redelijk bedrag volgens François. We schudden handen. Ik overhandigde de eigenaar een pakket briefje van honderd zaïre; hij gaf me de boegketting met een hangslot en sleutel erbij. François en ik maakten de kano vast aan de reling van de *pousseur*.

Ik had mijn prauw.

De ondergaande zon kleurde de hemel karmozijnrood en violet. Ik liep naar de achterplecht van de *pousseur* om mijn prauw te bewonderen en sprong erin. De rivier klotste flink tegen de platte bodem van de romp, door het hout heen was de kracht ervan voelbaar. De prauw was gehakt uit de stam van een gezonde boom en zag er stevig genoeg uit om de rivier te trotseren. Hij was robuust en ik kon er redelijk gemakkelijk in overeind blijven; ik klom op de zijkant en probeerde hem al schommelend te laten omslaan, maar dat kreeg ik niet voor elkaar.

Nze zag me en kwam naar me toe. Ik vroeg hem ook aan boord te springen en hij hielp me bij mijn experiment: zelfs met twee man lukte het niet de kano te laten omslaan. 'Met deze prauw moet het lukken. Moge God u bijstaan!' zei hij terwijl hij weer op de *pousseur* klom.

Ik ging achter in de prauw zitten. Tapijten van waterhyacinten zo groot als doodskisten kwamen op me afgesneld, werden door de prauw even gestuit en ijlden weer verder. Stroomopwaarts peddelende vissers gleden langs me heen, ze gooiden bij elke slag hun gewicht in de strijd en hun rugspieren golfden, als glanzend welgevormd porselein tekenden ze zich af. De vissers staarden me verbluft aan als ze in mijn buurt kwamen en bleven naar me omkijken als ze me waren gepasseerd. Ik kreeg het gevoel dat ik door in een prauw te stappen hun wereld betreden had, en blijkbaar ervoeren zij iets vergelijkbaars.

Het was tijd om eten te gaan maken.

De volgende middag zag ik Desi met de kolonel praten. Ik begon serieus zijn mogelijke kwaliteiten als gids af te wegen. Hij was van jongs af aan met prauwen vertrouwd en had de reis van Kisangani naar Kinshasa ettelijke malen per rivierboot gemaakt. Hij had een zachtaardige manier van doen en was goed gezelschap; voor een reis van zo'n vijfenveertig dagen waren dat dingen die zwaar telden. Hij had de gewoonte om aan dek te bidden en genoot het respect van de bemanning en van zijn medepassagiers. Hij sprak voldoende Frans

– hij had de lagere school afgemaakt, wat hier in de dorpen het hoogste was dat je kon halen – en de onderlinge communicatie zou geen problemen opleveren. Al met al maakte hij een heel goede indruk op me.

Toen Desi zijn gesprek met de kolonel had beëindigd liep hij naar de achtersteven en keek naar mijn prauw. Hij zei dat die goed genoeg was voor een tocht naar Kinshasa. Hij wist dat ik een gids zocht, maar was kennelijk te verlegen om zichzelf als kandidaat op te werpen.

Ik vroeg of hij me zijn vaardigheden als peddelaar wilde demonstreren. We sprongen in het vaartuig en ik maakte de meerketting los. Eenmaal los van de rivierboot kwam de prauw plotseling tot leven, meester in zijn eigen domein. De peddelslagen met zijn hele lichaam kracht bijzettend stuurde Desi ons van de boot het met waterhyacinten bespikkelde blauwe water op. Twintig minuten lang peddelde hij me op en neer, stroomop- en stroomafwaarts, de boot sturend met het gemak van iemand die niet anders doet. We legden weer bij de *pousseur* aan.

Ik zag Desi als een integere persoon, als iemand aan wie ik zo nodig mijn leven kon toevertrouwen. Hij vroeg veel minder dan de helft van wat François gevraagd had, de helft vooraf te betalen. Dat klonk redelijk en ik kon het me veroorloven. Ik zou voor het eten voor onderweg zorgen en medische zorg betalen zo hij die nodig mocht hebben, en ook de vereiste kleding en uitrusting voor hem aanschaffen (die hij aan het eind van de tocht mocht houden). Als we erin slaagden Kinshasa te bereiken kreeg hij bovendien een flinke bonus. En ik zou betalen voor de terugreis per rivierboot.

Ik stelde een contract op waarin deze voorwaarden waren opgenomen. Ik schreef alles in het Frans op een blad papier dat ik uit mijn aantekeningenboekje met Lingala-woorden had gescheurd. Desi las alle woorden hardop, pakte mijn pen en zette er zijn naam onder; daarna tekende ik.

Ik had mijn gids.

Na twee dagen in Bumba gingen we weer op weg.

De volgende avond spreidde Paul, de eerste stuurman, op de brug zijn kaarten uit en bescheen ze met zijn zaklantaarn. We bespraken mijn tocht. Rivierboten volgden een navigatieroute die in grote lijnen overeenkwam met de vaargeul. Hier en daar was die route door middel van witte borden aan bomen op de oever aangegeven, maar meestal vertrouwden ze op merktekens die alleen voor doorgewinterde kapiteins herkenbaar waren. Hier hoefden Desi en ik ons niets van aan te trekken, want onze prauw kon ook varen in water dat maar zo'n halve meter diep was. Paul wees me onveilige plekken aan op de kaart: het gebied van de Ngombe en Bangala tussen Lisala en Mbandaka, en daarbinnen nog de streek rond Île Sumba en het dorp Bongela, dat hij beschreef als '*méchant* en wemelend van de rovers'. Volgens hem echt heel gevaarlijk was wat hij de *rivière* noemde – een soort kreek die zich bij Bongela van de Kongo afsplitste en achter Île Sumba doorliep om zo'n vijfenvijftig kilometer verderop bij de andere punt van het eiland weer in de rivier uit te komen.

Ik dacht aan de vele uren dat ik van Zaïrezen raadgevingen over de rivier had aangehoord, te beginnen bij Pierre in Kinshasa. Kampeer niet op eilanden en vaar niet in ondiep water – daar liggen krokodillen en nijlpaarden op de loer. Kampeer niet op de oevers – want dat is het jachtterrein van leeuwen. Slaap altijd in dorpen waar vuur is. Slaap nooit in dorpen – de mensen zijn er arm en je loopt grote kans om te worden beroofd. (Dat laatste had de kolonel tegen me gezegd. Wat hij zei vond ik meestal het aannemelijkst klinken en het benaderde over het algemeen mijn eigen gedachtegang.) Ga niet midden op de rivier varen – van het ene op het andere moment kunnen er stormen opsteken en dan heb je geen tijd meer om naar de kant te gaan. Blijf uit de buurt van de oevers, want dan ziet iedereen dat je een *mondele* bent.

Tegenstrijdige adviezen te over, maar geen van de mensen die ze gegeven hadden, had de rivier bevaren op de manier die ik in de zin had.

De volgende dag deden we het dorp Yambinga aan, waar we palmolie moesten inslaan. Yambinga zag er verlaten uit, maar toch kwam er een hele menigte sjouwers opdraven die met elkaar wedijverden om de vaten aan boord te brengen. Ze zwoegden als ossen onder die vaten, die vijftig kilo of meer moesten wegen, ze torsten ze op hun rug mee de loopplank op, liepen met stramme passen door naar het ruim waar ze ze langzaam en met grote precisie neerlieten.

Hoeveel van die dragers hadden we onderweg al niet gezien! In elk dorp zagen ze er zo'n beetje hetzelfde uit: gespierde mannen, paarsig zwart van de zon en met geschoren hoofd; ze spraken alleen Lingala of hun eigen dialect en waren zo arm dat ze geen schoenen of hemd hadden en geen riem voor hun korte broek. Zonder dat ze waren ingehuurd gingen ze als gekken aan het werk; ze vochten met elkaar om klanten. Nooit gleden ze uit op de helling van de wal naar het schip, nooit lieten ze hun last vallen. Ze klaagden ook nooit. Ze deden alleen hun werk en spraken dan de voorman aan die een paar zaïres aan hen uitdeelde – niet meer dan wat *centen* – voor een uur lang hard werken in de meedogenloze hitte.

In iedere haven waren er altijd massa's te vinden. Ik vroeg me af hoe hun leven eruitzag. Wat waren hun verwachtingen? Waarover praatten ze met elkaar? Wat voor zorgen kenden ze? Ze leefden zoals hun voorvaderen ook geleefd hadden, ongeletterd, zonder meer van het verleden te weten dan wat mondeling kon worden overgebracht. Hoe keken deze mensen tegen de wereld aan?

Ik was deze boot spuugzat, de hitte putte me uit en het eten kwam me mijn strot uit; maar deze sjouwers waren nooit moe, of zagen er nooit moe uit, en meer dan de oever van deze rivier aan de evenaar, dit kleine dorpje aan de rand van de wildernis zouden ze nooit kennen. Ik peinsde over het waarachtige leven dat ze leken te leiden, een leven zonder enige opsmuk, dat draaide om eten en drinken en familie- en dorpsverplichtingen, en ik vroeg me af of ik me ooit aan zo'n leven zou kunnen aanpassen, er mijn warrige, gekwelde bestaan voor zou kunnen opgeven om redding te vinden. Misschien zou ik hier een beter idee van krijgen tijdens mijn tocht per prauw.

Desi vertelde dat hij een goede kok was, en ik vroeg hem of hij zijn kookkunst wilde demonstreren. Op mijn *bambula* maakte hij een heerlijke lunch van verse vis met macaroni klaar, die we gezeten op het dak boven de brug nuttigden. De zon brandde met een felheid die elke lust tot bewegen doofde, zodat we niets anders wilden dan onze ogen dichtdoen en slapen. Alleen was het daar te heet voor. We besloten na een tijdje in de gloeiende hitte aan wal te gaan en wat rond te kijken.

Vanaf de boot gezien leek Yambinga een vlakke open plek vol modder, omgeven door enorme geroeste watertanks en hier en daar wat vervallen bakstenen huizen; maar het werkelijke dorp, zo ontdekten we, bevond zich aan het eind van een pad dat een eindje het woud in voerde. Op de open plek hing een bittere, weeïge, zelfs misselijk makende stank. Desi zei dat die stank afkomstig was van de plaatselijke palmoliefabriek, maar hij leek allereerst te ontsnappen aan de palmvruchten die overal op de grond lagen – misschien waren ze aan het rotten. We kochten wat kleine bananen van een dorpsmeisje, maar toen die gepeld waren roken ze heel smerig en mijn maag draaide bijna om door hun bittere smaak.

We namen een pad dat door het woud voerde en in de richting van de oever terugslingerde; op een zanderig plek gingen we naar de rivier zitten kijken en naar de voorbijdrijvende klompen waterhyacinten – in het Lingala *Kongo esika*, vertelde Desi me. Tseetseevliegen zoemden om ons heen. Ze waren ons achternagekomen van de *pousseur*, waar ze verscholen in de schaduw wachtten op slachtoffers. Tseetseevliegen beschikken over een heel knappe aanvalstactiek; het lijkt wel alsof ze weten dat mensen een hekel aan ze hebben en bang voor ze zijn vanwege het trypanosoom dat ze vaak bij zich dragen, de stof die slaapziekte veroorzaakt – stroomopwaarts een veel voorkomende ziekte. Ze landen eerst op ongeveer een meter afstand, komen dan cirkelend en zoemend wat dichterbij, landen opnieuw en wachten opnieuw om vervolgens neer te strijken op een plekje waar ze niet direct opvallen, de knieholte bijvoorbeeld. De beesten waren op dat moment ongelooflijk volhardend, om gek van te worden. Al gauw was ik een paar keer op een pijnlijke manier gestoken.

Ik droeg een korte broek en zat scherp op te letten of er geen tseetsees in mijn buurt kwamen. Desi staarde naar het haar op mijn benen, en begon toen in mijn kuiten te prikken.

'Waarom hebt u hier van dat haar zitten?'

'Ik heb Italiaans bloed.'

'En waarom is uw huid hier zo rood?'

'Nou, ik ben blank, ik verbrand in de zon.'

Geen van beide antwoorden was echt verhelderend voor hem. Maar het maakte niet uit. Hij vertelde me over zijn vrouw en pasgeboren dochtertje die op dat moment in Bumba verbleven; hij hoopte dat we onderweg stroomafwaarts halt konden houden om hen te bezoeken. Zijn leven bestond uit op en neer reizen over de Kongo per rivierboot, een vermoeiende aaneenschakeling van weken vol onzekerheid aan dek, maar als de handel een beetje goed ging, kon hij er goed van leven.

Een meisje peddelde langs met een kleine levende krokodil in haar prauw, die ze op de boot ging verkopen. De wind veranderde van richting en voerde de stank van palmolie aan, en de toeter van de boot riep ons terug.

En nu zagen we daar de voortbrengselen van het oerwoud te koop; vis was schaarser en daardoor duurder geworden. Tijdens onze tussenstop in Mombongo brachten mannen (dode) rode en grijze apen aan boord die ze meedroegen aan de staart die om hun nek was gebonden; prauwen kwamen aangepeddeld met wilde varkens en antilopen. Op de voorplecht van de rivierboot huisden inmiddels tamme varkens en geiten; overal in de doorgangen stonden kooien met kippen. Jongens liepen rond met stekelvarkens in kooien; van hun stekels ontdaan waren ze uitstekend geschikt om te braden. De oude Jacques kocht een stuk gerookt zwijnsvlees (het leek op een brok steenkool) en vlak bij het scheepskantoor had hij een krokodil met dichtgebonden bek vastgelegd, een beest van ruim een meter dat te gelegener tijd geslacht en opgegeten zou worden.

Ik stond die krokodil te bewonderen toen er een lading centimeterlange wriemelende maden over me werd uitgestort. Op het dek boven me waren handelaars bezig van de vis die ze gezouten hadden de maden af te schudden. Door de kieren in het dak van het scheepskantoor vielen er maden op Jeans bed; hij veegde ze eraf en stompte erop los, zodat er een witgroene derrie van overbleef. Niet dat hij ervan walgde, hij wilde alleen geen rommel op zijn bed.

Party Naked en zijn moeder waren ergens in de buurt van Bumba van de boot gegaan. Waar ze voor mijn deur gebivakkeerd hadden lag nu een anderhalve meter hoge berg viskorven opgestapeld – en een bijbehorende wriemelende madenpoel.

'*Mayee! Trois mètres septante-cinq! Mayee! Trois mètres cinquante!*'

De volgende avond en nacht was de oude man die vanaf de *pousseur* de dieptepeilingen verrichtte, voortdurend in de weer met zijn stok, die hij in steeds ondieper water neerliet. Hierbij moest hij keer op keer naar zijn strooien hoed grijpen, die door het voor zijn arbeid noodzakelijke buigen van zijn grijze hoofd dreigde te glijden. Zijn schrille kreten stegen klagerig uit boven het ritmisch dreunende getjoek van de motoren.

De handelaars waren de hele dag aan het mopperen geweest. Ze hadden honger, want na Bumba hadden ze nauwelijks nog verse vis kunnen kopen (de gerookte vis in de korven raakten ze niet aan, die was uitsluitend voor de verkoop bestemd). Om hun aandacht van hun rammelende maag af te leiden waren velen aan het dammen geslagen; de borden krasten ze met hun mes in het roestige dek en als stenen gebruikten ze Primus-bierdopjes – de bovenkant diende als zwart, de onderkant als wit.

Desi kwam mokkend bij me langs in mijn hut. 'Er is niets te eten. Er komt nu geen visser meer aan boord.' Ik gaf hem spullen uit mijn voorraad om voor ons allebei eten te maken.

'*Mayee! Deux mètres septante-cinq! Mayee! Deux mètres cinquante! Hooa! Un mètre vingt-cinq! Hooa! Un mètre...*'

De peilstok van de oude man bleef steken en boog door, zodat hij achterwaarts tegen de wand van de scheepsopbouw werd geworpen. De boot schokte, slingerde heen en weer en schokte opnieuw. Ik greep me aan de reling vast, maar veel anderen buitelden met zwaaiende ledematen over hun koopwaar heen. De motor brulde en sputterde, al springend over kookpotten en zakken zout snelden bemanningsleden naar de *pousseur*. Het licht van de schijnwerper aan de achtersteven viel op woest bewegende wolken zand in het water achter de schroeven.

We waren met zo'n dreun aan de grond gelopen dat een van de roeren was afgebroken en een van de motoren was uitgevallen.

Ik voelde me uitgeput. Na bijna drie weken in de hitte, de herrie en de drukte op het schip leek het of al mijn levenskracht uit me was weggezogen. Nze zei dat dit een ernstig ongeluk was dat ons ten minste drie dagen vertraging zou opleveren. We waren al een week te laat; de bewering van de kolonel dat onze reis twee weken in beslag zou nemen was allang vergeten. Ik had op dat moment zin om te gillen.

Boven het oerwoud in het zuiden flitste de bliksem, aanvankelijk zonder geluid, maar naderhand vergezeld van het gerommel van de donder. Het warme Kongowater stroomde in een rimpelende v om onze bewegingloze boeg heen. Er was op het moment niets dat we konden doen, zei Nze.

De kolonel riep de bemanning in vergadering bijeen achter zijn hut. De kapitein was er, en Nze, Roger en de andere machinisten waren er. En Desi en ik waren er ook bij. Om te beginnen foeterde de kolonel hen uit vanwege de extra dag die ze onderweg aan het lossen van vracht hadden besteed. Hoofden bogen zich van schaamte.

Toen kreeg de stem van de kolonel het sissend nasale dat ik voor het eerst had gehoord op zijn kantoor in Kinshasa. 'Zo, Nze. Nu wil ik van jou horen wat je van plan bent aan het gebroken roer te gaan doen.'

Al was het onderwerp scheepsroeren, kettingen en gebroken metaal, Nze, die was opgestaan, sprak er vol passie over en besloot zijn betoog als volgt: 'Alleen een driedaagse stop in Lokutu voor een gedegen reparatie kan ons redden. Alleen daar ligt de oplossing voor deze ramp.'

De kapitein was het eens met zijn voorstel: drie dagen in Lokutu vormden de oplossing voor alles. Het leek een bekeken zaak: het roer was gebroken, en in Lokutu moest een nieuw roer worden aangeschaft en gemonteerd.

De kolonel leunde achterover in zijn stoel zonder iets te zeggen, en keek naar de bemanningsleden die naar voren geleund zaten. Toen gingen alle hoofden omlaag; het zwijgen van de kolonel gaf aan dat Nze met kletskoek was komen aanzetten, die geen reactie waard was.

Nze richtte zijn hoofd op. 'Uhhh, als we nu eens gewoon naar Lokutu gingen om een nieuw roe...'

'Ik heb een heel fortuin – zesendertigduizend dollar om precies te zijn – in de handelswaar op mijn boot gestoken,' onderbrak de kolonel hem. 'Ik ben niet van plan om zesendertigduizend dollar op het spel te zetten voor een roer van duizend dollar. Het doel van deze reis is winst maken. Ik ben hier bij jullie om te zien hoe jullie je werk doen en wie er hier beslissingen neemt. Maar nu moet ik constateren dat niemand van jullie in staat is de juiste beslissingen te nemen. Ik zal in Kinshasa wel bepalen wie van jullie bij mijn onderneming kan blijven werken en wie er weg moeten. Jullie taak is – ik heb het al eerder gezegd en nu zeg ik het nog een keer – jullie taak is te zorgen dat de lading van Kinshasa via de rivier Kisangani bereikt, met één roer of met twee: het maakt niet uit hoe je het doet. Uitvluchten en smoesjes spekken mijn bankrekening niet.'

Hij zweeg. De hoofden bleven gebogen.

Nze wilde iets gaan zeggen, maar de kolonel snoerde hem de mond. 'Ik had toch mogen verwachten dat in ieder geval één van jullie zou snappen wat het doel is van deze reis.' Hij stond op en ging terug naar zijn hut, zonder zich over de reparatie van het roer te hebben uitgesproken. Motten, cicaden en reuzenkevers dansten verwoed rond de halogeenlamp en vleermuizen doken ertussenin om zich te goed te doen.

Wanhopig gestemd trok ik me terug op mijn plekje boven de brug. Een volle maan scheen tussen de wolken boven de boomsilhouetten op de verre oever door en kleurde het water eronder oranje. Desondanks begon het die nacht te regenen, eerst zachtjes en bescheiden, maar vervolgens in hete, striemende stromen. Ik graaide mijn muskietennet bijeen en trok me terug onder de overkapping onder de brug. Tot aan het ochtendgloren keek ik hoe de bliksem de rivier om ons heen verlichtte, een rivier zo uitgestrekt als de zee, en kromp ineen bij de knetterende flitsen die het speciaal op ons op het open water dobberende schip leken te hebben gemunt.

De volgende ochtend maakte de *pousseur* zich los van de rivierboot en tufte in een wijde boog over de rivier, in de stille koele ochtendlucht zo glad als een spiegel met een paarlemoeren tint. Hij voer achteruit op een zandbank af en hield daar halt. Ik hoorde dat een van de bemanningsleden nu onder het scheepje moest duiken om het loshangende roer naar de oppervlakte te brengen. Onder de bemanning barstte in het Lingala gekrakeel los over de vraag wie zou moeten worden aangewezen voor deze klus; Desi vertaalde alles voor me. De grootste angst was dat 'vijanden' van de man onder water – en de een na de ander verklaarde vijanden te hebben – de vorm van een krokodil zouden aannemen en hem tijdens het werk zouden aanvallen en doden. Niemand wilde dat risico nemen.

Ik vroeg Desi of hij hierin geloofde.

'Het is waar. Een tovenaar met de juiste fetisj kan op iedereen die hij wil doden een krokodil of nijlpaard afsturen. Mannen met een zwangere vrouw zijn het kwetsbaarst.'

Het geruzie hield aan.

Desi deed een stap naar voren. 'Ik doe het wel!'

Er viel een verbijsterde stilte. Desi trok zijn overhemd uit en de bemanning ging voor hem opzij. Hij sprong in het groene water, dat tot zijn middel reikte, haalde diep adem en ging met een plons kopje-onder.

Tien seconden verstreken. Twintig. Dertig. Nog steeds geen spoor van hem. Na vijfenveertig seconden hoorden we geschraap onder het dek. Na vijfenvijftig seconden verschenen er luchtbellen aan de oppervlakte. In een spetterende explosie van proesten en naar lucht happen en druipend kroeshaar stak Desi zijn hoofd en een bruine schouder boven het water uit, maar de rest bleef onder het oppervlak. Twee andere bemanningsleden sprongen nu ook het water in; samen brachten ze het beschadigde oranje roer naar boven. Een uur later was het niet-beschadigde roer achter de motor die nog werkte geplaatst.

Desi klom weer aan boord. 'Dit is een moedige knaap,' zei de kolonel, en liet zijn hand met een harde klets op Desi's natte schouder neerkomen. Desi keek naar zijn voeten. 'Niemand riskeert het gevaar van krokodillen, maar deze jongen wel. Heel moedig.'

We voeren terug naar de grote boot, werden er weer aan vastgelegd, draaiden bij en stoomden weer op in de richting van een horizon met donkere wolken, langs rijen bomen met brede kruinen zo hoog als torenflats, die als jaloerse wachtposten de toegang tot de wildernis bewaakten. De rivier was hier smal, de oevers waren hier hoog. De palmen op de kant hadden plaats gemaakt voor majestueuze gombomen, torenhoge teakbomem en tamarinden; het oerwoud was hier min of meer solide: veel dichter dan we de voorgaande vijftienhonderd kilometer hadden gezien.

We kwamen in de buurt van een zanderige oever. Dorpelingen, voornamelijk in lompen gehulde jongemannen, kwamen schreeuwend en gillend uit hun hut gerend, sprongen in hun prauw en peddelden als gekken naar ons toe. De chef beveiliging blies ter waarschuwing op zijn fluitje. De kolonel verscheen op de brug met de M-16 in zijn hand. De dorpelingen hieven een oorlogskreet aan, althans zo klonk het, en de chef schreeuwde hun toe niet aan te leggen, wat sommigen toch probeerden. Hierop hief de kolonel zijn geweer en begon in de lucht te vuren, waarop de dorpelingen de boot met rust lieten; een van de prauwen sloeg om in het wild kolkende kielzog dat onze enige motor teweegbracht.

'Het is hier gevaarlijk,' zei de kolonel. 'Die lui zijn kannibalen. Als ze jou zien zeggen ze: Hoei, het vlees van de *mondele* smaakt als suiker!' Hij begon bulderend te lachen, zoals altijd wanneer hij deze opmerking plaatste. Toen klonk zijn stem weer gewoon. 'Dit is een gevaarlijk gebied vol rovers en moordenaars. Diep in de jungle zijn niet alleen de dieren maar ook de mensen wild. Je moet een soldaat meenemen, of misschien wel twee. Anders hakken ze je in stukken en word je gerookt, net als een aap. Ha-ha-*haa*!'

De volgende dag rond het middaguur, op zeventienhonderd vijfenveertig kilometer afstand van Kinshasa en eenentwintig dagen na ons vertrek, legden we, terwijl de rook uit onze machinekamer omhoogwalmde, aan in Kisangani. Verderop, net voorbij de volgende bocht in de rivier, waren de Boyoma-watervallen die verder varen op de rivier onmogelijk maakten.

De kooplui klaagden weliswaar dat de zaken tijdens de overtocht niet al te best waren gegaan en dat ze nauwelijks quitte zouden spelen, maar liepen niettemin te lachen en geintjes te maken terwijl ze hun gerookte vis en wild uit het oerwoud de loopplank af zeulden.

Vergezeld van Desi ging ik aan land, versuft van vermoeidheid en gedesoriënteerd. We volgden de handelaren de boot af en begonnen aan de klim richting Avenue Mobutu met zijn op posters aangeprezen hotels en diamanthandelaren, terwijl de klokken van de grote witte stadskathedraal het lawaai van de mensenmassa's overstemden.

Deze reis was achter de rug, en weldra zou de volgende beginnen.

Bij het naderen van Kisangani (op de voorgrond wappert de Zaïrese vlag)

Kisangani

KISANGANI, EEN KLEINE VIJFTIG KILOMETER TEN NOORDEN van de evenaar gelegen en lange tijd een centrum voor de handel in diamanten, goud, hout en koffie, had veel te lijden gehad van de *pillages* aan het begin van de jaren negentig. De stad bood hier en daar dezelfde vervallen, desolate aanblik die een groot deel van Kinshasa kenmerkte: verroeste kranen langs de rivier; verlaten winkels met vernielde gevels in het centrum; hopen smeulend afval in de buitenwijken. Maar de stad had ook een andere kant: aankomende rivierboten werden begroet door een statige kathedraal met witte muren en een roodbetegeld dak, de voormalige koloniale wijk ademde nog onmiskenbaar een Europese sfeer, en veel inwoners waren aardige mensen die Swahili spraken, afstammelingen van bewoners van het regenwoud dat zich over de vulkanische bergketens uitstrekte tot aan het gebied rond de Grote Meren aan de oostgrens van Zaïre. Toch had Kisangani ook iets dreigends: een stad diep in de jungle, op een plek waar boten niet verder de rivier op konden, een stad waarin zich de fluisteringen van de traditie en van grote tragedies deden voelen. Op deze plek waren de eerste sporen van de oude beschavingen en culturen van Oost-Afrika aangetroffen; hier hadden Arabieren, die vanaf de kust van de Indische Oceaan waren opgerukt, een belangrijk handelsdepot voor de slavernij opgezet; en ten slotte hadden hier ten tijde van de onafhankelijkheidsstrijd de oostelijke opstanden het land in bloed gedrenkt.

Maar voor mij was Kisangani, na mijn bootreis stroomopwaarts via het gebied van de Bangala, een veilige haven, een comfortabel toevluchtsoord (er was stromend water en er was elektriciteit, dat wil zeggen, vaker wel dan niet) waar ik tot rust kon komen en weer krachten kon opdoen. Toen ik van de boot kwam, nam ik een suite in het Zaire Palace Hotel waar ik veertien uur achter elkaar sliep, in zalige overgave aan het zachte bed en de zoemende airconditioning. Maar bij het wakker worden veroorzaakte al dit pas verworven comfort een leegte in mijn binnenste, die meteen daarop werd opgevuld door agitatie en rusteloze energie: ik moest me gereedmaken voor de reis stroomafwaarts.

In zekere zin waren de voorbereidingen al begonnen toen we de haven binnenliepen – met bedrog. De kolonel, Desi en ik achtten het risico dat we vanuit Kisangani over de rivier gevolgd en beroofd zouden worden heel groot; daarom hadden we gezamenlijk bedacht dat niemand precies mocht weten wanneer we wilden vertrekken. Desi verzocht ook aan niemand te vertellen dat hij mijn gids was; hij was bang dat een jaloerse rivaal hem zou betoveren, zodat hij ziek zou worden en ik een andere gids moest zoeken. Dus ik vertelde aan Papa Jacques, Jilly, Jean en de anderen dat ik nog geen gids had uitgekozen en dat ik een week tot tien dagen in Kisangani zou blijven, terwijl ik in werkelijkheid van plan was al na vijf dagen te vertrekken. Dat betekende dat ik geen afscheid zou kunnen nemen van degenen die me door de zwaarste reis van mijn leven hadden heen gesleept.

Om mijn prauw in het oog te kunnen houden sliep Desi nu in mijn oude hut op de boot (die nog ten minste tien dagen in Kisangani zou blijven). De volgende ochtend kwam hij naar het Zaire Palace in een zwarte pantalon met een schoon wit overhemd en een dunne zwarte stropdas. We begonnen aan de eerste van vele speurtochten langs winkels met als doel onze prauw in een drijvende hoorn des overvloeds te veranderen. Die dag en de volgende dagen sloegen we leeftocht in: voorraden zout, suiker, zeep, rijst, spaghetti, spijsolie, tomatenpuree, koffie, thee, blikken knakworst, sardines, erwten en wortelen. We kochten ook verdere benodigdheden: tinnen bestek, potten en pannen, machetes, zaklantaarns en batterijen, houtskool, een groot zeildoek van het Hoge Commissariaat voor de Vluchtelingen van de Verenigde Naties, dekens, een extra peddel, en een muskietennet en schuimrubber matras voor Desi. Hij vroeg om een trainingspak en dat schafte ik ook aan. Toen ik voorstelde om antimuggencrème voor hem te kopen (ik had voor mezelf een afgemeten hoeveelheid meegenomen uit de Verenigde Staten), maakte hij bezwaar – hij had dat spul nog nooit gebruikt – en vroeg in plaats daarvan om een huidverzachtende lotion, een reuzenfles Revlon bodylotion, om precies te zijn. Die kochten we ook. Desi bleek een bedreven en loyaal onderhandelaar; hij dong op alles af en controleerde nauwgezet onze aankopen, daarnaast huurde hij een vijftal dragers om de spullen naar mijn suite te brengen en hield de mannen voortdurend in de gaten.

Tijdens de lunch in het restaurant van het hotel begon ik over de gezondheidsmaatregelen die we voor de reis moesten treffen. Ik zei tegen Desi dat ik niet gewend was aan de tropische omstandigheden en daardoor meer kans had om ziek te worden dan hij, dat het water uit de rivier voor mij waarschijnlijk gevaarlijker was dan voor hem (op de boot had ik het hem gewoon zien drinken) omdat zijn immuunsysteem er al uitgebreid aan was blootgesteld. Daarom was het noodzakelijk dat hij ons eten bereidde met gesteriliseerd water, dat we zouden meenemen in jerrycans, en dat we aten van borden die met gesteriliseerd water waren afgewassen: zo zouden we allebei gezond blijven. Ik zei ook dat ik alle medicijnen zou kopen die hij mogelijkerwijs nodig had en dat ik voor ons vertrek een bezoek aan een arts zou regelen als hij dat wilde. Al deze maatregelen waren zowel voor hem als voor mij van belang, zijn gezondheid was immers noodzakelijk voor mijn veiligheid.

'Prima,' zei hij, en schraapte zijn keel. 'En wat dacht u van... medicijnen... tegen wormen?'

'Heb je wormen dan?'

'Nee... maar... het is wel goed om medicijnen tegen wormen mee te nemen. Gewoon voor het geval dat. Het stikt van de wormen op de rivier.'

'Goed.'

We gingen naar de apotheek waar ik wormenpillen kocht en een extra voorraadje Fansidar, een paardenmiddel tegen malaria. Zoals de meeste mensen die langs de Kongo wonen had Desi in het verleden malaria-aanvallen gehad, die bij tijd en wijle terugkeerden. De Fansidar zou zowel hem als mij van pas kunnen komen. Hij bleek ook nog een tandenborstel, tandpasta, zeep en een handdoek nodig te hebben – op de boot had hij deze zaken van een 'zus' geleend. Ook die schaften we aan.

Het allerbelangrijkste voor onze gezondheid tijdens de reis was echter schoon water. We gingen naar de keuken van het hotel en huurden een koksmaat in om voldoende leidingwater te koken voor onze zeven jerrycans (een voorraad waarmee we het tot Mbandaka konden redden).

Terwijl de koksmaat water kookte, gingen we naar mijn suite om verdere afspraken voor onderweg te maken. We zouden overdag varen om nijlpaarden, krokodillen en obstakels in de rivier te vermijden, en tussen zonsop- en zonsondergang afstanden van tussen de veertig en vijftig kilometer afleggen. In dat tempo zou onze tocht, met voldoende rustpauzes tussendoor, vijfenveertig dagen in beslag nemen (Stanley had er vierenveertig dagen over gedaan); we hadden voldoende voedsel voor twee maanden. Om niet in handen van rovers te vallen zouden we kamperen op afgelegen plekken die vanuit de dorpen niet te zien waren.

Vervolgens haalde ik de navigatiekaarten te voorschijn en probeerde Desi te betrekken in een bespreking van de route. Hij kon ze echter niet lezen en bovendien leek het hem een overbodige inspanning. '*Le bon Dieu* zal over ons lot beslissen. We geven ons over aan de Kongo,' zei hij doodgemoedereerd. 'Als Hij wil dat we op deze tocht sterven, dan sterven we.' Hij was als het ware in een prauw grootgebracht en zou de rivier nooit anders durven benaderen dan met het respect dat een jaloerse god toekomt; hij was gewend eerbied te betonen en was bang voor de hoogmoed die sprak uit een vooropgezet plan. Als er plannen gemaakt moesten worden, was dat mijn pakkie-an. Hij was er om te gidsen: hij kende de rivier en vertrouwde op zijn ogen en zijn gevoel, aan mijn kaarten had hij geen boodschap.

Desi stond op om naar beneden te gaan – hij zou erop toezien dat het keukenpersoneel zijn taak naar behoren volbracht. Toen hij al bijna de deur uit was stond ik ook op. 'Desi, terwijl jij dat doet ga ik even naar de satelliettelefoon' – er was in de stad een Indiër die tegen betaling zijn satelliettelefoon uitleende – 'om de Amerikaanse ambassade te bellen. Ik wil even doorgeven dat je met mij meegaat en dat ze ons in Kinshasa kunnen verwachten.'

Hij bleef staan.

'Op de ambassade moeten ze weten met wie ik reis, snap je? Voor het geval dat er iets gebeurt.'

Hij knikte en liep de deur uit.

Het was spontaan bij me opgekomen om hem dit te vertellen. Ik was niet van plan zo'n telefoontje te plegen: in de watten gelegde diplomaten in Kinshasa waren wel de laatsten van wie ik verwachtte dat zij me op de Kongo kwamen redden. Maar ik wilde Desi het idee geven dat zijn naam ergens geregistreerd stond, alleen maar voor het geval dat; ik wilde hem doen geloven dat er behalve de kolonel nog meer mensen waren – mensen die banden hadden met gevreesde machtige instanties als ambassades en veiligheidsdiensten – die wisten dat hij medeverantwoordelijk was voor mijn veiligheid.

Niettemin ging ik wel naar het satellietkantoor – om Tatjana te bellen. Een uur lang probeerde de Indiase telefonist verbinding te krijgen met Moskou, maar tevergeefs. Hij verloor zijn geduld en zei voortdurend dat ik het verkeerde nummer had opgegeven, wat niet zo was; het leek er eerder op dat de verschillende telefoniesystemen niet op elkaar waren afgestemd of dat er voor een satellietverbinding een code of ander nummer nodig was waarvan ik niet op de hoogte was. Ik droop af, teleurgesteld dat ik Tatjana voor mijn vertrek niet meer zou kunnen spreken.

De volgende dag overhandigde de kolonel me zoals beloofd een *let-*

tre *de recommendation* van de Stafchef van de Militaire Inlichtingendienst van het Kabinet van President Mobutu. Deze was getypt op
gegaufreerd papier met als briefhoofd RÉPUBLIQUE DU ZAÏRE – PRÉSIDENCE
DE LA RÉPUBLIQUE, boven een afbeelding van een dreigende luipaard vergezeld van twee gekruiste speren, verlangde van alle in aanmerking
komende autoriteiten me *libre passage* toe te staan tijdens mijn tocht
par pirogue over de rivier van Kisangani naar Kinshasa en verleende
me het recht op een militair escorte. Ik besloot echter in Kisangani
geen soldaat in te huren. Als ik dat deed, zou hij anderen kunnen in-
lichten over ons vertrek, terwijl het stuk rivier vanhier naar Lisala niet
zo gevaarlijk was dat ik hem nodig zou hebben (het was voor het
grootste deel het gebied van de Lokele en volgens Desi volkomen veilig) – het betekende dus alleen maar nodeloos extra risico. We konden met een soldaat beter wachten tot Lisala, want van daaraf zouden we zeker gewapende begeleiding nodig hebben om op de etappe
naar Mbandaka het gebied van de Bangala en Ngombe te passeren.
Tot Lisala zouden we het moeten stellen met een vuurwapen dat Desi
beloofde te kopen in Lokutu, een paar dagreizen stroomafwaarts.

De tijd ging heel snel in Kisangani, maar we slaagden erin alle in-
kopen en voorbereidingen volgens schema af te werken. Op een dag
had ik Desi de rest van de middag vrijaf gegeven en liep ik alleen over
de Avenue Mobutu, toen een Zaïrees me bij mijn mouw pakte.
'*Mondele*, u zou iemand van uw eigen soort hier moeten ontmoeten.
In die winkel.'

Aan een winkelpui hing een bord met het opschrift: DIAMAN-
TEN. Binnen stonden, op enige afstand van elkaar, een stuk of vijf
chic geklede jonge Zaïrezen. Een blanke man van een jaar of vijfenveertig kwam met een getergde uitdrukking op zijn gezicht uit de
ruimte achter de winkel, plaatste een juweliersloep voor zijn oog en
nam plaats achter de toonbank. Ik liep naar hem toe en groette,
waarop hij me met uitbundig enthousiasme verwelkomde. Hij stelde
zich voor als Roger, Amerikaan van Libanese afkomst, en vroeg me
te gaan zitten.

De Zaïrezen kwamen allemaal dicht om de toonbank heen staan. Het waren tussenhandelaars die via geheime weggetjes de wildernis in gingen om van prospectors op geïsoleerde vindplaatsen langs afgelegen rivierkreken diamanten te kopen – voor het merendeel industriediamanten. 'Ik heb deze steen,' zei een van hen terwijl hij iets dat leek op een brok gebroken glas ter grootte van een kiezelsteen uit zijn zak haalde. Roger pakte hem aan, bekeek hem door zijn loep en noemde een bedrag. De Zaïrees grijnsde schamper en noemde een hoger bedrag. Roger trok op zijn beurt een spottend gezicht, maar verhoogde wel zijn bod. De Zaïrees lachte en kwam hem enigszins tegemoet. Uiteindelijk werden ze het eens. De steen werd omgeruild voor geld. De volgende!

Roger, die een vergelijkbaar diamanthandeltje had gehad in Liberia, deed hier goede zaken, al liet hij zich niet uit over zijn precieze klantenkring, waar ik hem ook niet naar vroeg. Het was wel een handel waarbij het er soms ruig aan toe ging. Er ging veel geld in om en de risico's waren niet gering; Zaïrese overheidsdienaren vroegen aanhoudend om smeergeld (wat af en toe vergezeld ging van fysieke bedreigingen of zelfs lijfelijk geweld). Later kwam er een Zaïrees de winkel in met een steen in zijn uitgestrekte hand. Roger keek er niet eens naar en liet de man de winkel uitzetten. Het was een tussenhandelaar die ooit binnen was gekomen met een steen waarop Roger een bod had gedaan; dat had hij afgewezen want het was hem er alleen om te doen de waarde aan de weet te komen. 'Ik ben er niet om gratis informatie te verstrekken,' zei Roger, 'en dat weet die kerel donders goed. Hij komt mijn winkel niet meer in.'

Roger bereidde me een heel plezierige avond; hij nodigde me uit om met hem te eten in restaurant Hawaii en nam me toen mee naar huis om zijn vrouw te ontmoeten. Hij vond het prettig wonen in Kisangani, ondanks de corruptie en het altijd loerende gevaar van nieuwe *pillages*. Over die *pillages* maakte hij zich nog de minste zorgen: hij kwam oorspronkelijk uit een dorpje in het destijds door Israël bezette zuidelijke deel van Libanon en was gewend aan geweld.

Op mijn laatste avond in Kisangani stelde Roger me voor aan andere diamanthandelaren van buitenlandse komaf in een luxueuze villa in een buitenwijk. (De meeste expats die nog in deze stad woonden waren diamanthandelaren en geestelijken, plus een oude geilaard van twijfelachtige nationaliteit die optrad als consul voor verschillende westerse landen.) De handelaren luisterden naar mijn plannen om de rivier af te zakken. Ze vertelden over twee Engelsen die een paar jaar geleden ook aan zo'n tocht waren begonnen. Ze weerstonden stormen en kwamen veilig door het 'abattoir' tussen Lisala en Mbandaka, maar op een nacht werden ze in de buurt van de evenaar overvaren door een rivierboot – ze brachten het er levend af, maar waren al hun spullen kwijt. Een andere Engelsman was op een rivierboot aan malaria gestorven, vlak voor aankomst in Kisangani. Deze verhalen, gevoegd bij de verslagen die ik over de in mootjes gehakte Belgen en de gekapseisde Amerikanen van het Peace Corps had gehoord, vormden een verrijking voor de kroniek van dood en mislukking waarover ik in mijn laatste uren zou kunnen nadenken.

Roger en de anderen waagden zich nooit op de rivier; hun handel in de stad was al riskant genoeg. 'Voor zover ik het kan bekijken,' zei Roger tegen me, 'zijn het ziekte en de weersomstandigheden waaraan je je grootste vijanden zult hebben. Als je te grazen wordt genomen, is het waarschijnlijk door storm of malaria. Ik denk overigens niet dat je zoveel pech zult hebben als die Italianen.'

'Wat voor Italianen?'

'Er zijn acht Italianen vermoord in Goma [een stad in het oosten, aan de grens met Rwanda]. Dat was zopas te horen op de BBC. Misschien vermoord door Rwandese vluchtelingen, of anders door Zaïrese militairen; dat weten ze nog niet. Behoorlijk gruwelijk allemaal. Je moet onderweg heel erg uitkijken voor militairen. Die zijn volledig losgeslagen.'

Na het eten gingen we langs zijn winkel, waar hij vierhonderd dollar voor me omwisselde in zaïres. Hij bood zelfs aan Tatjana voor me te bellen en dus schreef ik een boodschap in het Russisch, fonetisch in Romeinse letters gespeld, die hij aan haar kon voorlezen om te melden dat ik het goed maakte. Daarna liep hij over Avenue Mobutu met me mee tot de afslag naar mijn hotel.

Hij stak zijn hand uit. 'Nou, beste vriend, veel geluk. Je zult het nodig hebben.'

Ik schudde hem de hand en weg was hij.

Ons afscheid was losjes, maar ik bleef achter met mijn angst, die ik in zijn praatgrage gezelschap had kunnen onderdrukken. Morgen zou het allemaal beginnen. Ik voelde me plotseling wankelen op mijn benen en misselijk (ongetwijfeld door de zenuwen) en liep zo het donkere verlaten weggetje naar het Zaire Palace in. Het was ondraaglijk vochtig en heet geworden, een teken dat er regen op komst was; het bracht me in herinnering dat de seizoenen aan de evenaar verschillen van die in Kinshasa: een droog seizoen bestaat er niet. Een volle maan hing achter een waas van mist, aan de rivier kwaakten kikkers in koor, motten vlogen in mijn gezicht en in het gras bij mijn voeten glibberde het een en ander rond.

In mijn kamer controleerde ik voor de allerlaatste keer onze proviand en andere spullen. Desi kwam langs om te vertellen dat hij een taxi had besteld die ons de volgende ochtend om vier uur zou komen halen. Ons plan was om onder dekking van de duisternis uit Kisangani te verdwijnen. Hij wenste me *bonne nuit* en vertrok naar de boot.

Er werd nogmaals op mijn deur geklopt. Het was de kolonel. Zijn gezicht stond ernstig. 'Speel geen spelletje met je veiligheid. Huur een soldaat.' Hij keek me diep in de ogen. Toen deed hij een stap naar voren en omhelsde me stevig, waarna hij me *bon voyage* wenste en de deur uit liep.

Ik sloot de deur en leunde tegen de muur; ik voelde mijn hart tekeergaan. Ik stond zelfs te trillen. De kolonel mocht dan onder één hoedje spelen met Mobutu, hij had me geholpen en bescherming geboden. Hij had me behandeld als een zoon; hij was eerlijk tegenover me geweest; hij had niets in ruil gevraagd, helemaal niets. Tijdens de lange reis stroomopwaarts had ik gemerkt dat alleen hij (en Nze) me zonder huichelarij bejegende, zonder bijbedoelingen;

en hij was ook de enige die niet alleen de gevaren van mijn onderneming onderkende, maar ook zijn best deed om praktische oplos-
singen te bedenken om die te overwinnen. En nu zou ik zonder hem
verder moeten.

De airconditioning zoemde. Boven mijn hoofd hing een schilde-
rij van Zwitserse Alpen met sneeuw op de toppen, dennenbomen en
een meer met dezelfde turkooizen tint als de lucht. Terwijl ik onder
de lakens lag dacht ik: *Daar hoor ik thuis!* Plotseling verlangde ik hevig naar een dergelijk landschap, alsof de Alpen werkelijk mijn thuis
waren.

Maar ik verdreef die gedachte. Eerlijk gezegd was ik bang om ook
maar een ogenblik te overwegen mijn tocht af te blazen: dan zou
mijn wilskracht het weleens kunnen begeven, ik zou overweldigd
kunnen worden door mijn herinneringen aan Tatjana en volledig
kunnen instorten. Ik had Rusland uit wanhoop verlaten, met de be-
reidheid mijn leven te riskeren om een geheel nieuw mens te worden, en ik mocht dat nu niet vergeten en terugkrabbelen.

Ik sprong uit bed, pakte mijn kaarten en spreidde ze over de hele
vloer uit. Ik had net een tocht van drie weken over de rivier achter de
rug, maar ik dacht dat ik er ter vertroosting misschien iets nieuws
in zou kunnen ontdekken. Bij Kisangani was de Kongo smal, maar
voorbij Baulo begon hij breder te worden. Voorbij Yangambi werden
de eilandjes steeds talrijker, tot het er spoedig honderden waren: een
afschrikwekkende doolhof. Vlak bij de plaats waar de Aruwimi zich
bij de Kongo voegde, verbreedde de rivier zich opnieuw, tot hij van
oever tot oever wel zo'n zeventien kilometer mat, vol eilandjes en
claustrofobische doorgangen; de ene rivier na de andere – de
Mongala, de Lulonga, de Ikelemba enzovoorts enzovoorts –
stroomde erin uit, droeg bij aan zijn kracht en vergrootte zijn vo-
lume. Mbandaka en de evenaar lagen een oneindig eind, een onein-
dige reeks dagelijkse zwoegpartijen en gevaren verder. Voorbij
Mbandaka weken de oevers zelfs nog verder uiteen, tot ze ruim
tweeëntwintig kilometer van elkaar verwijderd waren. Daarna ver-
smalde de rivier zich tot de Chenal en raasde als een woeste stroom

voort tot voorbij Kinshasa. Ik volgde de gehele route op papier en probeerde me voor te stellen wat ik zou zien en hoe ik me zou voelen als ik in een prauw langs al die plaatsen kwam, terwijl ik me probeerde te herinneren wat ik al gezien en gevoeld had toen ik van de andere kant was gekomen. Een golf van duizelingwekkende paniek sloeg door me heen: het was alsof ik me helemaal niets meer kon herinneren.

De stroomvoorziening begaf het en alle lampen en de airconditioning gingen uit.

Ik legde de kaarten weg en probeerde in slaap te komen, maar het lukte niet. Ik lag angstig naar het plafond te turen, voelde via de ramen de hitte binnensluipen, hoorde het gesjirp van krekels en de bizarre kreten van nachtvogels.

Ik begon te zweten. Mijn voorgevoel zei me dat ik het ging opnemen tegen krachten waartegen noch mijn motivatie, noch mijn kaarten en nauwgezette plannen iets konden uitrichten. De mensen aan de Kongo overleefden door op elkaar te kruipen, op de rivierboten of in de dorpen; en nu gingen Desi en ik de confrontatie met de rivier in ons eentje aan.

De minutenwijzer op mijn horloge tikte traag in het rond en het uur van vertrek, nog voor het ochtendkrieken, kwam nader en nader. Ik probeerde me voor te stellen waar ik een dag later zou zijn, maar dat lukte niet.

Ik pakte de roman *Brazil* van John Updike, waarin ik na de bootreis was begonnen. De eerste regel die ik bescheen luidde: 'Geloof is noodzakelijk. Anders sta je voor te veel beslissingen, die stuk voor stuk van te groot belang lijken.'

Maar als het geloof nu eens ontbrak? Als je nu eens nergens in geloofde?

Ik viel in slaap.

Desi op de rivier

Alleen op de rivier

ALS WELLUIDEND AFSCHEID VAN EEN WERELD DIE WE
gingen verlaten drongen de klokken van de kathedraal van Kisangani
vanuit het duister tot ons door toen we loskwamen van de kant en
de boeg van onze prauw een bleekgrijze v in de indigokleurige rivier
trok. Zweet liep mijn ogen in, doorweekte mijn overhemd en maakte
uitdijende verkleuringen in mijn katoenen broek ter hoogte van mijn
dijen. De klokken sloegen een vijfde keer. Het geklingel trilde even
na en stierf toen weg, zodat we alleen nog het zwiepen van onze peddels hoorden terwijl onze boeg geluidloos de nevelen boven de
zwarte Kongostromingen uiteendreef.

We hadden het hotel iets na vier uur in de ochtend verlaten. De
'taxi' die Desi besteld had, bleek een *pousse* te zijn – een kar op twee
wielen, voortgeduwd door een afgeleefde, piepend hijgende oude
man op blote voeten. Na een tocht van een halfuur, vergezeld van
veel gekraak en het licht van zaklantaarns over de roodbestofte weg,
kwamen we aan op een verlaten open plek aan de rivier die onder de
kathedraal gelegen was. Daar hielden we halt.

'Ik ga de prauw halen,' fluisterde Desi.

Hij sloop in stroomopwaartse richting over de oever naar de rivierboot waaraan onze prauw lag aangemeerd, bukkend en de duis-
terste plekken opzoekend om uit het licht van de haven te blijven. Ik
bleef staan wachten naast de oude man en luisterde naar het roche-
len van zijn aangetaste longen dat boven het sissend stromen van de
rivier uitkwam. De bliksem flitste geluidloos, onthulde de gar-
gouilleachtige silhouetten van reusachtige bomen aan de overkant

en verlichtte spoken van nevel die boven het inktzwarte water zwierven.

Weldra klonk het zachte geluid van een peddel en toen, van achteren beschenen door de havenlichten, verschenen de omtrekken van een man die een prauw voortroeide. Desi. Vlak bij de kant stapte hij uit en de prauw schuurde over het zand; ik greep de boegketting en trok het vaartuig half de kant op. In stilte brachten we onze spullen van de *pousse* over naar de kano, onze zaklantaarns dovend toen we op de weg boven ons iemand zagen lopen. Ik betaalde de oude man en hij liet ons alleen, piepend terwijl hij zich geweldig inspande om zijn kar de helling van de oever op te krijgen.

Desi en ik keken naar elkaar en toen naar de rivier. Bijna achttienhonderd kilometer scheidden ons van Kinshasa... Mijn hart bonkte en zweet prikte in mijn ogen. Met zijn handen omhoog begon Desi, zijn ogen op het duister voor zich gevestigd, een gebed te prevelen, een aanroeping in het Lingala doorspekt met de Franse woorden voor 'verlossing', 'genade' en 'God, ontferm u'. Ik boog mijn hoofd – ik had mijn hele leven nog niet gebeden, maar nu deed ik het wel, dat wil zeggen, ik luisterde naar Desi's gebed. Hij sloot het af. We bleven nog een ogenblik staan, als wachtten we tot de woorden zouden gaan werken. Toen pakten we onze peddels, klommen aan boord – ik voorin, Desi achterin – en duwden af.

Tegen de tijd dat de klokken van de kathedraal opnieuw wegstierven waren we op weg naar het midden van de rivier. Zittend liet ik de peddel steeds opnieuw in het water plonzen om vervolgens een trekkende beweging te maken: plons, trek, plons, trek; de peddel lag zwaar in mijn handen. De prauw was log en niet erg wendbaar en vereiste een ervaren stuurman – wat Desi ook was. De lucht was volkomen bewegingloos en zwaar van het vocht en ademhalen viel niet mee; de mist, die als stoom van de rivier af sloeg, baadde ons in klamme hitte.

Weldra was Kisangani achter de bocht in de rivier verdwenen en de hemel verbleekte nu de dageraad naderde. We kwamen terecht in

snelstromend water dat ons langs de oever van een eiland met overhangende bomen voerde – Île Bertha. Onder het glasachtige oppervlak borrelden vissen. Het oerwoud ontwaakte: het weerklonk van
gekir en gekras, gehuil en geschreeuw. Voor ons onzichtbare apen
scharrelden krijsend rond en maakten de takken boven ons hoofd
aan het schudden. Flamingo's stoven uiteen en vlogen op, hun roze
gefladder stak fel af tegen het donkergroen van het woud; visarenden cirkelden hoog boven ons rond en maakten zweefvluchten, het
lichter wordende luchtruim delend met zilverreigers. In het struikgewas langs de kant kwamen ijsvogels tot leven; ze doken de rivier
in om er klapwiekend en druipend weer uit te komen met kleine vis-
jes in hun snavel.

We lieten onze peddels in de stroom plonzen en trokken ons voort
– plons, trek – wachtend tot de zon door de wolken zou breken.

Dat gebeurde niet. Later die ochtend, terwijl we meegevoerd door
de stroom op een meter of vijftig afstand van de oever voortgleden,
hield ik even op met peddelen om te rusten; ik keek naar achteren,
om te zien of Desi al opschoot met thee zetten op de bambula. Ik
schrok hevig. Achter hem, in het oosten, was de hemel overdekt met
kolkende zwarte wolken, die met staalgrijze regengordijnen in hun
kielzog op ons afstormden.

'Desi!'

Hij keek over zijn schouder en richtte zijn aandacht toen weer op
de theepot. 'Die komen onze kant niet uit.'

Maar dat deden ze wel. Enkele minuten later werden we overvallen door windvlagen die huilend om ons heen gierden, de boeg een
andere kant uit joegen en ons naar het midden van de rivier dreigden te blazen, terwijl ze ons bestookten met afgerukte bladeren en
twijgen uit het woud; ze joegen woeste golven op met vlokkend
schuim dat ons verblindde. De golven beukten tegen de prauw en
we grepen onze peddels en begonnen verwoed te roeien. We waren
nog een meter of tien van de oever af toen de regen toesloeg.

'Spring eruit!' schreeuwde Desi. 'Springen!'

We sprongen gelijktijdig uit de prauw met de razende storm om ons heen. Ik had het boegtouw in mijn hand en mijn ellebooggewricht kreeg een flinke opdonder toen ik in het kolkende bruine water plonsde, maar toen ik mijn evenwicht hervond bleek dat het water maar tot mijn middel reikte. Ik moest mijn best doen om in de bijna horizontaal neerplenzende regen mijn ogen open te houden. Desi duwde aan de achterkant en ik trok, terwijl de stroming en het glibberige bodemslib in het ondiepe water ons weinig houvast gunden. Binnen tien minuten bevonden we ons in een inham met de vorm van een flessenhals, waar we worstelden om ons blauwe zeildoek over onze proviand te slaan, die nog wel droog was door de plastic zakken die eromheen zaten, maar die verder nauwelijks was afgedekt. Bevend bleven we onder onze parasols zitten kijken naar het wit kolkende rivierwater en de zwart razende hemel.

Een halfuur later ging de storm liggen, met achterlating van een lage bewolking en een stilte waarin alleen het druppelen van water van blad op blad hoorbaar was en het gegorgel van nieuw-ontstane stroompjes die de oever afliepen. De lucht was klam en kil en muskieten hieven hun zeurderige gezoem aan. Na zijn parasol te hebben dichtgevouwen pakte Desi een plastic schep en begon het regenwater dat op de bodem van de prauw rondklotste eruit te scheppen.

'We hebben bamboe nodig,' zei hij.

We trokken de prauw weer terug de rivier in en roeiden door. Iets verder stroomafwaarts maakte Desi een hoofdbeweging in de richting van het woud, dat hier hoog boven het water oprees vanaf een met wortels bedekte klif van okerkleurige klei. 'Daar!' We legden aan. Hij pakte zijn machete en klom langs de wortels omhoog het bos in. Ergens verscholen achter varens en in lussen afhangende klimplanten was een bamboebosje.

Desi kwam terug met een stuk of vijf, zes holle, buigzame bamboestengels, elk zo'n drie meter lang en driekwart decimeter dik. We haalden onze proviand uit de prauw en hij toog aan het werk; hij hakte de bamboe in stukken van een meter die hij in rijen in het midden van het vaartuig legde. Hierop legden we onze voorraden – op deze manier zouden ze boven het water op de bodem blijven uitsteken. We verpakten sommige dingen ook op een andere, praktischere manier zodat we comfortabeler konden reizen. Desi zat achter in de prauw, met de *bambula*, de houtskool, de kookspullen, de jerrycans met water, de schuimrubber matrasjes en nog andere spullen en voorraden voor zich. Hieroverheen drapeerden we het zeildoek. Vlak achter mijn rieten zitplaats zetten we mijn rugzak en allebei hadden we een emmer bij onze voeten staan met machetes en parasols erin. Op deze manier konden we bij alles wat we nodig hadden, bleef alles droog en hadden we nog beenruimte over ook.

Terwijl Desi de laatste stukken bamboe hakte, hoorden we de weerkaatsing van een vaag tjoeketjoek-geluid, het verre gemurmel van een motor. Hij hield op en we keken speurend de rivier af. Enkele minuten later zagen we een verzameling gammele witte schuiten te voorschijn komen, allemaal bevestigd aan een *pousseur*, stroomopwaarts op weg naar Kisangani en dicht in de buurt van de andere oever varend.

'De *Colonel Ebeya!*' zei Desi. 'Die heeft in *jaren* niet gevaren.'

Toen de *Ebeya* achter het oerwoud verdwenen was, voeren we weer verder. Terwijl we over de rivier dreven, begon Desi van tomaten, rijst, vlees uit blik en pisangs een maaltijd te bereiden, op een in de *bambula* gestookt vuurtje. We bleven in het midden van de rivier; op zo'n afstand zouden de inzittenden van dicht bij de oever peddelende prauwen die we af en toe tegenkwamen mij vast en zeker niet als *mondele* herkennen, en voorlopig wilde ik dat zo houden. Zo dreven we daar, helemaal alleen op het water, terwijl onze *bambula* de geuren van ons eerste maal aan boord de klamme middaglucht in zond.

Ik merkte dat ik nauwelijks dacht aan dingen buiten mijn onmiddellijke omgeving: al mijn aandacht werd opgeslokt door de bezigheden van het moment – peddelen en kijken naar de rivier. De storm die ons plotseling had overvallen liet geen langdurig spoor van angst

bij me na; er was veel te veel dat nieuw voor me was en de inspanning die het roeien vergde, liet weinig ruimte voor andere gedachten dan die aan de zwaarte van de peddel in mijn hand en de pijn van
het schuren tussen duim en wijsvinger waar ik hem vasthield. Later
bracht de stroming ons dicht bij de oever, waar we op kinderen stuitten die in het ondiepe water aan het baden waren. Toen ze mij zagen grepen grote broers hun kleine broertjes, en grote zussen hun
kleine zusjes vast, en rende het hele stelletje plassend en gillend het
bos in; 'Touri! Touri!' riepen ze. Een jongeman met een gerafelde
bruine korte broek en een nog erger gerafeld bruin shirt aan was
achtergebleven en keek op van het visnet dat hij in zijn handen had.

Ik groette hem vrolijk. '*Mbote! Sango boni?*'

Hij staarde me gebiologeerd aan. Het leek pas langzaam tot hem
door te dringen wat ik voor iemand was. Maar toen het zo ver was,
liet hij zijn net vallen en begon met zijn armen te zwaaien. '*Nazalina
nzala! Ey, Nazalina nzala! Ey, mondele! Ey, le blanc! J'ai faim! Ey! Venez ici!*'

We peddelden door, hem wild gesticulerend op de oever achterlatend.

's Middags klaarde de hemel op tot een zacht en stil azuurblauw, en
uit alle schaduwrijke holten in het bos klonk het lyrisch gekwinke-
leer van zangvogels op. Toen de zon onderging, hadden we ruim
achtenveertig kilometer afgelegd. We zagen een open plek op een
eiland en roeiden erheen. Toen we de prauw op het land trokken,
merkte ik dat de bodem één kleverige brij was, die mijn schoenen
direct van mijn voeten zoog, maar verderop was de grond harder en
droger en geschikt om ons kamp op te slaan. Een eind uit het zicht
vanaf de rivier bevestigde Desi ons UNHCR-zeil op ooghoogte aan
een verzameling boomstronken die een rechthoek vormden, zodat
er een afgeschermde plek ontstond. Hieronder hing hij zijn muskietennet aan een staketsel van takken van ongeveer een meter lengte
die hij rond zijn schuimmatras in de grond had gestoken. Ik zette
mijn tent op onder het zeil, vulde toen een emmer met water en ging
het bos in om me te wassen.

De zon ging om zes uur onder. Mijn hoofd voelde zwaar aan, mijn kleren waren klam. Ik kroop mijn tent in, ritste de ingang dicht en strekte me uit, met een suf een pijnlijk gevoel in mijn lijf. Ons plekje galmde weldra van het schorre gekrijs van duizenden beo-achtige vogels die in het gebladerte vlak boven onze hoofden neerstreken voor de nacht. Toen de vogels stilvielen belegerden muskieten de open plek, in zwermen die de atmosfeer doortrilden van een gezoem als van hoogspanningskabels waar duizend volt op staat.

'Hoe voel jij je, Desi?'

'Beurs. Ik ben niet meer gewend aan peddelen. Het is al een behoorlijke poos geleden.'

Ergens achter ons klonken trommels vanuit een in het woud verscholen dorp. Ze roffelden in een gejaagd tempo en Desi ging onder zijn net overeind zitten. 'Er is iets gebeurd,' zei hij droefgeestig, ingespannen luisterend. 'Ze roepen iemand naar huis. Omdat... omdat... er iemand gestorven is. Die trommels... maken een... sterfgeval bekend.'

De trommels roffelden maar door, klonken toen gedempter, waarna er gezang opsteeg, een spookachtige lijkzang; tussendoor werden er kreten geslaakt. Het maakte me van streek en ik draaide me om in mijn tent om door de opening naar de rivier te kijken. Er scheen geen maan, er was alleen duisternis vervuld van tromgeroffel, gezang en het hoogspanningsgezoem van muskieten, die op de plek waar mijn adem door het gaas naar buiten kwam in een dichte wolk nijdig zoemden en drensden. Ik bedekte me met mijn laken en zakte als gedrogeerd weg in een diepe slaap.

Maar later die nacht wekte het gezang me weer. Vanuit het woud klonk geweeklaag, schril gehuil en gejammer, en Desi zat met lage bezwerende tonen in zichzelf te mompelen. 'Desi, wat is dat?'

'Ze zingen nu boven het lijk.'

Hij zong met hen mee.

Vlak voor zonsopgang klonken er voetstappen in de buurt van onze kampeerplaats, knerpende, springerige voetstappen die takken deden kraken en bladeren ritselen. Ik werd er wakker van en keek ingespannen door het gaas aan de voorkant van mijn tent en het raampje aan de achterkant, maar kon niets onderscheiden. Onze bezoeker, of wat het ook was, trippelde her en der rond, bleef bij onze half gevulde *bambula* staan, onderwierp mijn tent aan een onderzoek, tuurde een tijdje naar Desi en verdween toen het woud in, zonder een spoor achter te laten.

Wie zou ons hierheen gevolgd zijn?

Het vage ochtendlicht besloop ons, mist hing boven de rivier en golfde om onze kampeerplaats. De zon kwam boven de woudrand aan de overkant uit en kleurde de nevel bleek oranje. Terwijl de kleuren opwarmden, begon het gebladerte dauw te lekken; overal in het oerwoud droop, drupte en spette het. Maar toen verscheen de gestalte van een man bij onze prauw.

Desi was wakker. '*Mbote!*' schreeuwde hij.

'*Mbote!*'

De man bleek in de mist verdwaald te zijn en de aanblik van een vreemde prauw had hem nog verder in verwarring gebracht. Hij en Desi kletsten met elkaar terwijl we opbraken. Ik voelde me nog steeds gebroken. Ik at de restjes rijst met vlees van de vorige avond op, waarna we onze boot afduwden en de dorpeling vaarwel zeiden. We lieten ons op de stroom naar de vaargeul voeren, nu en dan onze peddel in het water stekend om de prauw voort te stuwen wanneer de snelheid te veel afnam.

Er klonk geroep van verder op het water: 'Hé-ho! *Mondele!*'

Uit de mist een paar meter voor ons uit doemde een vaartuig met een visser op. Met scheppende bewegingen van zijn peddel draaide hij zijn praam en kwam onze richting uit over de koffiekleurige rivier.

'*Mbote!*'

'*Mbote!*'

De visser, een gespierde vent met een verwaarloosde baard en een ronduit bandieterige oogopslag, bukte zich, pakte een ketting en trok een nijlbaars van ruim een halve meter, goudgetint en stevig, half uit het water omhoog. Desi wilde hem kopen, maar ik weigerde: we hadden nog voor dagen vlees en de vis zou zeker bederven voor we hem op konden krijgen.

De visser liet de nijlbaars weer onder water zakken en trok aan een andere ketting. 'Oké, *mondele*, wat dacht je hier dan van?'

Het water rimpelde en spatte. De visser worstelde met de ketting en verloor bijna zijn evenwicht. Uiteindelijk wist hij een spartelend beest van wel een meter lengte omhoog te trekken – het had meer weg van een zeemonster dan van een vis –; het liet een grauwend geluid horen terwijl het water uit zijn kieuwen spetterde, zijn kakement één grote verzameling scherpe tanden van tegen de drie centimeter lang. 'Wat dacht je van deze mbenga!'

'Nee! Nee!' schreeuwde Desi, zwaaiend met zijn peddel. 'Weg met die mbenga!'

De visser kon de ketting niet meer houden en het monster verdween met een klap weer in de rivier. Desi richtte zich in het Frans tot de man: 'Nou moet je eens goed luisteren. De bewegingen van deze *mondele* worden per satelliet gevolgd en die satelliet kijkt op dit moment ook naar ons. Als hem iets overkomt, zullen ze je krijgen, jou en je dorp erbij.'

De mbenga ging tekeer in het water en bracht de praam aan het schudden. De visser bevond zich nu langszij. Van zo dichtbij zag hij eruit als een echte schurk en terwijl hij langs ons heen dreef keek hij me brutaal in de ogen. 'Denk jij er dan ook maar eens over met wie jíj eigenlijk op pad bent,' zei hij in het Frans tegen Desi met zijn blik strak op mij gericht. 'Wat voor *mondele* is dit? Misschien is hij voor jou wel net zo gevaarlijk als voor mij!' Hij grinnikte en greep zijn peddel. 'Je bent me met *un type* op pad, hoor,' zei hij, '*un vrai type!*'

Nadat hij dat gezegd had loste hij weer op in de mist.

Ik draaide me om naar Desi. 'Wat was er nu eigenlijk aan de hand?'

Desi bleef de mist in turen, als verwachtte hij dat de mbenga-schurk terug zou komen om ons aan te vallen. 'Mbenga's zijn kwaaie

vissen. Als een man in de rivier watert kan er een mbenga uit opspringen en hem zijn ding afbijten. Hij had ons die mbenga niet
moeten laten zien. Als je aan het begin van een reis een mbenga ziet,
betekent dat ongeluk.'
'Maar je zei dat we door een satelliet in de gaten worden gehouden. Waar haal je dat vandaan?'
Hij legde zijn peddel neer. 'Weet u wat de kolonel over u heeft gezegd? Dat u *méchant* bent. Dat u veel talen spreekt en de mensen dus
kwaad kan doen.'
Ik keek naar Desi, geheel perplex. Dat idee van die satelliet had
hij misschien opgedaan toen ik hem in Kisangani wijsmaakte dat ik
via een satelliet ging telefoneren, maar zou de kolonel me echt
méchant genoemd hebben? Ik dacht aan zijn wantrouwende blik toen
ik die Russische letters op zijn horloge had gelezen. Maar *méchant*
drukte meer uit dan alleen wantrouwen: het droeg een echo met zich
mee van Zaïres brute verleden, waarin slavernij en huurlingen zo'n
belangrijke rol speelden, en van de misdaden van boosaardige
Zaïrese soldaten. Overal waar ik kwam werd ik *mondele* genoemd,
maar daarin bespeurde ik geen racisme – het was simpelweg een
aanduiding voor iets wat opviel en ongewoon was: Hé, kijk nou eens,
een blanke. Maar *méchant* was ik nooit genoemd, althans niet voor
zover ik wist, en als de kolonel werkelijk zo over me dacht, raakte
me dat diep.
Ik begon weer te peddelen, nog stijf van het geploeter van de vorige dag. De omtrekken van levende en dode bomen verhieven zich
in de mist rondom, als grafstenen, op ons neerkijkend alsof ze onze
voortgang in de gaten hielden.

De mist trok op en onthulde troepen kraanvogels en kwebbelende
papegaaien die heen en weer fladderden tussen de uit vele lagen takken bestaande kronen van kolossale bomen op de oever. Met uiterste getrouwheid weerspiegelde de rivier de lucht en het woud: klimplanten reikten van de boomtoppen tot het water, en van het water
tot de boomtoppen; cumuluswolken dreven zowel boven als onder

ons; vlinders dartelden rond, zwart, roze en rood afstekend tegen de lucht, hun kleuren verdubbeld in de glasachtige rivier. De onrust als gevolg van onze ochtendlijke ontmoeting met de mbenga-man verdween geleidelijk. Desi was vrolijk en ik ook; somber gepeins over dat *méchant* had ik achter me gelaten. Ik vond zittend peddelen het gemakkelijkst, steeds een paar slagen links en dan een paar rechts; Desi peddelde het liefst staand. We voelden ons ontspannen; het vermoeiende geroei werd veraangenaamd door de pracht en vredigheid van het wildernistableau waar we doorheen gleden.

Een knerpend gekras als van een krijtje op een schoolbord sneed door de lucht, kaatste van het rivieroppervlak terug het bos in en klonk opnieuw. Ik wendde me richting achtersteven.

Desi brak zijn geestelijk lied in het Lingala abrupt af. Hij stak zijn kin in de lucht terwijl hij zijn peddel in het water neerliet. 'Weet u al dat Jezus terug zal komen?'

'Wat?'

'Ik zei dat Jezus weer terug zal komen. Doet u zijn werk hier op aarde?'

'Desi!'

'Nou?'

'Jij wel?'

'Ja.' Hij wierp zijn hoofd naar achteren, zoog zijn longen vol lucht en liet opnieuw een ijselijk gejammer ontsnappen. *Kulokoko*'s vlogen verschrikt op; doodsbange zilverreigers zochten een heenkomen in het woud. Hij hield op. 'Ik volg de lering van de Amerikaanse profeet William Brenem. Hij komt naar Zaïre en onderricht ons over God. Bent u ook een volgeling van William Brenem?'

'Ik heb geen idee waar je het over hebt.'

'Hij komt uit Jeffersonville, maar hij preekt ook in' – hij noemde Amerikaanse steden op die klonken als 'Hoedzjiewillie', 'Moesoesjoetwillie' en 'Solleeksietie'.

'Noem die steden nog eens?'

'Jeffersonville, Hoedzjiewillie, Moesoesjoetwillie en Solleeksietie. Bent u ook een volgeling van hem?'

'Ik weet niet of je die steden wel helemaal goed hebt. En van die profeet heb ik nog nooit gehoord.'

'Zal ik over hem vertellen?'

'Vertel me liever wat we gaan eten.'

'Oké. We gaan een vis kopen.' Hij legde zijn roeispaan neer en vertrok zijn gezicht met de mededeling dat zijn armen pijn deden. 'Er was een tijd dat de mensen in Zaïre onwetend waren, toen ze nog niets wisten van God. Maar toen kwamen jullie blanken en brachten God naar ons toe.'

Toen een visser voorbijkwam raakte Desi in onderhandeling over een dikke mbuku, waarvoor hij uiteindelijk tienduizend zaïre neertelde.

Hij maakte hem schoon en bereidde een sappig maaltje van boven houtskool in de *bambula* geroosterde mbuku met rijst. Maar na de lunch liep de temperatuur op. Rond het middaguur hing de zon als een gloeiende bal recht boven ons hoofd; we klapten onze parasols uit en lieten ons meedrijven op de stroom. Enorme bomen stonden verstild als beeldhouwwerken op de oevers, bijen gonsden in zwarte zwermen voorbij, en vliegen begeleidden de hitte met luid gebrom. Het werd veel te heet om over profeten te praten. *La chaleur*, kreunde Desi en dommelde in.

Wat gedurende deze tocht misschien wel het zwaarst beproefd ging worden, was ons vermogen om op een goede manier met elkaar te blijven omgaan, wat voor moeilijkheden we ook zouden ontmoeten. We hadden ruim zestienhonderd kilometer voor de boeg en we moesten het met elkaar zien te redden, hoe vermoeiend onze dagelijkse peddelroutine ook mocht worden. Een van de redenen dat ik Desi als gids had gekozen was dat hij het steeds over God en bidden en vroomheid had – en hoe ik daar verder ook tegenaan keek, ik zag het als een teken van zijn betrouwbaarheid en integriteit. Met deze gedachte probeerde ik me te troosten en ik onderdrukte de aandrang om het een en ander over die zogenaamde profeet van hem te zeggen; ik maakte het me gemakkelijk onder mijn parasol en terwijl ik lag te kijken hoe de hoge wolken braken en paarden op het glasachtige water viel ik in slaap.

Laat in de middag hurkten de hoog opgerezen albasten cumulus-
kastelen neer en veranderden in loodgrijze forten. Windvlagen van
alle kanten geselden de varens en het over het water hangende gebladerte. Met het naderen van de avond koelde het niet af, maar werd
de hitte zelfs nog intenser en ook de vochtigheid nam toe, zodat de
atmosfeer onheilspellend drukkend werd.

Ik ging rechtop zitten. 'Desi, we moeten een kampeerplaats zoeken. Het is al laat en het ziet ernaar uit dat we slecht weer krijgen.'

Hij was al overeind gekomen en stond te kijken naar de open plekken – miniplateaus die ongeveer een meter boven het water lagen op
loodrecht aflopende oevers met een wirwar aan blootliggende wortels – op het eiland waar we vlakbij waren. Ze zagen eruit als prima
kampeerplekjes. 'Ik zie tomaten, maïs en paprika's,' zei hij, zijn hals
rekkend. 'En daar staan nog meer tomaten. Maar daar... daar zie ik
ook fetisjen.'

'Fetisjen?'

'Fetisjen om mensen uit de buurt te houden. De dorpelingen leggen fetisjen neer die de boodschap overbrengen: "Blijf bij mijn gewassen vandaan of anders ga je dood!" Ze willen niet dat mensen
hier komen stelen.'

Ik zag wel gewassen, maar niets dat op fetisjen leek, waarvan ik
aannam dat het een soort beeldjes waren. 'Ik zie ze niet. Hoe zien
die fetisjen eruit?'

'Ik... ik wil niet over fetisjen praten.'

Ergens voor ons uit lag het dorp Yalrufi, maar ik wilde mijn tent
niet vlak bij een bewoond gebied opzetten. Elke geschikte plek die
we tegenkwamen was echter in cultuur gebracht en van fetisjen voorzien. Het werd half vijf en het werd vijf uur. Over een uur zou de zon
ondergaan en dan zaten we in de problemen. Boven de wildernis, in
het zuiden, flitsten bliksemschichten en zigzagden verticaal voor
wolken langs – zwarte kolkende wolken, als de rokende belichaming
van goddelijke toorn.

'Het is hier niet veilig,' zei Desi. 'Maar we moeten nu wel ons
kamp opslaan. Het gaat vanavond regenen.'

We legden aan op een plek aan de overkant van het water, schuin tegenover de strooien hutten van Yalrufi, zo'n anderhalve kilometer ervandaan. Via de wortels aan de kant klauterden we naar een open plek. Een lichte bries streek over de rivier en trok rimpels in de tinkleurige spiegel. We liepen een aantal malen gejaagd heen en weer van de prauw naar ons kampement om onze bezittingen aan land te krijgen, behoedzaam om opschietende gewassen heen stappend, en zetten het zeil en onze tenten op onder een gigantische boom met brede kroon, een echte woudreus.

Ik pakte mijn emmer en zeep en waste me pijlsnel op een beschut plekje achter onze kampeerplaats, zwetend, want er stond geen zuchtje wind meer. De zon zakte achter de bomen en onverhoeds werd ik overvallen door zwermen razende muskieten die mijn armen en benen bedekten. Ik spoelde me af en rende terug naar de tent. Desi was al klaar met poedelen, wat hij altijd op z'n Zaïrees deed, in het ondiepe water van de rivier staand; hij had zojuist zijn net dichtgeritst.

Toen ik binnen zat, deed ik mijn radiootje aan en probeerde een zender te vinden. Er kwam alleen maar ontstellend luide ruis uit en dus zette ik het weer af. Eigenaardig gespannen en uitgeput van de inspanningen van die dag vielen we in slaap.

Rond middernacht werd ik met een schok wakker, plotseling door onrust bevangen. De muskieten drensden, de lucht kleefde aan mijn gezicht als een natte sluier. Ik lag te zweten in de klamme hitte, een verstikkende, gek makende hitte waardoor ik het liefst zou opspringen en mijn tent openrukken. Onweer rommelde en bliksem flitste dansend boven de boomtoppen. In het woud krijste iets, als in paniek. Vervolgens hoorde ik grommende geluiden, een hevig geritsel in het struikgewas en brekende takken, en toen een zwaar ademen, als door verstopte neusgaten.

'Desi!' fluisterde ik. 'Desi, wat is dat?'

Er kwam geen antwoord.

'Desi! Desi, ben je daar?'

Ik tuurde door het gaas van de tentopening. Zijn door het net omgeven bed was leeg. Voor me uit zag ik het bewegende gele licht van een zaklantaarn dat wolken muskieten bescheen. Het was Desi die vanaf de oever kwam aanlopen. 'Ik wilde even kijken of de prauw er nog lag,' zei hij terwijl hij zijn net opensloeg en erin sprong. Het gegrom klonk weer op. 'Dat is een gorilla. Er zitten heel veel gorilla's in deze buurt.'

Ik bleef een tijdje liggen luisteren en ging toen weer slapen.

Een paar uur later brak een razend onweer boven ons los. Witte bliksemstralen reten de zwarte hemel uiteen; in het felle licht flitste de rivier als een afschrikwekkend negatief van zichzelf op. Een plotseling opstekende wind geselde de bomen en striemde het water. Maar te midden van het geweld was er een stilte, een ogenblik van spanning, een ogenblik dat met geen horloge te meten zou zijn – en toen volgde er met een donderende klap een gerekte helle lichtflits recht boven ons hoofd, die eindigde in vonken en het neerstorten van een tak die door een hoek van ons zeildoek heen ging. Door mijn tentflappen met gaas stroomde regenwater naar binnen. Desi schoot overeind, ik vloog mijn tent uit en samen maakten we het zeildoek weer vast; hoog boven ons in de top van de boom gloeiden houtspaanders waar vonken en stoom afsloegen die door de storm werden meegevoerd. Onze boom was door de bliksem getroffen.

Toen ik weer in mijn tent was, bleken mijn matras en beddengoed één natte bende. Terwijl ik ernaar keek, voelde ik mijn kuiten prikken; ik had mijn net opengelaten en het stikte van de muskieten in de tent. Ik sloeg tegen mijn benen en meteen zat mijn handpalm onder het bloed.

Boven het water spleet de bliksem het firmament met daverende knallen uiteen. De regen ranselde op het zeildoek. De wind tilde onze potten en pannen op en smeet ze rinkelend en kletterend tegen het geboomte aan. Ik maakte mijn net open en holde erachteraan. Desi schoot langs me heen, de lichtbundel van zijn zaklamp danste als een razende heen en weer in de ziedende stortregen. Gevangen in het stroboscopische licht van de bliksem flakkerde zijn slungelachtige gestalte, terwijl hij worstelde om de prauw verder op zijn stei-

ger van boomwortels omhoog te trekken en achter hem met woedend witgekopte golven de rivier kolkte en bruiste. Toen de prauw
stevig vastlag kwam hij met sprongen teruggerend en dook door de
opening zijn net in. Het daverende gebliksem en gedonder ging maar
door, boomtakken kraakten, scheurden af, stortten door laag na laag
van gebladerte heen brekend naar beneden, en rukten onderweg nog
meer takken mee.

De storm raasde een uur. En toen opeens, van het ene moment
op het andere, ging hij liggen. Lange tijd verbrak niet één zeurende
muskiet het echoënde ritme van de druipende, tikkende, plassende
regendruppels die zich door het baldakijn van bladeren een weg
baanden naar de bodem van het woud – en naar ons zeildoek.

Zonsondergang bij Lokutu

Land zonder avond

MET HET VORDEREN VAN DE NACHT STIERF HET GEDRUP van de bomen langzaam weg, waarna een holle stilte heerste. Nevel sloop het tropisch duister binnen en dekte de omgeving toe. De tijd werd opgeschort en we sliepen.

De tijd bleef uitgerekt tot het oosten oplichtte en de nevel roze kleurde. Langzaam begon het woud bij te komen van de aanval met vuur en water, weerklonk het van ontwakend leven: van takken druppelende dauw, zoemende vliegen, krassende papegaaien. Mijn bed was drijfnat van de stortbui en in mijn lakens zaten bloedvlekken afkomstig van de muskietenbeten.

Ik opende de tentflap. Een man met een doek om zijn middel gewikkeld stond voor ons kamp naar ons te staren, zijn silhouet stak af tegen de mist. Hij had een kropgezwel en zijn donzige haar was met grijs doorschoten.

'*Mbote!*' zei ik, naar buiten kruipend. Ik probeerde het Lingala bijeen te garen voor: 'Het spijt me dat we vanwege de regen op uw grond hebben moeten kamperen', maar het wilde me niet lukken. Hij reageerde niet op mijn gehannes, maar wreef slechts over zijn neus en staarde me nog doordringender aan. Desi kwam van de prauw naar boven geklauterd. 'Hij is doof,' zei hij. 'Het is een visser uit Yalrufi.'

Zonder dat we het hem gevraagd hadden hielp de visser ons de prauw te laden. Ik stelde voor hem als dank wat van ons eten te geven. Desi overhandigde hem wat suiker en zeep, die hij al knikkend en glimlachend aanvaardde.

We duwden af, een wereld van witte mist in, en zagen hoe de ko-

lossale boom waaronder we beschutting hadden gezocht terugweek
met zijn geblakerde kruin; we gleden een domein van wit water en
witte lucht binnen, een waterig roomwit vlak zonder oever of bos,
hier en daar gorgelend van grote vissen die dicht onder het oppervlak op voedseljacht waren. De rivier werd breder; volgens mijn kaart
zou hij zich niet zoveel verder om eilandjes gaan uitspreiden en zo
de eerste waterweggetjes van de jungledoolhof vormen. Ergens op
de watervlakte stuitten we op de stroming, die ons in een aardig
tempo meevoerde. Terwijl we aldus voortgleden, legden we onze
peddels neer om te rusten.

Desi pakte zijn bijbel. Hij bladerde er een tijdje in en keek toen
op. 'Bent u klaar voor de komst van Jezus?'

Ik glimlachte. 'Nou begin je over een nogal ingewikkeld onderwerp. Ik vind het moeilijk om daar zomaar even antwoord op te geven.'

'Maar ik wil weten of u in Jezus gelooft, in zijn wederkomst.' Hij
hield zijn hoofd schuin en keek me langs zijn neus heen aan. 'Weet
u, wij Zaïrezen zijn geen onwetenden. Wij *waren* onwetend. Maar...'

'Maar toen kwamen de blanken jullie God brengen.'

Hij keek me door samengeknepen oogleden aan alsof hij ver-
moedde dat mijn opmerking iets ketters had.

Het onderwerp godsdienst plaatste me voor een dilemma. Ik was
niet gelovig, maar ik had er geen probleem mee dat anderen dat wel
waren; ik had eerder moeite met de geschiedenis van het christendom in Afrika en met de zelfzuchtige motieven van de verkondigers
ervan. Het christendom had de belangen van koloniale machten gediend door de traditionele religies en identiteit te vernietigen en de
terechte Afrikaanse verontwaardiging over koloniale uitbuiting tot
zwijgen te brengen. De Europese en Amerikaanse missionarissen
en zendelingen die het christendom hier predikten, verspreidden
een doctrine die doortrokken was van één overheersende gedachte:
Afrikanen waren inferieur en blanken waren superieure, verlichte
wezens. In heel Afrika hadden missionarissen en zendelingen
Afrikaanse onafhankelijkheidsbewegingen tegengewerkt; ze had-

den corrupte en moordlustige dictators ondersteund; ze hadden hun ogen gesloten wanneer bij etnische en stammenconflicten honderdduizenden onschuldige mensen werden afgeslacht.

Maar terwijl ik dit alles bedacht, kon ik er tegelijk niet omheen dat Desi's geloof ongetwijfeld oprecht was. Ik vond niet dat ik daaraan moest tornen, zeker niet terwijl we samen de rivier afzakten. Ik wilde hem niet van me vervreemden door haarfijn te vertellen hoe ik er tegenaan keek: ik had hem veel te hard nodig.

Ik voelde me ongemakkelijk onder zijn blik. 'Nou? Gelooft u in de wederkomst?'

'Desi, ik wil onderhand lunchen. Geef de *bambula* eens aan.'

Dat deed hij, me argwanend aankijkend. Toen verdiepte hij zich weer in zijn heilige Schrift.

Maar niet voor lang. Ik snoof de geur van rook op; ik hoorde de vrouwenstemmen en het geschreeuw van kinderen. Opeens dreven we tussen tientallen dobberende blokken hout waar vislijnen aan bevestigd waren.

Desi wees op de houtblokken. 'Vissers zetten deze boeien hier 's avonds uit en 's ochtends peddelen ze er weer naartoe om de vangst te verzamelen.'

'Wat voor vissers?'

We kwamen uit de mist en zagen een zanderige oever en een verzameling hutten van vlechtwerk met puntdaken van stro. Onder de hutten lagen prauwen kriskras aangemeerd aan een steiger. Mensen waren zich aan het wassen of liepen rond. Het dorp Isangi, zei Desi. Toen de kinderen ons zagen, renden ze allemaal van de rivierkant weg en riepen '*Touri! Touri!*' De vrouwen keken ook enigszins verschrikt naar mij: ze renden niet, maar draaiden zich eveneens om en liepen achter hun kinderen aan, naar mij omkijkend.

Ons boegtouw raakte verstrikt in een boei. Ik stond op en probeerde het los te halen.

Een jongeman kwam naar de waterkant. 'Ey, *mondele*! Niet mijn vis stelen!' schreeuwde hij in het Frans. 'Ey, *mondele*, blijf van mijn vis af!' Hij bleef met ons meelopen over de oever, een meter of zes bij ons vandaan, met zijn vuisten zwaaiend. Desi stak zijn peddel in het water om onze vaart af te remmen en ik trok aan de vislijn om het boegtouw uit de knoop te krijgen, maar de lijn bleek aan andere lijnen vast te zitten en overal om ons heen begonnen blokken hout zwaar te deinen, alsof ze door een onzichtbare kracht met ons werden meegezogen. De man raakte door het dolle heen. 'Ik zei: Blijf van mijn vis af, *mondele*!' Hij barstte los in een scheldkanonnade in het Lingala. Ik probeerde me staande te houden in de boot terwijl ik op de wirwar wees en met gebaren duidelijk probeerde te maken wat ik aan het doen was.

Er kwamen meer mannen naar de kant gerend, allemaal in de korte broek en het vuile bruine shirt van vissers. Weldra stonden er een stuk of tien, twaalf mannen naar mij, de *mondele*-visdief, te schreeuwen, maar nog kreeg ik de knoop er niet uit.

'Desi, leg ze toch uit wat er gebeurd is!'

De boei kwam los. De man raapte een tak op en smeet die in mijn richting; op een meter bij me vandaan plonsde hij in het water.

Isangi en zijn schreeuwende inwoners werden verzwolgen door de mist. Ik keek om; niemand kwam achter ons aan.

'Touri! Touri!' hadden de kinderen geschreeuwd terwijl ze op de vlucht sloegen. Het woord klonk als een verbastering van 'toerist', maar gezien de manier waarop het gebruikt werd, betekende het blijkbaar iets meer. Ik vroeg Desi ernaar.

'Een *touri* is een *mondele* die kwaad in de zin heeft,' zei hij. 'De *touri* heeft speciale dingen, zoals injectiespuiten en Motorola's, die hij gebruikt om mensen te beheksen en te doden. Een *touri* is altijd ongewassen. En hij kan ook een pistool of geweer hebben, maar in ieder geval heeft hij een Motorola.'

'Een *Motorola*?'

'De Motorola is een heel gevaarlijk ding dat de *touri* gebruikt om slachtoffers op te sporen en te doden. U moet weten dat de Belgen een heleboel mensen uit deze streek hebben opgegeten en daarom zijn ze hier bang voor *mondele*'s.'

'Wat bedoel je met opgegeten?'

'Daarmee bedoel ik *opgegeten*. De Belgen waren kannibalen. De Belgen aten mensen op. Ze waren vooral gek op kleine jongetjes. De Belgen bouwden huizen in het oerwoud en als je er in de buurt kwam, lokten ze je naar binnen. Dat is echt gebeurd. Ze hebben die huizen gevonden en de kelders lagen vol botten. Weet u, als u hier alleen was, dan zouden de mensen u voor een Belg aanzien, een huurling met een speciale missie. Ze zouden kunnen denken dat u ze met vriendelijke woorden wilt lokken om ze dan te steken met een grote injectiespuit. Dat is gebeurd toen er hier blanken in de buurt waren. Het is echt gebeurd. Dat weten we allemaal. Iedereen hier weet het. De mensen in het dorp weten het en die gaan niet eens naar school. De ouderen vertellen het aan de kinderen.'

'En die blanken dan die hun godsdienst meebrachten? Hebben de mensen daardoor geen ander beeld van Europeanen gekregen?'

'Ja, mensen die op school hebben gezeten wel. Maar veel mensen geloven wat de ouderen vertellen. Hier in de wildernis, waar geen scholen zijn, denken de mensen dat blanken gevaarlijk zijn, ze zijn *méchants*. Blanken komen naar Zaïre om onze rijkdommen in te pikken en te moorden. Dat is echt gebeurd.'

'Dus in de ogen van alle mensen bij de rivier ben ik een moordenaar?'

'Als u alleen zou zijn wel, ja. Maar zolang ze zien dat u met mij bent, bent u veilig. Dan denken ze waarschijnlijk dat u een predikant bent.'

Toen de mist optrok, stak vanuit het oosten een koppige tegenwind op die ons ongenadig bestookte en uitputte en de sterke westelijke stroming tenietdeed. We deden ons best om onze route te volgen in de hoop in de stroming te blijven, maar aangezien deze over brede gedeelten met diep water voerde, werden we steeds meer een speelbal van de wind. Die dwong ons met al onze kracht te peddelen en bij elke slag onze hele romp in de strijd te gooien om een redelijke snelheid te kunnen behouden, of toch in ieder geval vooruit te komen. Onze route volgend stuurde Desi ons naar het midden van de rivier, waar we nog slechts een klein speldenknopje waren in een winderige baai van loodgrijs water onder een loodgrijze hemel. Hoe hard we ook roeiden, het leek of we de donkergroene strook oerwoud aan de horizon voor ons uit – het begin van het labyrint van eilandjes – nauwelijks dichter naderden. Nu en dan werden we besproeid met regen, die in zware warme druppels op ons neerkwam, druppels die voelden als hemelzweet.

Toen we ons midden op deze grote watervlakte bevonden, veranderde de gestage tegenwind in wilde vlagen. Als we rustten joegen ze ons stroomopwaarts. We haalden onze peddels constant door het water, een uur lang, twee uur lang. Toen we het derde uur ingingen gaven we het op, ruim anderhalve kilometer van beide oevers verwijderd.

Desi legde zijn peddel neer. 'Mijn gewrichten doen zeer.'

'De mijne ook.'

Het weerlichtte. Boven het oerwoud in het zuiden kondigde zich een storm aan. Aan de horizon voor ons uit snelden witte wolkjes langs de grijze donderkoppen, als jachten in een zeilrace. Het werd te riskant om onze koers aan te houden. Ik draaide me om naar Desi. 'We kunnen maar beter de rivier af gaan.'

We lieten de route voor wat hij was, doorsneden de watervlakte diagonaal en kwamen uit bij een hut op de kant – een Lokele-hut waaruit via de deur rook naar buiten golfde. Toen Desi in het Lokele een begroeting schreeuwde, verscheen er een door rook omhulde visser – een oude man, kort van stuk met wijd uiteen staande tenen en een peper-en-zoutkleurige baard. Hij en Desi begonnen een vriendschappelijk praatje – dat ze van dezelfde stam waren was voor hen voldoende reden om elkaar ogenblikkelijk te vertrouwen – en toen begon hij onze spullen zijn hut in te dragen, met trippelende pasjes en lachend naar mij.

In zijn hut was hij bezig op een rooster van bamboe vis te roken. Ik liep naar binnen, maar ik walgde van de dampen en ging bij de deur zitten. Muskieten met gestreepte poten doodmeppend wachtte ik tot de storm zou losbarsten.

Dat gebeurde niet. Tegen een uur of drie klaarde de hemel op en werd het tijd om verder te gaan. We bedankten de visser en ik liet een bundeltje zaïres als geschenk voor hem achter. We laadden de prauw en vertrokken; al spoedig bevonden we ons aan de mond van een donkere, nauwe watertunnel. We hadden onze bekomst van de wind op de brede rivier, gleden de tunnel binnen en belandden in een schemerig domein van woudreuzen.

Aan de evenaar bestaan geen avonden. De zon gaat prompt om zes uur onder en komt prompt om zes uur op: de nachten aan de evenaar zijn in tijd de precieze keerzijde van de dagen, als een ronddraaiende munt die afwisselend zijn lichte en donkere kant laat zien, met een rand van stralende zonsop- en luisterrijke zonsondergangen, elk vijftien minuten durend. Met name de zonsondergangen kennen hun weerga niet op de rest van de planeet: dit plotselinge omsmelten van vervloeiende tinten, dit dramatische, magistrale Götterdämmerung-effect roept oeroude gevoelens wakker, doet ons beven om het heengaan van de dag als was het onze wereld die stierf.

Het ontbreken van een avond, van een overgangsperiode waarin we ons kamp konden opslaan en ons klaar konden maken voor de nacht, maakte het noodzakelijk goed de tijd in de gaten te houden en we ontwikkelden dan ook een op tijd gebaseerde dagelijkse routine. Rond vier uur 's middags begonnen we uit te kijken naar een kampeerplaats – een open plek, een plaats die hoog en droog lag en die door struiken of bomen werd afgeschermd tegen blikken vanaf de rivier. Rond half vijf zorgden we dat we aan land waren. Om vijf uur waren we klaar met het opzetten van onze netten en tent en het camoufleren van de prauw. Dan was het tijd voor onze wasbeurt. Vanwege de muskieten konden we ons alleen wassen zolang de zon op was, maar zelfs dan gaf het nog problemen, althans voor mij, want ik gaf de voorkeur aan de privacy die gebladerte me kon bieden boven de openbaarheid van het winderige ondiepe water van de rivier, waar Desi het liefst zijn bad nam: in de wildernis stikte het van de doorns die je hemd konden scheuren of je huid doorboren;

en in het lage struikgewas wemelde het van de slangen en gonsde het van de wespen. Toch slaagde ik er meestal wel in een beschut open plekje te vinden ter grootte van een kast, met uitstekende takken die als handdoekrek dienst konden doen. Na het wassen gingen we terug naar ons kamp om de koude maar nog verse resten van ons middagmaal te nuttigen, gewoonlijk vis (die we voor een of twee dollar van passerende dorpelingen kochten) met rijst of vis met pasta. Dan ging de zon onder en kwamen er zwermen muskieten opzetten die ons voor de volgende twaalf uur onze tent in dreven. Vaak luisterde ik naar mijn kortegolfradio en vond vertroosting bij de BBC en *Golos Rossija* (de Stem van Rusland) tot ik in slaap viel.

Die nacht kampeerden we op de zuidelijke oever in een holte beschut door hoge bomen met verstrengelde takken die hoog en in dichte lagen boven ons hingen, zodat wij in een inktzwarte duisternis gedompeld waren terwijl de rivier iets verderop baadde in het eerbiedwaardige licht van de sterren. Ergens gakte en kefte een *kulokoko* die ruisend van tak naar tak vloog; zijn zware wiekslag resoneerde in de vochtige lucht. Ik deed mijn radio uit en ging naar de woudgeluiden liggen luisteren in de hoop in slaap te vallen.

Maar Desi stak zijn petroleumlamp aan, rommelde ritselend rond in zijn muskietennet en schraapte zijn keel. Hij begon te mompelen, eerst zachtjes maar gaandeweg luider en luider.

'Wat ben je aan het lezen, Desi?'

'*Moi?*'

'Ja, *toi*. Wat ben je aan het lezen?'

'*Le Code du Travail du Zaire*. Het is heel boeiend. Hééél boeiend [*Très trrrès intéressant!*]!'

'Waarom?'

'Omdat het me leert wat mijn rechten zijn, daarom.'

Hij schraapte nogmaals zijn keel en ging door met mompelen, voerde toen zijn stemvolume op en sprak overdreven gearticuleerd, liet zijn r rollen en vlakte de Gallische nasale klinkers af, terwijl hij in het Frans wetsartikelen declameerde tot de jungle galmde van de paragrafen en clausules die op arbeiders in Zaïre van toepassing waren en de ons omringende open plekken echoden van de indiens, tenzijs en weshalves uit de ene na de andere wetsbepaling ter bescherming van de onvervreemdbare rechten van het Zaïrese proletariaat.

Vanwaar dat hardop lezen? Wilde hij me eenvoudigweg laten weten dat hij kon lezen, en goed ook, of wilde hij me waarschuwen dat hij, of zijn wettige erfgenamen, de rechterlijke macht in de arm zou nemen als onze tocht over de Kongo tot zijn dood of het verlies van zijn ledematen mocht leiden?

Tegen negenen was zijn voordracht beëindigd en klonk uit het grafdonkere woud achter ons het kabaal van de wildernis weer op.

Toen we de volgende ochtend ons kamp hadden opgebroken en weer onderweg waren, moest ik kokhalzend over de rand van de prauw gaan hangen; ik had niet voldoende ontbeten en mijn maag speelde op tegen de malariapreventiepil waar ik iedere dag mee begon. Maar ik bleef doorpeddelen. Desi had over spierpijn en hoesten geklaagd en het leek me beter hem te laten zien dat niets me klein zou krijgen of ons tempo zou vertragen. Voor de middag kwamen we de riviertunnel uit en voeren weer in breder water, ditmaal met de wind in de rug. De hemel werd helderder en de lucht, verzadigd van het blauwgouden ochtendlicht, rook fris, een geur die me in de verte deed denken aan de lente op noordelijke breedtegraden.

We kwamen in de stroming terecht en lieten ons meedrijven; terwijl we in een lus de rivier afzakten verwisselden boeg en achtersteven geleidelijk aan van plaats.

Desi zat zijn wangen in te zepen met een wit goedje dat er veel dikker uitzag dan scheerschuim. Ik vroeg hem wat voor merk scheercrème hij gebruikte.

'Het is geen scheercrème.' Na in zijn tas te hebben rondgerommeld haalde hij er een Gillette-wegwerpscheermesje en een scherf van een spiegel uit, waarna hij zijn lippen tuitte.

'Nee?'

Hij trok het scheermesje door het witte spul. Het plakte er vreselijk aan vast en hij klopte het mesje af aan de achtersteven. 'U zei dat we ons ook op de rivier als heren moeten gedragen. Nou, dat doe ik.'

'Mooi. Maar wat voor crème is het dan?' Ik pakte de tube en las wat erop stond. 'Desi, dit is tandpasta!'

'Maar het is ook om te scheren en tegen puistjes.'

'Niet waar. Kijk maar wat erop staat. *Dentifrice*.' Een golf van misselijkheid trok door me heen en ik boog me kokhalzend buiten de boot.

'U zit ernaast, *monsieur*. Het is crème voor het scheren en tegen puistjes.' Desi sloeg zijn aangekoekte scheermesje een paar keer achter elkaar tegen de achtersteven, want de pasta weigerde in water op te lossen, en bekeek zich in zijn spiegeltje. 'Deze crème houdt me gezond. En daarom blijf ik hem gebruiken.'

'Oké, oké.' Ik moest opnieuw kokhalzen.

We voeren verder, onder de hoge klif op de rechteroever door, meegevoerd door de stroming; van de onverwachte vrije tijd maakten we gebruik om in de emmers onze kleren te wassen. Desi's gebarsten tenor huiverde over het water. 'Amazing Grace'. In het Engels was ik dol op dat lied, maar over Desi's Franse versie was ik minder enthousiast. De bomen tolden boven ons in het rond terwijl we kringetjes draaiend de rivier afzakten – boeg voor, achtersteven voor, boeg voor, achtersteven voor – refreinen van Grace de jungle in keilend.

Ergens middenin hield Desi op en sprong graaiend naar zijn peddel overeind. '*Tourbillon!*'

De stroming joeg ons langs een grillig vooruitstekend stuk van de oever en sleepte ons vervolgens mee in de buitenrand van een woest borrelende draaikolk met een doorsnee van een meter of twintig. Aan één kant stak een flinke boomstronk uit het water omhoog, waar we naartoe werden gezogen. Als we er tegenaan botsten, zouden we weleens om kunnen slaan.

Plonzend haalden we onze peddels door de rivier, maar dat had geen zin: de draaikolk belette de voortstuwing. Onze boeg schoot langs de stronk en we veranderden van richting; we vlogen nu tollend in een wijde boog over de rivier in stroomopwaartse richting. Aan het eind ervan draaiden we weer de tegenovergestelde kant op, werden vanaf de oeverbult opnieuw gelanceerd en snelden op de boomstronk aan.

'Links peddelen!' schreeuwde Desi. Dat deden we en we bevrijdden ons uit de draaikolk, waarna we terechtkwamen in stilstaand water dat – hoe geruststellend – als stroop tegen onze peddels voelde.

Later haalde Desi zijn handspiegeltje te voorschijn en begon zijn toilet te maken, voortdurend in de spiegelscherf turend. 'Ik wil uw Polaroid-camera graag lenen. Ik heb iets te doen in het volgende dorp.'

'Wat dan?'

'Nou, weet u, ik had daar vroeger een verloofde. We hebben samen een kind. Maar ik heb haar sindsdien nooit meer bezocht, ik heb mijn dochter nog nooit gezien. Ik zou nu graag mijn dochter opzoeken. Als u het goedvindt tenminste.'

'Natuurlijk.'

Desi haalde zijn nieuwe trainingspak te voorschijn, een glanzend babyblauw geval dat zijn knokige schouders onmiskenbaar een zweem trapezoïdale flair meegaf, schudde het zand eruit en trok het aan. Hij haalde een knots van een cowboyhoed uit zijn tas en maakte er in het midden een vouw in. Hij zette hem op en onderwierp zijn beeltenis in het spiegeltje opnieuw aan een onderzoek.

'O, en mag ik ook tienduizend zaïre van u alstublieft?'

Ik gaf hem het geld en we bogen af naar de beboste rand van de rechteroever. Klimplanten zo dik als touw hingen van de bomen af; ze streken langs ons gezicht terwijl we op een klein zandstrandje af peddelden. Toen de kinderen die daar aan het spelen waren mij zagen, bleven ze eerst stokstijf staan en stoven toen het bos in. Toen onze boeg het land opgleed was de oever verlaten.

'Ik blijf niet lang weg.' Desi propte de zaïres in zijn zak, hing de Polaroid om zijn nek en sprong de boot uit.

Hij bleef inderdaad niet lang weg. Binnen tien minuten hoorde ik een rumoer van kwaaie, ruziënde stemmen. Desi kwam het pad af gesneld, achternagezeten door een morsige dorpeling met een baard en een assortiment uitgelaten kinderen, tieners, kreupele ouderen en dorpsvee. De man bleef stilstaan toen hij mij zag, zijn ogen puilden bijna uit hun kassen; vervolgens begon hij met hernieuwde energie naar de mouw van Desi's trainingspak te graaien en schakelde van Lingala over op schril Frans. 'Je bent samen met een *mondele* en mij scheep je af met tienduizend? Hoe kun je je oom zo behandelen? Kijk eens naar alle spullen die die *mondele* heeft. Geef mij er wat van!' Hij begon in onze spullen te graven. Desi duwde hem met zachte hand weg. 'We hebben net genoeg voor de reis. Ik kan je niet meer geven.'

'Het is een grove schande,' zei de oom. 'En jij bent een schande-brok.'

De kinderen hadden de grootste lol. Een jongen pakte een tak op en gooide hem naar Desi. Hij raakte zijn cowboyhoed, maar Desi schonk er geen aandacht aan. Hij pakte een van de rollen textiel die hij bij zich had om te verkopen. 'Hier, neem die dan maar.'

De man graaide de rol naar zich toe en gaf hem aan een van de kinderen. 'Begrijp ik het goed? Je bent op pad met een *mondele* en je scheept mij af met een lap stof en tienduizend zaïre? Heb ik dat goed begrepen? Nou?'

We duwden de boot af. Desi wenste de man een goede gezondheid.

'Goede gezondheid? Kom eens terug als je durft, dan zal ik je met je goede gezondheid, grote lummel. Kom eens terug als je durft!'

Desi was staande aan het peddelen, ietwat wankel op zijn benen, en keek stug voor zich uit, ondanks de regen van beschimpingen die zijn oom hem achternazond en het honende gelach van de kinderen. Nu en dan reikte hij naar zijn hoed om hem steviger op zijn langwerpige kruin te drukken.

Toen we de volgende bocht gepasseerd waren, legde hij zijn peddel neer, trok zijn trainingspak uit, vouwde het op en stopte het terug in zijn plunjezak. Vervolgens borg hij eerbiedig ook zijn enorme hoed weer op en gaf me de Polaroid-camera terug. Hij hield zijn ogen op het water voor ons gevestigd en ging weer door met peddelen.

Ik had vreselijk met hem te doen. 'Wat is er gebeurd?'

'Ze waren niet blij om me te zien.'

'Nee?'

Hij peddelde een poosje door. 'Nee, ze deden heel naar tegen me. Ze zeiden dat ik niet het recht had om na al die jaren weer te komen aanzetten. Ze vonden het niet eens goed dat ik mijn verloofde zag, laat staan dat ik een foto van mijn dochter mocht maken – ze zeiden dat ik daarvoor vijfhonderdduizend zaïre en twee varkens moest betalen. Ik dacht dat u me wel geen vijfhonderdduizend zaïre zou willen geven en ik wist dat u geen varkens had. En nu ben ik weggegaan zonder ze te zien.'

Hij sprak kalm en in zijn stem klonk geen verdriet, maar hij was duidelijk aangeslagen.

Hij zweeg een hele tijd, en zei toen: 'We kunnen Lokutu wel halen voordat de nacht valt. Laten we proberen Lokutu te halen.'

'Goed.'

Het was laat in de middag en een bries streelde de rivier en ritselde door het woud. De hemel spande zijn schitterend azuren gewelf van jadegroene horizon tot jadegroene horizon. De begroeiing op de linkeroever rees hoog op, de wildernis daalde af naar de rivier in een weelderige wirwar van hoge en lage palmen, gombomen en tamarinden, waarvan de bleke stammen en zwarte stronken aan het zicht onttrokken werden door wijd uitwaaierende varens, hangende stengels van klimplanten, wijdvertakte wortels en struiken met bloemen in blauwe, rode en magenta tinten. Een eindeloos dobberend tapijt van waterhyacinten, smalle groengele stroken met slappe in de bries trillende witte bloemetjes bedekte de koffiebruine rivier vanaf de oever.

We peddelden voort met de wind in de rug, Desi zonder nog terug te denken aan de ontvangst in het dorp, en ik geheel en al opgeslorpt door de schoonheid van het oerwoud. Vaak als we een bocht om kwamen hoorden we geplons en gespetter en zagen we bewegingen in het struikgewas – dieren die op de vlucht sloegen – maar de dieren zelf zagen we niet. Vanuit hogere bomen stortten *kulokoko*'s en adelaars zich in de luchtstromingen en zweefden omhoog, waardoor hun bruine veren wit glinsterden in de zon; binnen het bereik van onze peddels schoten ijsvogels en snippen tussen de zanderige oever en de struiken heen en weer.

De zon begon onder te gaan; de bries viel weg.

'*Mbote*, Desi!'

'*Hooa! Mbote na bino!*'

Twee jonge Lokele-mannen met een tulband op waren bezig ons in te halen in een prauw met daarin een vrouw en een kind; vanaf een eiland roeiden ze schuin op ons af.

Ze kwamen langszij. Desi hield hun prauw vast en we wisselden begroetingen uit. De jongemannen waren oude schoolkameraden van Desi. Ze begonnen een geanimeerd gesprek in hun baritonachtige Lokele. Ze hadden fijnbesneden gelaatstrekken, slanke, welgevormde ledematen en een smal gezicht; door hun tulband zagen ze er nogal Arabisch uit.

Maar er werd niet meer geroeid – en de zon ging onder. Ik dacht aan de muskieten en wilde niet door het donker worden overvallen.

'Desi, laten we gaan!'

De jongemannen lachten en grepen hun peddels. We gingen er een wedstrijd van maken. Ik sprong overeind en de anderen ook; Desi liet hun boot los en we dreven van elkaar weg.

'*Allons!*'

We haalden onze peddels door de glasachtige rivier. Onze prauwen schoten vooruit, meter voor meter voortgestuwd door ons verwoede gepeddel. De rivier verbreedde zich tot een bekken en aan de andere kant lag Lokutu, een verzameling strogele vlekken die zich aftekenden tegen de donkere massa van de beboste heuvel. Boven Lokutu smolt de zon weg, verdwijnend achter grillige wolkenruggen met pieken en dalen als aardse bergketens, drijvende wolkenformaties die donkerpaars en koningsblauw afstaken tegen het zich verdiepende rood van de hemel en leken op sprookjeskastelen van koraal met slotgrachten en wriemelende draken; in lagen filterden ze het vermiljoen van de wegstervende zonnestralen.

Desi en ik kwamen voor te liggen, we scheerden over het spiegelende water als was het olie.

'*Hoeeee-haa! Hoeha!*'

Onze kreten weergalmden over het water en ketsten tegen de dalen en het oerwoud. We roeiden als gekken en vanuit het ondiepe water langs de oever vlogen zilverreigers op, hun witte veren overtrokken door het violet van de laatste zonnestralen; steeds harder roeiden we, we vlogen bijna te midden van de zilverreigers en kruisten de vlucht van ooievaars en solitaire papegaaien.

Buiten adem en glinsterend van het zweet gaven onze jonge tegenstanders het op en we vertraagden, lieten ons naar adem snakkend evenwijdig aan de oever over het wateroppervlak glijden. De roodgloeiende kruin van de zon verdween achter de bomen op de helling boven Lokutu en de kleur van de hemel verschoot van lavendel tot kobaltblauw.

Nacht. Ik haalde mijn antimuggencrème te voorschijn, bedekte mijn armen met een dikke laag en trok mijn lange broek aan. Ik bood de crème ook aan mijn metgezellen aan, maar die wilden niet.

Wolken muskieten raasden vanuit de bomen neer. Mijn crème werkte en ik leunde behaaglijk achterover. Desi en zijn vrienden hielden op met kletsen en grepen hun peddels, ze stampten met hun benen om de insecten af te schudden en wrongen zich in allerlei bochten. Naarmate de beten toenamen, spanden ze zich ook steeds meer in, ze voerden een ware tapdans uit op de schommelende prauwen.

De lichtende boog van de melkweg spande zich boven ons uit. De maan verscheen, zette de neerhangende palmen in het zilver en strooide ook zilver uit over het weidse, weidse bekken, zodat het water in kwikzilver veranderd werd. Lokutu, inmiddels een verzameling gele lantaarns, rondgesprenkeld in de zwarte strook oerwoud, knipoogde naar ons.

Net voordat we in Lokutu aankwamen en dicht langs de oever gleden, verrasten we drie jonge meisjes, die zich naakt in het kniehoge water stonden te wassen; de maan bepoederde hun perzikachtige borsten en billen met zijn licht. Ze lachten en riepen: 'Mbote! Mbote!'

We beantwoordden hun groet, maar toen eiste de sterke stroming bij de landingsplaats al onze aandacht op. We werden er in een boog in meegezogen, worstelden ertegenin en moesten flink manoeuvreren om bij de zanderige oever te komen. Eindelijk, met een sissend geluid, schoof onze boeg de kant op.

Hutje aan de rivier

SNIP-perikelen

DESI'S HUIS WAS EEN INDRUKWEKKEND BOUWWERK, opgetrokken van solide met vlechtwerk aan elkaar verbonden palen en bekroond met een degelijk strooien dak, op schone zanderige grond en omgeven door een omheining afgedekt met stro. Toen we er na het beklimmen van de oever met in ons kielzog vijf, zes dragers die wankelden onder het gewicht van onze spullen aankwamen, was zijn moeder op het erf bezig een vuurtje te stoken. Ze verwelkomde ons. Terwijl zijn broers en neven onze bezittingen in een leeg vertrek stouwden, vroeg ik Desi goed op ons water te letten – voedsel konden we wel weggeven, maar ons gekookte water niet, daar waren we op aangewezen om gezond te blijven. Hij zei dat hij dat zou doen.

Toen onze spullen waren weggeborgen, trakteerden we zijn familie op een feestmaal van spaghetti, groenten, pisangs en mbuku, waaraan zij van hun kant dadels, bananen en vurige pili-pilisaus bijdroegen. Later lagen we gezamenlijk op rustbanken uitgestrekt op het maanverlichte erf en ik bedacht net hoe sterk mijn entourage van dat moment deed denken aan de idyllische Afrikaanse taferelen op die schilderijtjes in Hôtel Les Bougainvillées, toen er werd aangeklopt. Er was een klein jongetje met een boodschap voor Desi, en het was dringend.

Na een tijdje kwam Desi naar me toe en fluisterde: 'We hebben een probleempje.'

In Zaïre hadden de meeste problemen die niet kropen, beten, staken of dysenterie veroorzaakten uiteraard te maken met de politie

217

of de militairen. Het jongetje was komen melden dat de plaatselijke SNIP-chef lucht had gekregen van mijn komst en geweldig had lopen opspelen; rondstampend op de oever eiste hij dat hem werd verteld wie me naar het dorp had meegenomen en waarom ik bij aankomst in Lokutu niet allereerst bij hem op het SNIP-kantoor was langsgekomen om toestemming te vragen om te mogen blijven. 'Wie denkt die *mondele* wel dat hij is?' had hij lopen razen.

Dus togen Desi en ik de volgende bloedhete ochtend naar het verderop aan de weg gelegen SNIP-hoofdkwartier. Wat ik gehoord had van het theater van de functionaris deed sterk denken aan de gebruikelijke intimidatietechnieken – ik dacht terug aan de SNIP-man op Ngobila Beach die stampvoetend had geroepen dat ik een spion was – en vroeg me af of ik onder handen genomen zou worden om smeergeld los te krijgen. Ik had aan de rivier nog geen contact met overheidsdienaren gehad in afwezigheid van de kolonel; ik had die brief van de militaire inlichtingendienst, maar het was voor het eerst dat ik me daarop moest verlaten en ik kneep hem nogal.

Het SNIP-'hoofdkwartier' bleek een van vliegen vergeven hut met een strooien dak, een vloer van aangestampte aarde en strooien matten bij wijze van scheidingswanden, en het was er smoorheet. Binnen zaten verscheidene dorpelingen te zweten rond een tafel in de 'wachtkamer'. Ze hadden allemaal de gelaten gezichtsuitdrukking van dagloners die op audiëntie bij een oppermachtige magistraat verschijnen om hun miezerige, onwaardige zaakjes te bepleiten. De secretaris beduidde ons met een gebaar door te lopen naar het kantoor dat zich achter hen bevond. Ik hoorde de schrille stem van de SNIP-beambte in het Lingala iets zeggen, ik haalde mijn brief te voorschijn en liep bij hem naar binnen met Desi achter me aan.

De beambte droeg een mouwloos T-shirt met zweetplekken, een bruine pantalon met zweetplekken en sandalen. Hij wendde zijn hoofd van me af toen we binnenkwamen en verwaardigde het zich niet mijn bestaan te erkennen. In pieperig Frans richtte hij zich tot Desi.

'Wat heeft die *mondele* hier in mijn dorp te zoeken en waarom komt hij niet di*RECT*ement naar mij toe?'

'U kunt dat ook aan mij vragen,' zei ik.

Hij haalde diep adem, draaide toen langzaam – o zo langzaam – zijn hoofd in mijn richting en sloot zijn ogen. Hij zou zijn best doen om beleefd te zijn. 'Iedere buitenlander die naar mijn dorp komt, dient zich te melden bij de SNIP. Buitenlanders worden hier in Zaïre streng gecontroleerd. En *alle* buitenlanders dienen zich aan onze wetten te houden. Ze zijn niet thuis in Zaïre en kunnen niet zomaar doen wat ze willen. Ze moeten zich melden bij de SNIP. Wij van de SNIP zijn meteen op de hoogte als een vreemdeling van, zeg maar, Lokutu naar Bumba is vertrokken, want wij staan voortdurend in contact met de CIA, de FBI en Interpol. Als de CIA mij belt om te vragen waar de Amerikaan is, kan ik meteen vertellen dat hij om negen nul nul uur hier was en om tien nul nul uur weer is vertrokken. Ik kan precieze informatie verschaffen. Maar ja, als diezelfde Amerikaan zich niet bij mij vervoegt... dan is dat een teken dat hij kwaad in de zin heeft. Misschien is hij wel een spion.'

Ik haalde mijn *lettre de recommandation* uit de envelop, vouwde hem open, wierp hem op zijn bureau en wendde mijn blik af. Aan het plafond hing een wereldbol van plastic. Ik draaide eraan en begon de Amazone te bestuderen.

Een ogenblik lang deed hij helemaal niets. Toen depte hij het zweet van zijn voorhoofd en pakte de brief op. Hij las hardop voor wat erin stond. '*Bon*. Ah, ha,' zei hij terwijl hij zijn stem liet dalen. 'Waarom hebt u me deze brief niet meteen laten zien?'

'U vroeg er niet naar. Ik nam aan dat u ervan op de hoogte was.'

'Ja, nou, dat is ook zo, maar... nou ja, *bon*...' Hij leunde achterover in zijn stoel, wreef over zijn kin en begon me aan te staren. Het was niet beleefd om zo te staren en ik staarde terug.

Hij sloeg zijn ogen neer, keek weer op het papier, onderwierp het opnieuw aan een zorgvuldig onderzoek en legde het toen neer. '*Bon*. Geen probleem. Maar ik moet u wel registreren.' Hij haalde een register uit een la, likte aan de punt van een pen. '*Bon*...'

Hij sloeg mijn paspoort open en begon erin te bladeren. Hij kwam bij mijn Zaïrese visa. 'Wat is dit nou voor nummer?' vroeg hij zich binnensmonds met een plotseling geïrriteerde stem af. 'Wat is het nou – een W of twee U's? Die Zaïrezen op de ambassade schrijven net als kinderen.' Die malloten in het buitenland maakten zijn werk toch zo lastig, mopperde hij, terwijl de veiligheid van hun land toch afhing van hem en zijn collega's van de SNIP. Zijn stem werd weer rustiger. 'Luister, hebt u gehoord van die Italianen die in Goma verdwenen zijn?'

'Die zijn doodgeschoten?'

'Ja. De SNIP houdt zich met hun zaak bezig, de SNIP. Ik zou gedacht hebben dat het Rwandese vluchtelingen waren die hen hadden vermoord, maar het ziet ernaar uit... nou ja, het lijkt erop dat het onze eigen soldaten waren. Begrijpt u wel hoe het er hier aan toe gaat? De SNIP is noodzakelijk. Je bent niet veilig tenzij de SNIP op je past. Het is jammer, maar zo is het hier nu eenmaal.'

Een kriebelmug zoemde rond in zijn kantoor en landde op zijn neus. Hij sloeg ernaar. Niemand in Zaïre had de SNIP nodig, afgezien dan van Mobutu uiteraard. Iedereen haatte de SNIP. De SNIP was het Zaïrese equivalent van de Russische KGB, en de SNIP deed niets anders dan mensen bespioneren, aantekeningen maken in registers en steekpenningen eisen. De SNIP zou me bijvoorbeeld beslist geen bescherming bieden als er militairen doordraaiden of als we op de rivier werden aangevallen door bandieten. Drie decennia lang had Mobutu zijn macht weten te behouden door zich te verlaten op een alomtegenwoordig, corrupt en wreed binnenlands veiligheidsapparaat waarvan de SNIP een onderdeel was. Maar niet alleen de SNIP was corrupt. De hele Zaïrese regering had zich ontpopt als een schijninstelling, een façade van gebouwen met koperen borden, deuren met naamplaten en mensen met titels, maar verder loos. Die regering bouwde niets op, verleende geen diensten, vertegenwoordigde niemand. Waarschijnlijk betaalde ze deze muggenzifter van de SNIP die ik tegenover me had niet eens zijn salaris meer.

Maar terwijl hij gegevens uit mijn paspoort en de *lettre de recommendation* zat over te nemen en nijdig uithaalde naar de opdringerige en ook ietwat vernederende kriebelmug die om zijn hoofd cir-

kelde en vastbesloten leek er zijn lunch van bloed uit te halen, bekeek ik hem nader en trok zo mijn conclusies. Aan zijn Frans te horen, dat hij goed uitsprak en beheerste, had hij een goede opleiding
gehad. Hij had zijn kantoor, al was het niet meer dan een strooien
hut, opgesierd met een globe – blijkbaar wilde hij duidelijk maken
dat hij zich bewust was van wat er in de wereld speelde. Wat hij over
de CIA en de FBI had gezegd, was uiteraard lariekoek, maar er klonk
iets van spijt en wellicht zelfs schaamte door in zijn opmerking over
het eigen leger dat de Italianen mogelijkerwijs had gedood. Hij was
een jaar of vijfenveertig, en was dus opgegroeid ten tijde van de eco-
nomische bloeiperiode die de Zaïrezen ooit het gevoel had gegeven
dat hun land de hoop van heel Afrika vertegenwoordigde. Toen hij
nog jong was had hij hier waarschijnlijk heilig in geloofd. Maar nu
was hij van middelbare leeftijd en zat hier in een gat aan de rivier,
hoogstwaarschijnlijk verstoken van salaris, waarschijnlijk gehaat en
vrijwel zeker gevreesd door iedereen om hem heen, en al zijn hoop
was de bodem ingeslagen. Wat een jammerlijke verspilling van ta-
lent en van een mensenleven; ik had even het gevoel dat ik wel een
poosje met de man zou willen praten.

Maar ik had een tocht te volbrengen – hoe minder omgang ik met
dit soort functionarissen had hoe beter. Hij was klaar met mijn paspoort. Met koninklijke waardigheid – ik voelde me als een derderangs acteur – pakte ik mijn paspoort en brief van hem aan en wandelde de deur uit, op de voet gevolgd door Desi.

Lokutu, met zijn prima onderhouden strooien hutten, verspreid over
de helling langs de rivier, was een aangenaam dorp. Erachter, in het
woud, lagen koffie-, bananen- en rubberplantages, waarvan de
meeste sinds de *pillages* echter verlaten waren. Het was duidelijk te
zien dat het dorp onder normale omstandigheden als haven heel
welvarend zou kunnen zijn. Maar de omstandigheden waren niet
normaal.

Op de terugweg naar zijn huis, waar ik zou wachten terwijl Desi
een vuurwapen ging kopen – wat hij in het geniep zou moeten doen

omdat we geen vergunning hadden – hield Desi me tegen. 'Kunnen we wormenmedicijn gaan kopen?'

'Daar hebben we toch nog meer dan genoeg van?'

'Niet meer.'

'Desi, heb je alles opgebruikt?'

'Wormenmedicijn is hier goedkoop, dat is alles. Het is altijd goed om een voorraadje in te slaan.'

In een apothekershut kochten we antiwormtabletten. Toen we terugkwamen in zijn huis, troffen we daar zijn broer aan, een werkloze verpleger met lange gele teennagels, die in de voorraadkamer in onze spullen aan het neuzen was. Hij zei dat hij alleen maar nieuwsgierig was wat ik allemaal bij me had. Maar er was het een en ander aan voedsel verdwenen. Dat vond ik niet erg – het kon worden opgevat als compensatie voor hun gastvrijheid.

Maar toen zag ik dat onze jerrycans met water weg waren. 'Desi, waar is ons water?'

Op dat moment hoorde ik het klotsen van water in een teil en het holle geluid van een lege jerrycan die met een klap op de grond terechtkwam. Onze jerrycans lagen, op hun kant, in een grove cirkel om een teil met wasgoed uitgestrooid. Een van de twee vrouwen van Desi's broer was kleren aan het wassen in ons gekookte water. Ze had alles uitgegoten, ze schudde net de laatste paar druppels uit de laatste van de zeven jerrycans. Ze wierp hem van zich af en maakte dat ze wegkwam. Meer dan honderdvijftig liter veilig water in één keer verspild.

'Desi!' Ik kon geen woord meer uitbrengen, zo kwaad was ik, ik liep rood aan, verbijsterd over zijn nalatigheid – hij had me bezworen dat hij op ons water zou passen. Hij kwam van de achterkant van het huis aanzetten en ik nam hem mee naar het zijkamertje. 'Desi, jouw familie heeft het water gebruikt dat we in Kisangani urenlang aan het koken zijn geweest – al ons water, het schone water waarmee we het tot Mbandaka hadden kunnen uithouden – om de was mee te doen nota bene!'

Hij liet zijn hoofd hangen. 'Het kost heel veel moeite om water uit de bron te halen, daarom hebben ze het gebruikt.'

'Maar Desi, ik heb keer op keer gezegd dat onze gezondheid afhankelijk is van dat water. Niet alleen de mijne, maar ook die van jou. Als we nu ziek worden op de rivier, wie moet ons dan helpen?'

Hij hief zijn hoofd op. 'Dorpelingen zijn sterk omdat ze water uit de rivier drinken. Dorpelingen...'

'Desi, ik wil er geen woord meer over horen! Het was jouw verantwoordelijkheid om op het water te letten, het was onderdeel van het werk dat je voor mij zou doen. Nu moeten we weer water koken – zeven jerrycans maar liefst – voor we weer verder kunnen. Dat duurt uren. Uren!'

Mokkend begon hij de jerrycans te verzamelen. Ik ging zitten, ziedend. Als er iets was waar ik geen risico's mee kon nemen was het onze gezondheid. Maar voordat hij met water koken kon beginnen moest Desi nog iets anders doen: hij moest voor een vuurwapen zorgen. Als een echte slavendrijver, nog altijd rood van woede, riep ik hem terug naar het zijvertrek. 'Hé, je bent toch niet vergeten waarvoor we hier zijn? We hebben een geweer nodig. Ga daar eerst maar eens voor zorgen. Ik kan je vanavond wel helpen met water koken.' Ik gaf hem driehonderd dollar mee (zoveel zou een geweer wel kosten, had hij gezegd). Hij pakte het geld, verdween mokkend en met gebogen hoofd door de deur en sloop de poort uit.

Rond acht uur 's avonds kwam Desi terug met een lang in lappen verpakt object. Het bleek een twaalf-kaliber geweer te zijn. Hij had ook vijfentwintig patronen aangeschaft.

'Mooi,' zei ik. 'Dan kunnen we nu beginnen met water koken.'

In het Zaire Palace had het personeel fornuizen met meerdere pitten en grote pannen kunnen gebruiken om het karwei te klaren, en toch waren ze er een hele avond mee bezig geweest. Hier hadden we niet meer dan één vuurtje en één ketel; het zou dus nog veel meer tijd in beslag nemen. Lokutu bezat een bron met helder water en daar maakten Desi en ik gebruik van. Met het koken gingen vele uren heen: elke drieënhalve liter kostte tien tot twintig minuten, waarna we het gekookte water moesten overgieten in onze steriele jerrycans. Ik zat naast Desi, die het vuur bijhield, op het maanovergoten erf, waar in de hoeken petroleumlantaarns flakkerden. Terwijl hij in het vuur zat te poken sloeg hij in het oranje schijnsel de bladzijden van een boek om.

Hij keek me aan, zijn gezicht gloeide roodbruin op in de gloed van het vuur. 'Weet u, als God het wil en we bereiken Kinshasa...'

'Waarom zeg je toch altijd: als God het wil?'

'Nou, van Kisangani tot hier wonen mensen van mijn stam. Maar vanaf hier – gelooft u in de wil van God?'

'We hebben een geweer, een *lettre de recommendation*, en als we in Lisala zijn nemen we een soldaat in dienst. Ik heb steeds gehoord dat het stuk van Lisala naar Mbandaka het gevaarlijkste is. Dat klopt toch?'

'Ja, dat is wel zo, maar... God zal over ons lot beslissen.'

'We halen het. God zal ons bijstaan. Eén ding is zeker: als we eenmaal van start zijn gegaan, is er maar één manier om eruit te komen, namelijk de rivier af te varen.'

Hij keek naar mij en toen naar het vuur. Hij stond op. 'Ik heb medicijn nodig.' Hij draaide zich om en ging de voorraadkamer in.

Hij kwam niet meer terug.

Rond twee uur 's nachts was ik klaar met water koken. Ik zette de jerrycans op een rijtje naast mijn tent; ik ging ernaast slapen, voor het geval dat.

Kampeertaferelen

Dreiging

IN HET SOMBERE UUR TUSSEN HET EINDE VAN DE NACHT EN het aanbreken van de ochtend duwden we onze prauw af van de oever bij Lokutu. De petroleumlantaarns op de erven waren allang gedoofd en het dorp lag in duister gehuld, maar achter de heuvelrug erboven weerlichtte de bliksem, die de hemel in een platina gloed zette en de skeletten van gargantueske bomen van achteren belichtte; ik vroeg me af hoe wij er vanuit de toppen van die bomen uit zouden zien: twee miezerige wezens die in een houten bootje een brede rivier afpeddelden. Er was maar heel weinig nodig om ons klein te krijgen: een bliksemflits, een hongerige krokodil, of een microscopisch klein malariaprotozo in het lijf van één enkele anofeles kon ons doden. Deze akelige gedachten overvielen me terwijl ik voortpeddelde en mijn slagen met mijn hele lichaam kracht bijzette, mijn spieren pijnlijk van vermoeidheid.

De stroming voerde ons weldra weg van Lokutu, het uitdijende labyrint van jungle-eilandjes en duistere tussenstroompjes in die zich stroomafwaarts in westelijke richting uitspreidden; voort gingen we over het wateroppervlak, dat borrelde van de bewegingen van onzichtbare vissen en kikkers. Dicht bij de oever varend gleden we onder overhangende takken door, en duwden klimplanten uiteen die we in het donker niet konden onderscheiden. Twee keer kwamen we in botsing met reusachtige varens die over het water uitstaken en haalden we onze onderarmen open aan de doorns tussen hun duimendikke loof doordat we onze ogen beschermden. Af en toe als we een bocht om kwamen hoorden we gespetter in het water en het breken van takken, gevolgd door voetstappen die knerpten op de humus van de bodem van het woud – maar we zagen niets. Wij waren degenen die vrees aanjoegen, maar dat wat ons schuwde en op de vlucht sloeg, kregen we niet één keer te zien.

We kwamen in ieder geval in rap tempo vooruit – de stroming werd hier in nauwe doorgangen tussen de eilandjes geperst en was sterk – en de gedachte dat we weer onderweg waren met bestemming Kinshasa bemoedigde me. Toen de zon was opgekomen, lieten we onze peddels rusten en leunden achterover, moe van het nachtelijk water koken. Ik keek toe hoe de wolken met het vorderen van de ochtend witter werden; genietend van de koelte sloot ik mijn ogen en vroeg me af of Roger er in Kisangani in geslaagd zou zijn Tatjana te bereiken via de satellietverbinding. Het was nu halverwege augustus. In Rusland zouden zich in de kilte van de avonden de eerste tekenen van de naderende herfst aankondigen; weldra zouden de herfstregens losbarsten en in het noordelijke land zouden de lange dagen, vervuld van verrukkelijke warmte en licht, verglijden in de winterslaap met zijn duister en verstikkende sneeuw; Tatjana zou zonder mij zijn en ik miste haar.

Er prikte iets in mijn gezicht. En toen in mijn onderarmen. Ik ging overeind zitten. Via een zijtak van nog geen zes meter breed waren we in een oerwoudmoeras terechtgekomen. Een zwerm kriebelmuggen omhulde ons en die liet zich niet verjagen, hoe we er ook naar sloegen. We mepten om ons heen, stampten met onze voeten, probeerden te peddelen, peddelden en sloegen; onze boot ging scheef, de boeg bonkte tegen de oever aan, struiken schuurden langs ons gezicht, doorns priemden door onze kleren heen. Ik liet mijn peddel in het water vallen en Desi greep hem, al meppend en schoppend, en gaf hem aan me terug. Het bladerdak van het woud onttrok de zon aan het zicht en we voeren door een akelig duister moeras met een dak van blaren waar de dauw afdruppelde.

We zagen licht. We dreven het oerwoud uit en kwamen in een kleine baai terecht. De muggen lieten ons verder met rust. Onze armen en ons gezicht waren overdekt met bloederige insectenlijkjes.

De zon kwam te voorschijn. Desi zat met een knorrig gezicht achter in de boot aan zijn parasol te plukken. Ik vroeg hem wat er aan de hand was.

Hij ging verzitten. 'Ach, het zijn die broers van mij. Ze zouden best kunnen werken maar ze doen het niet. Ze verlaten zich op mij. Gisteren wilden ze allemaal geld van me hebben. Maar ik heb mijn eigen verantwoordelijkheden. Ik heb ook een gezin. Ik moet mijn vrouw en dochter toch ook geld geven, of niet soms? En ik moet geld geven aan de kerk. Daar zijn ze heel kwaad om. Zelfs mama zat over de kerk te klagen.'

'Geef je geld aan de kerk? Maar op de boot had je niet eens een tandenborstel.'

'Jezus heeft gezegd dat we vrijgevig moeten zijn. Als je aan predikanten geeft is dat hetzelfde als aan God geven. Dus ik geef wat ik kan. Maar ik ben nu echt bang om te lang weg te blijven van mijn huis. Ik ben bang dat mijn broers het om het geld zullen verkopen, maar ik heb het voor hen gebouwd, ik heb het voor mijn hele familie gebouwd. Wie weet wat ze gaan doen? Ze willen niet werken. Ik heb ze gisteren een zak rijst gegeven, maar ze zeiden: "O, maar die willen we niet. Denk je dat we in de brandende zon gaan zitten om die rijst te verkopen?" "Desi," zeiden ze, "geef ons nou maar gewoon geld." "Ik hoor in de eerste plaats aan mijn vrouw en dochter te denken in plaats van aan jullie!" schreeuwde ik tegen ze. Maar ze zeiden: "Desi, jij bent onze enige hoop." Wat moet ik ervan zeggen? Ik doe mijn best om het allemaal voor elkaar te krijgen. Ik vaar op de boten en verdien wat ik kan, en ik geef hun ook wat ik kan. Het is mijn familie. Maar ik moet zo veel mensen onderhouden. Ik word er heel moe van.'

Zijn wangen kregen een nogal bleke tint en hij keerde zich van me af. Hij haalde zijn wormtabletten te voorschijn en begon er een stuk te kauwen. We gleden voort in de gloeiende hitte, met boven ons hoofd rondcirkelende visarenden omzeilden we vlotten van waterhyacint waarin het gonsde van de bijen. De rest van de ochtend bracht Desi door in een cyclus van lusteloos peddelen, ophouden met peddelen om voor zich uit te staren, opnieuw een poosje peddelen enzovoorts.

Aan het begin van de middag pakten zich onweerswolken samen, maar we besloten het erop te wagen en gewoon door te varen. Als we nu al aan land gingen, zes, zeven uur varen van Lokutu, verspilden we een groot deel van de dag. Maar rond een uur of drie werd de hemel inktzwart en hadden we geen andere keus. We vonden een plek om te bivakkeren – een vlak open terrein op een eiland met dwergachtige bomen, half van het blad ontdaan en de bast op de stammen weggevreten – en sloegen ons kamp op.

Ik pakte mijn emmer en handdoek en ging op zoek naar een eenzaam plekje om me snel even te wassen. Er waren hier maar weinig struiken en ik moest dus een aardig eindje lopen om privacy te vinden. Waar het struikgewas echter dichter begon te worden, zo ontdekte ik, waren de bladeren bedekt met iets wat op as leek, zodat ik onder een laagje grijs poeder kwam te zitten. Toen ik een geschikt bosje had gevonden, kleedde ik me uit, hing mijn kleren aan de takken en begon water over me heen te scheppen en me in te zepen. Het water in de emmer zag er kakikleurig uit, maar het was warm en behaaglijk.

Getik. Gefladder. Geritsel. En opeens ritselde het overal om me heen. Ik stond als verstijfd in het rond te kijken. Was het regen? Nee, het geritsel kwam van de grond. Tussen de dode takken en dorre bladeren op de grond sprongen zwermen dikke krekels rond. Ze hupten over mijn benen, probeerden tegen mijn kuiten omhoog te kruipen. Al dansend zeepte ik me in, al dansend spoelde ik me af, al dansend droogde ik me, intussen peinzend over een mogelijk verband tussen krekels en as, krekels en bladerloze bomen... heerste er soms een plaag op dit eiland? Deze beestjes waren uiteraard onschadelijk, maar wel om gek van te worden.

Het ging helemaal niet regenen. Toen ik terugkwam bij ons kampement trof ik Desi in diepe slaap verzonken onder zijn net aan; hij lag met zijn ledematen uitgespreid, als geveld door een kogel, vol-

ledig uitgeput door de inspanningen van een korte dag. De gebruikelijke herrie van kulokoko's en apen ontbrak hier en ik ging in mijn
stoel zitten, haalde mijn kaarten te voorschijn en begon ze in stilte
te bestuderen, voortdurend de krekels verjagend die over mijn benen en armen rondsprongen, want ook op die plek wemelde het ervan. Sinds we zes dagen geleden Kisangani hadden verlaten, hadden we ongeveer tweehonderdvijfentwintig kilometer afgelegd. We
zouden ons nu op een eilandje dicht bij de zuidelijke oever moeten
bevinden. Maar ik wist niet helemaal precies waar we waren. Veel
van de plaatsnamen op mijn kaarten waren Desi onbekend en op een
paar uitzonderingen na weken ze af van de plaatsen die Stanley in
zijn dagboek had beschreven. We moesten onze voorraad houtskool
aanvullen in Bumba, ruim honderdvijftig kilometer verderop, maar
door al die eilandjes konden we er met gemak voorbij varen. Ik keek
naar Desi en realiseerde me hoezeer ik hem nodig had om de tocht
stroomafwaarts te kunnen volbrengen. Voortbordurend op die gedachte begon ik me voor te stellen wat er zonder hem van me zou
worden en de schrik sloeg me om het hart. Mijn angst, de stilte op
dit uitgestorven, asgrauwe eiland en een aanzwellend gevoel van
eenzaamheid te midden van de grote wildernis dreven me ertoe mijn
kaarten op te bergen en een flink stuk in mijn dagboek te schrijven.

Om zes uur ging de zon onder en dwongen de muskieten me mijn
tent in te gaan. Krekels hupten en krasten over de tent heen en weer
en bedekten de witte wanden met hun kleine zenuwachtig bewegende donkere silhouetten. Af en toe hoorde ik een geweldig geplons in de rivier, misschien van nijlpaarden of krokodillen, en daardoor moest ik aan het geweer denken.

'Desi, jij hebt het geweer toch bij je in de tent, of niet?'

Geen antwoord. Ik scheen met mijn zaklantaarn door het gazen
raam in de achterkant van zijn tent en zag het geweer naast hem liggen.

Ver weg rommelde onweer boven de verlaten moerassen. Terwijl
ik ernaar lag te luisteren, bevangen door een eigenaardig hol gevoel
van eenzaamheid, zonk ik versuft weg in een poel van duisternis...

Ik waadde worstelend rond in modderig water op een zinkende boot. Op de brug, die nog niet was ondergelopen, verscheen de kapitein, in fonkelwit gala-uniform gestoken, maar dronken en wankelend op zijn benen; hij gaf ons bevel het schip te verlaten. Om me heen klonk een galmende litanie op: '*Prêtre! Oh, Prêtre! Prêtre! Oh, Prêtre!*' De boeg van de boot kwam omhoog en de achtersteven verdween onder water.

Ik vocht in het rijzende modderige water om bij mijn prauw te komen, die ergens aan de zijkant was vastgelegd. Aan dek waren gepekelde haaien en krokodillen opgehangen; de kadavers zwaaiden heen en weer op de omslaande boot. Terwijl ik wild spartelend mijn prauw probeerde te bereiken die vol bruin water begon te lopen, drong het tot me door dat deze roofdieren afkomstig waren uit het water waarin wij wegzonken. De kapitein schreeuwde: 'Je prauw ben je kwijt! Morgen praten we wel over een schadevergoeding!'

Schadevergoeding?! Morgen?! We waren aan het zinken! Wetten, schaderegelingen en rechtszaken hadden niets meer te betekenen; ook woorden hadden geen betekenis meer; alle vaardigheden, trucjes en tactieken die ik me tot dan toe in mijn leven had weten eigen te maken, zeiden me nu helemaal niets meer. Om me heen steeg het water, het liep mijn neusgaten en mijn luchtpijp in, stikkend snakte ik naar adem en ik zag in een flits ledematen onder water... water en dood waren werkelijkheid en verder was alles onecht... en toen waren er alleen nog onderdompeling en doodsangst terwijl ik met wijdopen mond naar lucht hapte en er waren rietstengels die zich in het bruine rivierwater om mijn slaande en trappende armen en benen strengelden en er waren krokodillen en ontsnappen was onmogelijk...

Ik schreeuwde het uit en schoot wakker. Mijn kreten echoden over de rivier en kwamen terug als kreten die niet van mij waren. Maar buiten ademde alles een diepe rust: het nevelige zilverige water, het pieperig harmoniëren van boomkikkers, de zachte borrelingen van vissen. Het woud en de rivier waren warm, nabij, vruchtbaar, wonderbaarlijk.

Ik schrok van het kraken van brekende takken achter me.

De stem van een man klonk op, donker en dringend: '*Wapi? Wapi?*' En de tenor van een jongen antwoordde: '*Kuna!*'

In de jungle achter ons was vervolgens een langdurig gekraak en geritsel te horen, als van een grote kei die door struiken rolt. Toen was het weer stil. Enkele minuten later gleed ongeveer een meter van de oever vandaan een prauw voorbij met twee gestalten erin, meegevoerd met de stroming; bij ons kamp minderde hij vaart. En toen... niets meer, alleen de maan boven de lege rivier en het harmoniëren van boomkikkers in het inktzwarte moeras.

De volgende ochtend druppelde de dauw van de bomen op de zuidoever en verdween ploppend in de rivier. We waren sinds het ochtendgloren aan het varen geweest en hadden de prauw naar de kant gestuurd, aangelokt door het geschreeuw van apen. Met uitgestoken nek omhoog turend pakte Desi het geweer en sloop weg, mij in de prauw aan de waterkant achterlatend. De oever was steil. Hij nam de helling met grote stappen, waarbij zijn voeten diep wegzakten in de modder, en was weldra achter het oerwoudgordijn verdwenen.

Vlak na het opbreken van ons bivak had Desi me verteld dat hij door gebrek aan vlees aan duizelingen leed – we hadden tot dan toe geleefd (en naar mijn idee uitstekend) op vlees uit blik en op vis die we kochten van dorpelingen die we 's ochtends op het water tegenkwamen. Er waren hier apen in overvloed, zei hij, en het zou heel eenvoudig zijn er een te schieten; dan zouden we voor verscheidene dagen vlees hebben. We lieten ons voortdrijven tot we het geschreeuw hoorden dat onze prooi verraadde. Desi stuurde de prauw naar de oever en stapte uit. 'Ik kom terug als ik een aap heb. Ik moet aap eten om weer op krachten te komen,' zei hij.

Ik leunde achterover en ging met mijn ogen op de boomtoppen gericht zitten wachten op een geweerschot dat de stilte zou verscheuren en een aap die uit het bladergewelf naar beneden zou tuimelen.

Ik sloeg naar een vliegende mier. En naar een volgende. Ineens zwermden ze met tientallen tegelijk om me heen. Ik sloeg er opnieuw naar. Het waren wespen, geen mieren. Ze verdwenen in mijn haar en staken me keer op keer in mijn kruin; ze kropen onder mijn hemd en staken me in mijn buik en rug. Ik sprong overeind, verloor mijn evenwicht in de prauw en viel bijna overboord; ik sloot mijn ogen om ze tegen de aanvallen te beschermen en ging op de tast op zoek naar mijn poncho, als een blinde rommelde ik in de berg spullen die voor me lag, ik mepte naar alles wat op mijn huid kriebelde en werd aanhoudend gestoken.

Ik kreeg de poncho te pakken, trok hem uit mijn plunjezak en gooide hem over mijn hoofd; in mijn pogingen de wespen te doden sloeg ik mezelf, petste tegen mijn benen en romp, vertrapte de wespen die op de bodem van de prauw vielen. Ineengekrompen zat ik in het donker onder de poncho. Om de wespen buiten te sluiten duwde ik de randen van de poncho stevig tegen de bodem van de prauw en probeerde weer op adem te komen, rillend en met een branderig gevoel van alle steken.

Ik weet niet hoe lang ik volledig verstopt onder mijn poncho in de prauw heb gezeten voordat ik me bewust werd van gepeddel en toen helder boven het water opklinkend Lingala, afkomstig van één diepe en één minder diepe stem. Een man en een jongen kwamen van stroomopwaarts in een prauw mijn kant uitgeroeid. Ze onderbraken hun gepraat en stuurden op het allerlaatste moment hun prauw bij me vandaan; toen ze zich eenmaal stroomafwaarts van mij bevonden, gingen ze weer door met peddelen en praten.

Waren het de stemmen van vannacht die ik herkende?

Een poosje later kwam Desi terug – zonder aap. 'Ik kon ze niet zien. Het woud is te dicht,' zei hij. 'Maar waarom zit u met die poncho over uw hoofd?'

Er kwam een prauw bij ons in de buurt. Er zat een gezin in. Vader stuurde, moeder peddelde en de zoon wuifde naar me; allemaal lachten ze me toe. Ze hadden het erover of ik een touri of een priester was. Een priester, was hun conclusie – de vader zei dat ik zeer beslist geen touri kon zijn. Ik vroeg Desi waarom niet.

'U bent gewassen,' zei hij. 'En u hebt geen Motorola. Ik geloof tenminste van niet.'

Later die dag ontdekte Desi een *kulokoko* die boven op een hoge, dode boomstronk zat en geeuwend zijn vleugels spreidde. Hij pakte het geweer. 'Daar heb je mijn vlees. Dat wordt mijn volgende maal.' Hij keek langs de loop en mikte op de vogel. We dreven verder. Toen we binnen schootsafstand waren haalde hij de trekker over.

Er gebeurde niets.

Hij haalde de trekker nog een paar keer over, maar tevergeefs, de *kulokoko* staarde op ons neer terwijl we voorbijgleden. Ik gaf hem een andere patroon; hij laadde het geweer en probeerde het nog eens. Er gebeurde weer niets. We probeerden verschillende patronen uit, onderzochten de loop, bekeken de trekker. Alles zag er prima uit, alleen deed het geweer het niet. Toen Desi het geweer kocht was het niet bij hem (en ook niet bij mij) opgekomen het uit te proberen.

We staarden elkaar aan, beroofd van ons pasverworven gevoel van veiligheid. Desi's woorden over vreemde stammen en Gods wil doken weer bij me op. Hij legde het geweer op de bodem van de prauw en hield zijn hoofd tussen zijn handen. We dreven mee op het gezwollen water van stroompjes die door een mangobos voerden en rond eilandkerkhoven van palmen en ander liggend en staand geboomte, waar arenden, visarenden en andere roofvogels hun roestplaats vonden. Alle oevers waren modderig, alle open plekken moerassig. Het struikgewas begon dichter te worden; het ritselde van de slangen, zoemde van de bijen, gonsde van de muskieten; het wemelde van alle mogelijke fladderende insecten en bontgekleurde vogels. De zon begon onder te gaan. Aan het eind van een tunnel van mangobomen ontwaarden we een verhevenheid waaronder zich een wirwar van wortels uitspreidde.

'We kunnen maar beter stoppen,' zei ik, 'en daar bovenop kamperen.'

'Maar de lucht is hier smerig. In deze lucht voel ik me heel slap.'

'Als we door de nacht worden overvallen, worden we levend opgevreten door de muskieten. En dan ga je je nog veel beroerder voelen.'

We manoeuvreerden de prauw door de tunnel, legden hem vast aan de wortels en klauterden de oever op. Het was inderdaad een smerig plekje, het was er dompig en het stond vol onkruid dat tot onze borst reikte en akelige kevers huisvestte, die zoemend rondwervelden in de lucht, net kleine vliegtuigjes. We haalden de machetes en begonnen op de planten in te hakken. Terwijl we daarmee bezig waren, klaagde Desi over *faiblesse*. Met veel moeite bracht ik onze spullen over de ladder van wortels naar boven, nu en dan uitglijdend zodat mijn voeten in de modder bleven steken.

De volgende ochtend klaagde Desi nog steeds over *faiblesse*. Beschenen door milde zonnestralen dreven we met de stroom mee in de richting van een dorp – een verzameling hutten geschaard om grote trommen die van boomstronken vervaardigd leken. Enkele jonge vrouwen met een baby op de heup kwamen op platvoeten hun hut uitgedraafd en maakten ons met wuivende gebaren duidelijk dat we moesten stoppen. Ze waren knap, hun slanke leest was in kleurige doeken gewikkeld en hun borsten als ballonnen spanden in hun zwarte T-shirt. Op de plek van hun tepels zaten gaten in hun shirt – waarschijnlijk ten behoeve van de baby.

'*Mbote na bino!*'

'*Mbote! Mbote!*'

'Zij willen vast mijn stof wel kopen,' zei Desi binnensmonds, terwijl hij een rol rood textiel uit zijn tas haalde. Hij zette zijn cowboyhoed op, leunde zogenaamd achteloos naar achteren en zwaaide met de rol boven zijn hoofd. 'Wie wil er rode katoen van me kopen?'

De vrouwen bogen zich naar voren op de oever. 'Heb je malariapillen?'

'Ik bied deze rode katoen te koop aan.'

'Batterijen dan?'

'Katoen zeg ik toch! Ik verkoop katoen!'

'Heb je geen naalden?'

'Vrouwen, koop mijn stof!'

'Heb je geen lucifers?'

We voeren hen voorbij. Desi legde zijn rol textiel weer weg en liet zijn hoed met een nijdige pets in zijn tas verdwijnen. 'Geen goeie klanten, die vrouwen.' Hij liet zijn hoofd hangen. 'Ik moet die stof zien te verkopen, snapt u? Die heb ik nog over van de boot. Ik heb geld nodig voor mijn vrouw en kind. Als u het goedvindt, ga ik die in Bumba opzoeken; ze logeren daar bij familie, maar ik heb niets om ze te geven.'

'Je krijgt van mij wel een cadeau om aan ze te geven.'

'Bedankt.'

Ik keek naar Desi. Onze stop in het dorp van zijn *fiancée*, zijn gelikte gedoe met de cowboyhoed, de manier waarop hij zichzelf in zijn spiegeltje bekeek terwijl hij zich met tandpasta aan het scheren was, zijn charme en zijn gladde tong: alles wees erop dat hij een echte vrouwenliefhebber was geweest, tot de religie hem in de ban kreeg en zijn vuur enigszins temperde. Nu deed hij zijn best om zijn verplichtingen tegenover zijn gezin na te komen, maar dat viel nog helemaal niet mee.

Terwijl we voortgleden hief hij zijn hoofd weer op. 'Mensen moeten veel kinderen krijgen. God beveelt ons om veel kinderen te krijgen. Ik moet veel, heel veel kinderen krijgen.'

'Als je meer kinderen wilt, moet je dan niet meer geld verdienen?'

'Nee. Waarom? Als ze genoeg te eten hebben om in leven te blijven, dan is het goed. God heeft ons gezegd ons te vermenigvuldigen.'

'Dat verhaal heb ik al eens eerder gehoord.'

'Ik vermenigvuldig me zoals God wil. En zoals in de heilige Schrift staat. Ik kan u het gedeelte waarin staat dat we ons moeten vermenigvuldigen wel voorlezen.'

'Dat hoeft niet. Ik vind dat je meer geld moet verdienen als je meer kinderen wilt, wat de bijbel ook zegt.'

'Het is voldoende om in leven te zijn. Wij leven bij de gratie van Jezus, en we sterven bij de gratie van Jezus. Dat zegt Brenem, jullie profeet. We moeten niet klagen zolang we nog één larve te eten hebben, één enkele banaan, één enkele wortel om op te knagen. We moeten Jezus danken en ons vermenigvuldigen. We moeten altoos dankbaar zijn en ons vermenigvuldigen.' Hij raakte in de ban van zijn eigen woorden, greep zijn bijbel en begon erin te lezen, zijn lippen bewogen mee met het prevelen van de woorden.

Gedurende de rest van die koele dag kwamen we nog maar één klein dorpje tegen – vijf, zes hutten rond de gebruikelijke open plek. We moesten aan vis of aap zien te komen. Desi schreeuwde een begroeting in het Lokele. Er kwam geen antwoord.

Even later kwamen er toch twee jonge mannen in lompen naar buiten, gespierde jonge mannen met een haardos bespikkeld met stof. 'Mbote!' zeiden ze, eindelijk, alsof ze net wakker waren. Ze staarden naar ons terwijl we hen naderden; ze staken hun schouders naar voren en liepen onze kant uit. 'Ozali kosomba nini?' Wat willen jullie kopen?

'Nazali kosomba nyama!' antwoordde Desi. 'Makaku!'

De onderhandelingen werden voortgezet. Ze hadden geen nyama (vlees) te koop; ze hadden ook geen makaku (aap), en zelfs geen ngando (krokodil). Maar er was iets met hen: hun ogen waren niet meer dan rode spleetjes en de hanerige manier waarop ze naar de waterkant waren komen lopen duidde erop dat ze zich hadden bezat aan de palmwijn of zich aan mbangi te buiten waren gegaan. Terwijl we met onze peddels in het water boomden om bij hun aanlegplaats te komen, lachte ik naar hen en riep: 'Mbote!'; ze keken me alleen maar kwaad aan en zeiden niets. Een van hen liet een korf met graatmagere vis zien, en een klein jongetje in een t-shirt met het opschrift NUFF SAID! maar zonder broek aan kwam naar buiten, spelend met zijn piemeltje. Hij gooide een steen naar mij en rende toen weer terug naar de hutten.

Ze vroegen een som van drie keer zoveel als er op de markt voor een korf betaald werd; het eindigde ermee dat we voor vijfduizend zaïre een uitgemergelde meerval kochten.

Terwijl we wegroeiden werd in het dorp op trommen geslagen.
'Wat was er aan de hand met die mensen, Desi?'
'Ik weet het niet. Het is gek, maar de taal die ze spraken had ik
nog nooit gehoord.'

Die middag troffen we het geweldig met een fantastische kampeerplek op een eiland: een prieel hoog boven het water met uitzicht op
het westen. Desi at zijn vis en hielp me daarna een grote portie vlees
uit blik, rijst en de laatste pisangs soldaat te maken. We voelden ons
zeer voldaan en toen stak er ook nog een briesje op van over de rivier dat geurde naar dadels en mango's, een briesje als een fruitig
kushandje, ons toegeworpen door de zon die de hele dag milde stralen over ons had uitgegoten en nu, terwijl hij onderging, vlammend
rode en hel oranje voelsprieten de purperkleurige hemel inzond. Het
oranjerood rimpelde over de zilverkleurige rivier en de bries werd
aangenaam fris, voor het eerst sinds ons vertrek.

We dronken het tafereel in en raakten in een jubelstemming. We
praatten over de tocht die we nog voor de boeg hadden. Over de soldaat die we in Lisala als lijfwacht zouden inhuren en die zou zorgen
dat we veilig in Mbandaka aankwamen; we zouden ons gemak ervan nemen in de hete streek rond Bolobo, waar de rivier slechts traag
stroomde; daarna zouden we met de sterke stroming mee pijlsnel
de koelte van de Chenal bereiken en aan het eind daarvan in Kinshasa
arriveren, geheel verfrist, volledig herboren na alle doorstane be-
proevingen en vervuld van nieuwe levenslust door ons succes. We
zouden slagen – we zouden slagen of anders sterven in onze pogingen om te slagen, en onze vastbeslotenheid, of in ieder geval mijn
vastbeslotenheid, kon op niets anders uitlopen dan op succes, dat
leek nu voorbeschikt.

We kropen de beschutting van onze netten binnen en maakten
het ons gemakkelijk. Alles zou in orde komen en eindelijk geloof-
den we daar ook echt in.

Midden in de nacht werd ik echter bibberend wakker: de heldere hemel had kilte gebracht. Desi was hardop aan het bidden. Tussen de
bijbelverzen in snikte hij het uit.

Ik trok mijn deken om mijn schouders en keek door de tentopening. 'Desi, wat is er aan de hand?'

Ik kreeg geen antwoord.

Spiegelende rivier

Gevaar

IN DE KOELTE VAN EEN SAFFRAANKLEURIGE DAGERAAD braken we op en verlieten ons kleine Eden, hard peddelend, vol energie door de hoopvolle gedachte dat we rond het middaguur in Bumba konden zijn. Bumba! Wat betekende Bumba voor ons? Bumba was niet zomaar een plaats aan de rivier – het was het einde van het eerste deel van onze reis en markeerde onze onmiskenbare vooruitgang richting Kinshasa. Voor Desi betekende het nog meer: het was de plaats waar hij zijn vrouw en dochtertje zou zien.

Maar naarmate de dag vorderde werd de heldere hemel een grote plaag; de stralen van de zon, scherp als een scheermes, putten ons uit en vertraagden onze voortgang. De waterloop die ons van een snelle doorvaart had verzekerd door de sterke stroming, mondde uit in een luie, door algen verstikte vijver. De atmosfeer raakte doortrokken van de geur van waterhyacinten en moerasvegetatie, en van de stank van moerasonkruid. Zwarte zwermen bijen doorkliefden het schelle licht als vliegende cirkelzagen en we verlangden terug naar de heilzame koelte van de dageraad. Maar rond het middaguur ontwaarden we toch, in een verre bocht, daar waar de rivier zuidwaarts afboog naar de evenaar, de witgepleisterde muren en roodgetegelde daken van vervallen villa's. Bumba.

Desi nam zijn spiegelscherf ter hand en begon zich op te doffen; hij kamde zijn haar, inspecteerde zijn tanden, zeepte zijn wangen in met tandpasta en schoor zijn vlokkige baard af. Tot slot trok hij zijn trainingspak aan en zette zijn knots van een hoed op. Hij zag er al met al heel stoer uit.

Hij keek in de spiegel of zijn hoed wel goed op zijn hoofd stond. 'Mijn vrouw en mijn kindje – voor hen moet ik er goed uitzien.'

'Wil je de Polaroid meenemen?'

'Ja, alstublieft.'

Ik gaf hem de camera en een bundel zaïres voor zijn gezin. Hij nam het geld aan zonder te bedanken. Het maakte, zo begreep ik onderhand, gewoon deel uit van mijn verplichtingen als (voor rijk versleten) *mondele* om hem dergelijk giften te schenken.

'Denk eraan,' zei ik, 'we moeten hier op z'n laatst om drie uur weer weg. We moeten zorgen dat we voordat de nacht valt al een eind op weg zijn tussen de eilanden.'

'Geen probleem.'

In de hoop onopgemerkt te blijven landden we op een verlaten strandje aan de rand van de stad, maar al binnen enkele minuten kwam er een lawaaierige groep kleine schooiertjes en lachende tieners opdagen die de steile kleihelling afglibberden om naar ons te kijken. Onder hun nieuwsgierige blikken gaf ik Desi geld voor een zak houtskool, een kratje cola, een voorraadje petroleum en nog wat andere dingen die we nodig hadden; we stopten hier immers in de eerste plaats om onze voorraden aan te vullen. Hij hing de Polaroidcamera om zijn nek en sprong op de kant, ritste zijn trainingspak dicht en was verdwenen. Ik ging zitten kijken naar de kinderen die radslagen maakten en vanaf een verhevenheid iets verderop met salto's de rivier in doken. Het waren leuke, goedgebouwde kinderen, en ze waren heel goedlachs. We lachten dan ook voortdurend naar elkaar. De meesten waren Lokele.

Desi bleef een hele tijd weg, hij was een uur te laat. Toen hij eindelijk terugkeerde, kwam hij monter, bijna dansend de helling naar de waterkant aflopen, in het gezelschap van nog meer kinderen en een drager die gebukt ging onder een lading boodschappen. Desi vertelde dat het bezoek aan zijn familie goed was verlopen, heel goed zelfs, dat hij *très, trrrès content* was. Fijn, zei ik, heel fijn, en keek op mijn horloge. Hadden wij geen tijd afgesproken en (ik keek naar zijn aankopen) – *sacrebleu!* – was hij de houtskool niet vergeten? Terwijl hij zijn cowboyhoed op zijn hoofd gedrukt hield, holde hij terug de helling op en snelde weer richting stad.

Uiteindelijk konden we pas tegen zonsondergang vertrekken. Desi peddelde bijzonder ijverig; we moesten buiten het bereik van dieven uit Bumba zien te komen, en wel *snel*, verklaarde hij, als betrof het een gevaar waaraan hij me liefst even wilde herinneren voor het geval dat ik, een *mondele* die wat het rivierleven betrof van toeten noch blazen wist – dat impliceerde hij althans – het vergeten mocht zijn. De muskieten die zich weldra op ons zouden storten, de onbekommerde houding van Desi toen hij te laat kwam, gevolgd door zijn hiermee eigenaardig contrasterende didactische aansporing om toch vooral hard door te roeien, het vooruitzicht in het duister ons kamp te moeten opslaan, de mogelijkheid dat iemand ons inderdaad was gevolgd (want wie hadden er niet allemaal op de oever naar ons staan loeren?): dat alles wekte mijn gal op. We hadden aan één uur in Bumba genoeg gehad, ik had Desi drie uur de tijd gegeven, maar hij had vijf uur genomen en daardoor liepen we nu risico.

Desondanks kreeg zijn gezicht het volgende moment een uitdrukking van melancholie vermengd met vermoeidheid. 'Hoor eens,' zei hij, 'ik ben moe.' Hij legde zijn peddel neer en leunde achterover.

Ik bleef roeien, maar de prauw begon traag de verkeerde kant op te gaan, onbestuurbaar geworden doordat ik in mijn eentje voorin aan het roeien was. Ik kon mijn woede niet langer inhouden en legde met een klap mijn peddel neer.

'Hoor eens even, Desi. Jij werkt voor mij en je weet dat we met het oog op onze veiligheid bepaalde voorzorgen moeten nemen. Je was vandaag te laat en...' – ik sloeg muskieten van mijn wangen weg en kon nog net mijn evenwicht bewaren in de deinende praam – 'en moet je nou eens kijken hoe we eraan toe zijn! Jij zit doodleuk uit te rusten terwijl het al bijna donker is en we nog lang geen kampeerplek hebben. En God mag weten wie ons hierheen gevolgd is!'

Mijn uitval overrompelde hem. Hij keek me een ogenblik perplex aan, alsof hij totaal niet begreep waarom ik als een achterlijke tekeerging. 'Waarom bent u zo boos?' vroeg hij. 'Jezus past op ons. Jezus...'

'Desi, hou op! Begin nou niet over iets anders.'

'Gelooft u dan niet in Jezus?'

'Geloof heeft hier helemaal niets mee te maken!' Ik was zijn geschern met Jezus opeens spuugzat: hij gebruikte het als een excuus voor luiheid en onverantwoordelijkheid. Maar daar wilde ik niet op doorgaan. 'En dan nog iets! De laatste paar dagen was je heel sloom! Wat is er met je aan de hand? Als je ziek bent, moeten we naar een dok...'

'Ik ben *niet* ziek! En ik ga *niet* naar een dokter!' Hij sprong overeind. '*Ik* geloof wel in Jezus – Jezus! – en Jezus past op ons! Ik bid dat Hij ons helpt!'

'*Je bidt dat Hij ons helpt!* Staat er niet in de bijbel dat God diegenen helpt die zichzelf helpen? Doe gewoon je werk!'

'Wou je mij op mijn donder geven!' Hij stak zijn schouders naar voren, voor het eerst sprak hij me met *tu* aan. '*Waarom?!*'

'Omdat ik heelhuids in Kinshasa wil aankomen, daarom!'

Woedend stonden we elkaar aan te kijken in het vervagende licht, terwijl de zon bloedrood achter het oerwoud wegzakte. Langzaamaan begonnen de geluiden van de nachtelijke jungle – de alarmkreten van *kulokoko*'s, het gekras van uilen, het eigenaardige gezoem van reusachtige nachtkevers – op te klinken boven de rivier. Het had geen zin om door te gaan met deze ruzie. Ik stampte met mijn benen om de muskieten af te schudden. Ik rukte mijn plunjezak open, trok vliegensvlug mijn lange broek aan en plensde antimuskietenspul over me heen. 'We moeten een plek vinden voordat het te donker wordt om nog iets te zien.'

Met een woeste blik op mij nam Desi langzaam zijn peddel weer ter hand.

We roeiden naar een rots die een meter of drie boven het water uitstak. In het donker zouden we op die hoogte onzichtbaar zijn voor passerende prauwen. We legden aan op de eronder gelegen oever en uitglijdend over de wortelmassa stapte ik uit de boot en klauterde naar boven. We sloegen een rudimentair kamp op – zonder dekzeil, zonder tent, met alleen onze muskietennetten – op het oneffen, met wortels overdekte klif, een ondergrond waarop het slecht slapen was, zelfs op de schuimmatrassen. Zodra we onze netten hadden opgezet, kropen we naar binnen, belaagd door muskieten, hongerig en zonder ons te hebben gewassen.

Ik ging liggen en probeerde al brommend een houding te vinden waarin ik geen last had van prikkende wortels. Maar dat was vergeefse moeite. Desi stak zijn lamp aan en droeg een passage uit de bijbel voor, waarna hij in zijn *Code du Travail* begon te bladeren en een subparagraaf reciteerde over het recht van een arbeider om in geval van voortijdig ontslag van tevoren op de hoogte te worden gesteld. Dat bracht hem om wat voor reden dan ook weer op een vers uit Jesaja, waarna hij al bladerend beide teksten met elkaar vergeleek.

Terwijl ik naar zijn voordracht lag te luisteren dacht ik: Ik snap werkelijk geen snars van deze kerel! Zijn gedachten spoorden nooit met de mijne; ik kon op geen enkele manier voorspellen hoe hij zou gaan reageren. Toch waren het niet alleen verschillen in cultuur en opleiding die ons scheidden, maar ook de manier waarop we tegen het reizen over de rivier aankeken. Voor mij was alles hier nieuw en uniek en enerverend; voor Desi was de Kongo een ruige, overbekende waterweg, waaraan hij met hangen en wurgen een mager bestaan moest zien te ontfutselen, vechtend tegen chronische vermoeidheid als gevolg van wormen, koorts of wat het ook was waaraan hij leed. Hij zou zich niet laten opjagen, want of er nu gevaar loerde of niet, deze rivier was zijn thuis en hij leefde volgens een ritme dat hem in staat stelde zijn krachten te sparen, plezier te maken wanneer de gelegenheid zich voordeed en op die manier verder te gaan.

Ik had er verkeerd aan gedaan mijn humeur te verliezen en ik had spijt van mijn kwaaie woorden.

'Desi, het was niet mijn bedoeling zo tegen je uit te vallen. Maar laten we in het vervolg wat beter uitkijken. Misschien komt het allemaal wel doordat we al negen dagen op de rivier zitten. Zullen we een dagje extra in Lisala blijven?'

Hij hield op met lezen en ging in zijn net overeind zitten. Na zijn keel geschraapt te hebben vouwde hij zijn handen samen en hief zijn hoofd op. 'Here Jezus! Waak over ons op deze grote rivier. Grote gevaren wachten ons! En waak alstublieft ook over de vrouw van Monsieur Jeff in Moskou! Here Jezus! Waak over Monsieur Jeff opdat hij terug kan gaan naar Moskou en daar bij zijn vrouw vele, vele kinderen mag krijgen en daar heel, heel gelukkig mag worden! Amen!'

Maar net, zo leek het, was ik in een onrustige slaap gedommeld of de zon scheen ongenadig door mijn net op me neer. We hadden ons een uur verslapen. Zonder ontbijt braken we op, knorrig en smerig en beurs van de prikkende wortels, en boomden terug naar het snelstromende deel van de rivier. Maar al spoedig verbreedde de rivier zich van zo'n vijf naar tien kilometer, en de stroming voerde ons naar een doolhof van eilandjes en door de wildernis stromende zijarmen. Ik vroeg aan Desi of hij van hieraf de route naar Lisala kende; we wilden zeker niet aan de verkeerde kant van een eiland uitkomen en de stad ongemerkt voorbijvaren.

Hij luisterde naar mijn vraag en antwoordde op verwarde toon: 'Ik ben duizelig.'

'Duizelig? Desi... Desi, ik vraag je hoe goed je de rivier hier kent. Als je twijfelt kunnen we beter bij de noordoever in de buurt blijven, dan weten we zeker dat we Lisala niet missen.'

'Ik ken de rivier. Maar ik ben moe.'

Naarmate de ochtend vorderde werd het bewolkt en klam. We voeren om een landtong heen en verschrikten een dorpeling die zich onder een overhangend gedeelte van de oever ophield: een man van in de veertig met een stoppelbaard, onverzorgd haar en een kropgezwel ter grootte van een granaatappel stond daar een visnet te repareren. Hij deinsde voor me terug als zag hij een rottend lijk voor zich. Maar hij had een flinke nijlbaars aan een touw zitten en we moesten nodig eten. Desi riep hem een groet toe en bood hem tienduizend zaïre voor de vis, een heel redelijke prijs; de man reageerde met een afgebeten *te*, en vroeg dertigduizend. Desi noemde een lager bedrag. Zijn hoofd schuddend (*Te! Te!*) weigerde de visser zijn prijs te laten zakken. We gaven hem dertigduizend, pakten de vis aan en peddelden weg, terwijl hij ons waanzinnige blikken nazond.

'Wat scheelt die man, Desi?'

Desi was nu volledig bij zijn positieven. Hij draaide zich om in zijn zitplaats en wierp een blik op de man die stond te kijken hoe we verder stroomafwaarts voeren. 'Ik weet het niet. Hij hoort niet bij mijn volk. Ik weet niet van welke stam hij is.'

Omstreeks het middaguur lag de rivier, waarop we tot dan toe zo'n keer of vier, vijf per dag vissers waren tegengekomen, er verlaten bij en waren er geen dorpen meer te bekennen. Het open, moerassige bosgebied rond Bumba had plaatsgemaakt voor een donkere, warrige wal van vegetatie met dicht opeenstaande gombomen, teakbomen en apenbroodbomen die direct vanaf de oever tientallen meters hoog de lucht in rezen. Er blies een hete, vochtige en afmattende tegenwind, een wind afkomstig van de evenaar, waar staalgrijze wolken met geschubde bovenrand zich boven de jungle samentrokken. Aan de horizon doorkliefden bliksemschichten de hemel.

'Moeten we niet aanleggen?'

'Nee, we moeten niet stoppen,' zei Desi, verwoed peddelend. 'Niet hier.'

De bewolking hing weldra heel laag en de palmbladeren brachten een sissend geluid voort; omhooggeblazen toonden ze hun bleke onderkant; de wind trok witte franje over het leigrijze water. We naderden een met woud bedekt schiereiland. Een lang aanhoudend gerommel van de donder brak in klinkende explosies uiteen. We *moesten* beschutting zoeken. Ik keek om naar Desi.

Zijn ogen gingen wijdopen. 'Een boot!'

Een vrachtschuit beladen met olie kwam met hoge snelheid om de eilandpunt heen varen; op het dek stonden Bangala-soldaten met automatische geweren. Het schip raasde door het onstuimige door de wind opgezweepte water en we deinden heftig heen en weer in het kielzog. Terwijl we ons evenwicht hervonden, kwamen er om de schuit heen twee prauwen aanvaren, die onze kant uit schoten. De mannen die stuurden – twee in iedere boot – waren in lompen gehuld, maar ze waren zeer gespierd en roeiden in complete eendracht; met grote vaardigheid bereden ze de door de schuit veroorzaakte golven. Ze kwamen langszij, de ene prauw aan bakboord, de andere aan stuurboord.

'Mbote!'

'Mbote!'

Begroetingen te over, maar ze gingen niet vergezeld van een glimlach en er werden geen handen geschud. Een van de mannen legde zijn peddel neer en schreeuwde in het Lingala tegen Desi: 'Wij zijn *matata* (kwaadaardig)! Geef ons voedsel! Geef ons sigaretten! Je hebt een *mondele* bij je – dus je hebt voedsel voor ons!'

Ik keek naar Desi. Zijn gezicht kreeg een nietszeggende uitdrukking en zijn ogen gingen vliegensvlug naar de voeten van de mannen, waarnaast zware machetes lagen te glinsteren, moorddadig scherp.

'*Pesa ngai mbongo!*' (Geef me geld!), schreeuwde de leider, die ongeduldig werd. Hij boog zich voorover als om zijn machete te pakken.

'*Problem eza te,*' zei Desi kalm. Neem maar wat je wilt.

De leider aarzelde even, pakte zijn wapen toch maar niet en begon in onze voorraden te schuimen. De anderen hielden onze prauw stevig tegen de hunne aangeklemd. We werden beroofd.

Desi boog zich naar voren, als wilde hij hem helpen zoeken, maar reikte in plaats daarvan onder zijn tas en trok het geweer te voorschijn. Hij kwam overeind en begon met de loop in de richting van de vier bandieten te zwaaien. We deinden op de golven, we waren op drift; uit de wolken in het zuiden schoten bliksemstralen, flitsend en knetterend verdwenen ze in het woud; de wind joeg over de rivier. We schommelden en bleven met moeite in evenwicht op de aanrollende golven.

De rover liet onze tassen met rust en glimlachte. Desi glimlachte ook. Ik glimlachte. De bandieten begonnen een soort halve buigingen te maken, snel pratend in smekend Lingala. Ze hadden het steeds over Ngombe, *likama* (gevaar) en *matata*. We dreven in de richting van een paar hutten onder reusachtige bomen; er waren daar mensen buiten. Vrouwen pakten hun kinderen op en renden weg en vier of vijf in lompen gehulde mannen kwamen naar de oever gelopen.

'Kom schuilen in ons dorp,' zei de leider. Hij wees naar de lucht. '*Mbula.*'

Desi bleef het geweer op hen gericht houden. 'Nee, bedankt.'

'Alsjeblieft, jij en de *mondele* zijn welkom.'

'*Te.* Hartelijk bedankt.'

De leider schreeuwde naar de mannen op de oever en een van hen rende in de richting van de hutten. Een windvlaag sloeg tegen ons aan en bijna sloegen we met z'n allen om. De man kwam teruggerend met een handvol gerookte meervallen; hij plonsde door het water naar de prauw van de leider. We bevonden ons nu recht tegenover het dorp, op drie meter afstand van de oever. De bandieten pakten de vissen aan – drie verschrompelde zwarte dingen – en gaven ze door aan Desi, die het geweer in zijn armholte iets verschoof en de vis aannam, met een knikje bedankend.

Op dat moment begon de leider met verwoede gebaren naar het woud en de rivier te wijzen; hij sprak met luide stem, opgesierd met nasale klanken, en had het weer voortdurend over *matata*, *likama*, Ngombe en nog veel meer dat ik niet kon volgen. Desi luisterde, zijn gezicht in een masker getrokken dat geen enkele emotie verried, en bleef intussen zijn geweer op hen gericht houden. Eindelijk pakten ze hun peddels en roeiden stroomopwaarts weg, terug naar hun dorp.

Desi bleef hen nakijken tot ze achter de bomen verdwenen waren.

'Ze waarschuwden ons dat ze Ngombe zijn, het zijn kwaadaardige rovers en daar zijn ze trots op en wij bevinden ons in hun gebied. We zullen nog wel meer moeilijkheden krijgen. Wie zelf geen Ngombe is, gaat het gebied van de Ngombe niet binnen en de rivierboten varen hier ook heel hard, want Ngombe gebruiken vissperen om de mensen van het dek af te trekken. Als ze ons zien, zullen we beroofd worden of nog erger. Ze zeiden dat we moeten zorgen dat ze ons in de dorpen verderop niet zien. En als er Ngombe-vissers op ons afkomen, zijn het geen echte vissers, maar rovers. Ze zeiden dat we in de lucht of in het water moesten schieten als ze in de buurt kwamen.' Hij hield het geweer omhoog en gaf er trots een klopje op.

'Ons geweer doet het niet, Desi.'

Hij sloeg zijn ogen neer.

'Maar,' vervolgde ik, nog steeds niet ten volle de angst ervarend die me ongetwijfeld zou overvallen als het incident goed en wel tot me was doorgedrongen, 'dat hoeft niemand te weten. Dus we moeten uit de buurt van de dorpen blijven?'

'Ja, we moeten ons verstoppen.'

'Weet jij waar die dorpen liggen?'

'Eh... nee, niet precies.'

Ieder ogenblik kon de storm losbarsten en dan zou het onmogelijk zijn om midden op de rivier te blijven, terwijl dat ons juist kon helpen om onze identiteit te verbergen voor de mensen aan land. Klam van het zweet ging ik zitten. Er hoorden hier nog geen Ngombe te zijn, die kwamen pas na Lisala. Ik pakte de kaart erbij. Het leek erop dat we bezig waren de oever van een eiland te volgen dat in de buurt van Lisala ophield – maar hier waren veel meer eilanden dan we eerder hadden meegemaakt en door alle waterwegen waren we misschien op een dwaalspoor gebracht. Hoe meer ik mijn best deed om wat we die dag gezien hadden in te passen in wat ik op de kaart zag, hoe onzekerder ik werd van onze positie.

En toen dacht ik weer aan wat ik gelezen had voor ik op reis ging. Stanley had de stammen langs dit deel van de rivier beschreven als 'sterk, goed uitgerust en oorlogszuchtig [...] afgrijselijk beschilderd voor de oorlog [...] opmerkelijk superieur [...] zeer vijandig tegenover vreemdelingen', maar konden zijn woorden ook van toepassing zijn op de Ngombe van tegenwoordig? Ik herinnerde me ook de hiërarchie en de territoriumgebondenheid van de stammen die hij tegenkwam, meest kannibalen. Veel stammen verboden vreemdelingen hun gebied te betreden – wat verklaart waarom hij en zijn gevolg zoveel vijandigheid ontmoetten, een vijandigheid die tijdens het afzakken van de rivier tot zo'n veertig gevechten leidde en vele tientallen doden eiste. Maar dat was honderdtwintig jaar geleden! Was het mogelijk dat er in het Afrika van nu nog van die volken waren? Er kwamen hier toch boten langs? Ook geïsoleerde stammen kregen mensen van buiten te zien; voor medicijnen en tal van gebruiksartikelen waren ze zelfs van hen afhankelijk. Hoe kon het dan dat ze nog steeds zo gevaarlijk waren, zo *matata* als die bandiet beweerde – dat *kon* toch niet? En toen bedacht ik: als gewelddadige roofovervallen in Kinshasa al zo gewoon zijn, waarom zouden er op de rivier dan geen roversbenden actief zijn?

Ik borg de kaart op en begon te roeien. Ik hoorde de donder, en toen nog een keer, en toen bleef het narommelen. Maar was het wel de donder?

Desi verstijfde. 'Trommels!'

Over het water galmde onheilspellend, donker geroffel. We luisterden.

'Kan het zijn dat ze iets over ons doorgeven?' vroeg ik.

'Ik weet het niet. Ik begrijp de boodschap niet. Het zijn niet de trommels uit mijn streek.'

'We moeten uit de buurt van dat dorp blijven, maar waar ligt het?'

Het woud versterkte het getrommel, het echode naar alle kanten door. Het geluid kon overal vandaan komen.

'Daar!' fluisterde Desi.

Van achter bomen zo'n twintig meter voor ons uit golfde rook omhoog. Het was te laat om een omtrekkende route te nemen: we zouden er op een afstand van nog geen drie meter langs moeten. Zonder geluid te maken legden we onze peddels neer in de prauw. Desi pakte het geweer, ik de machete. Nu er niet gestuurd werd, begon de prauw in het rond te draaien, in lussen voeren we langs de oever.

We doken in elkaar. Ronddraaiend voeren we langs het vuur – maar daar was niemand bij. Het getrommel kwam ergens anders vandaan.

Het begon te regenen, zware afzonderlijke druppels. Een vreeswekkende massa donderkoppen waaruit gele bliksemstralen op de jungle werden afgevuurd bedekte de hemel in het zuiden en schoof op langs de evenaar. Het was half vier. We moesten een beschutte plek vinden om te overnachten, en snel ook.

Ondanks de donderwolken gingen we midden op de rivier varen om te zorgen dat we vanuit een dorp op de linkeroever niet werden gezien. Er waren nu te veel eilanden om ze op de kaart te kunnen bijhouden: ze hadden allemaal hun eigen donkere waterloop omgeven door dicht oerwoud en met *kulokoko*'s als schildwacht. Aan hoge takken hingen kegelvormige wespennesten, maar van wespen was geen spoor te bekennen.

'De storm,' fluisterde Desi. 'Die zal vreselijk tekeergaan. Alles is zich aan het verstoppen.'

De regen tekende schuimige witte ringen op het water maar de wind was gaan liggen; de storm raasde ten zuiden van ons voorbij. We dreven langs een inham die via een nauwe opening tussen de bomen door bereikbaar was – een volmaakt beschut plekje om te kamperen. We brachten de prauw naar de kant en ik stapte uit en wilde hem aan de boegketting het land op trekken.

Er klonk een geweerschot. We doken ineen. Er volgde nog een schot.

'Stap weer in! We moeten wegwezen!' fluisterde Desi. 'Kom, we gaan!' Hij liet zijn peddel in het water zakken en ik duwde de boeg weer van de kant af, liep plonzend met de prauw mee om hem bij te houden en gleed daarbij met mijn blote voeten uit over de wortels op de bodem. Krimpend van de pijn sprong ik aan boord en we begonnen allebei te roeien. We zagen rook – de geweerschoten waren afkomstig van de andere oever – en hoorden kreten: 'Eeeyaah!

Eeeyaaah!', zowel stroomopwaarts als stroomafwaarts. Met deze kreten gaven dorpelingen elkaar door dat er boten aankwamen, dat er onverwachts vreemden in de buurt waren.

We bleven vlak langs de oever varen. Het begon harder te regenen, windvlagen joegen ons over de rivier tegemoet en zwiepten golven op, zodat we langzamer vooruitkwamen – nog even en het water zou te ruig worden om verder te kunnen. We bereikten de punt van het eiland en begonnen aan de doorvaart tussen twee andere eilanden in.

Aan het uiteinde van een van de eilanden zagen we een beschutte plek. Van hieraf zouden we zicht hebben op de zuidoever en tegelijk op de vaarroute vanaf de dorpen die we gepasseerd waren: we kozen deze plek uit en maakten ons bivak in de plenzende regen; het onweerde inmiddels niet meer. We camoufleerden onze tent met boomtakken en trokken onze prauw achter het gebladerte; we ontstaken onze lampen niet en zetten ook de radio niet aan. We spraken alleen fluisterend – als we van over de rivier stemmen hoorden, hielden we onze adem in en probeerde Desi op te vangen wat er gezegd werd. Maar hij hoorde alleen maar Ngombe spreken en kon het niet verstaan.

Ik was vastbesloten niet toe te geven aan paniekgevoelens of onze dagelijkse routine te doorbreken. Tot Mbandaka moesten we nog vele honderden kilometers afleggen en als we onze kalmte niet bewaarden, zouden we onszelf de vernieling in jagen. Dus ook al regende het, ik schoor me en nam mijn bad, en Desi deed hetzelfde, waarna we ons allebei beter voelden. Om half vijf die middag kroop ik mijn tent en Desi zijn net binnen. Desi sprak op gedempte toon.

'Ik ben hier een vreemde. Als de mensen me hier zien, denken ze vast dat ik gekomen ben om te stelen en dan doden ze me. De mensen hier zijn rovers en moordenaars.'

Ik wist niet wat ik tegen hem moest zeggen.

Later hoorde ik vanuit het woud achter ons een zwak, aanhoudend geritsel traag maar gestaag in de richting van ons kamp komen. Ik hield mijn adem in en ging overeind zitten. Het geluid werd luider en duidelijker. Regendruppels plopten van blad naar blad en spetterden op de grond en in de rivier; de rivier glinsterde als vloeiend gesmolten tin tussen de bomen. Ik greep het geweer, omklemde de ijzeren loop en wachtte op wat het ook was dat ik te zien zou krijgen, mijn voorhoofd druipend van het zweet.

Een python van een meter of drie lang en zo dik als een menselijke dij gleed langs mijn gazen tentopening, schubbig, slijmerig, gespierd, bruinzwart gevlekt. Hij kronkelde zich om onze spullen heen en glibberde voorbij, zijn staart licht krullend omhooggestoken. Eindelijk was hij in het struikgewas verdwenen.

Ik ontspande me en ging weer liggen, nog altijd luisterend maar vrijer ademend, terwijl het licht verdween en een benauwende, verstikkende duisternis bezit nam van het oerwoud. De regen hield aan, neerdruipend vanuit de kruinen van de bomen met het gek makende geluid van resonerende druppels.

Rond middernacht hield het op. Een tijdje was er geen geluid te horen, maar daarna begon het oerwoud langzamerhand te weerklinken van kreten, aarzelend gefluit en gegil waarin verpletterende doodsangst doorklonk, de angst die wij als indringers in deze wildernis voelden. We hoorden gekraak in de bosjes, knappende takken op open plekken bij ons in de buurt. Elk knisperend en krakend geluid kon erop duiden dat een Ngombe-moordenaar naar ons op weg was, maar steeds opnieuw werd het gevolgd door stilte, een gespannen stilte, alsof het woud, opgeschrikt door een insluiper, zijn adem inhield. Ik werd keer op keer wakker maar wist niet waarvan, voelde alleen een restje angst dat was achtergebleven.

Desi's koelbloedige en snelle reactie toen we door de rovers belaagd werden had ons gered. Maar nu kwam de volgende gedachte bij me op: hadden die Ngombe-bandieten toen ze hun uitgebreide *mea culpa* opvoerden het gevaar soms overdreven, om een reden die wij niet kenden?

Ik overpeinsde deze vraag de hele eindeloos durende nacht en wachtte op de dageraad.

Om vijf uur in de ochtend glipten we onze tent uit, haalden de camouflagetakken van onze prauw en duwden af; we lieten ons geluidloos oppikken door de stroming met boven ons de laaghangende hemel, een zwarte wolkenketel. Toen de dag aanbrak, stak een tegenwind op die door het doorweekte gebladerte floot. In stilte peddelden we ijverig voort. Lisala moest zich aan het andere einde van dit eiland bevinden, dat kon niet anders. Het was ons opgevallen dat de meeste dorpen aan de zuidkant van de rivier lagen en we bleven dus langs de noordelijke oever varen. Er kwam maar geen einde aan het eiland; de zon ging op, verdreef de wolken en zweepte de tegenwind op. Bij iedere slag moesten we kracht zetten, het eelt op onze handen veranderde in blaren en vervolgens in wonden van water en bloed.

We kwamen slechts één dorp tegen. Mannen kwamen naar buiten en riepen: 'Is de *mondele* alleen?'

'Nee,' antwoordde Desi, 'er komen er nog meer achter ons aan. Touri's.'

Ze lachten en schreeuwden iets terug in stoere Ngombe-taal.

Ik keek om naar Desi. 'Dat was slim van je. Laat ze maar denken dat we een scheepslading Motorola's bij ons hebben!'

Juist op dat moment voeren we langs een inham. Twee jonge mannen kwamen zwaaiend met machetes het woud uitrennen, sprongen in hun prauw en duwden af, alles in balletachtig vloeiende bewegingen, dodelijk doelgericht.

Een stoot adrenaline joeg door mijn hart en ik duwde mijn peddel diep in het modderige water. Desi kwam struikelend overeind en haalde het geweer te voorschijn. Terwijl de prauw ons aan het inhalen was legde hij aan op de jonge mannen.

'Ach, jij en de *mondele* hebben een geweer!' schreeuwde een van hen ons toe. 'Jullie winnen! We zouden jullie allebei hebben beroofd en vermoord zonder dat iemand het ooit te weten zou komen!' Lachend bleven ze achter en keerden terug naar de inham; hun honende gelach achtervolgde ons terwijl we voortsnelden langs de oever.

Tussen de middag aten we de nijlbaars en de gerookte meervallen die de Ngombe ons gegeven hadden, aangevuld met rijst en tomaten uit blik. Deze simpele maaltijd verschafte ons niet alleen voedsel, maar ook afleiding: even konden we onze aandacht op iets anders richten dan onze afmattende angst; van Desi's gezicht viel net zo goed angst af te lezen als bij mij het geval moest zijn. Ik slaagde er zelfs in enige tijd te peinzen over de rotte smaak van de meerval – deze smaakten net zo als de meervallen die ik in de Verenigde Staten had gegeten. Het deed me denken aan het kanaal waar ik als jochie altijd viste; aan ochtenden op de Potomac; aan de middelbare school en aan vrienden die ik al jaren niet meer gezien had...

In de verte voor ons uit glinsterde iets boven het water, iets als glanzend staal. Twee prauwen kwamen onze richting uit, elk met drie mannen erin. Maar toen ik me naar achteren boog om Desi te waarschuwen, zag ik dat er van die kant nog twee prauwen naar ons toe kwamen. Hij zag de uitdrukking op mijn gezicht, greep het geweer en schoof een patroon in de kamer.

'Daar hebben we wat aan,' zei ik lachend.

'Meer hebben we niet.'

We zouden in een hinderlaag belanden. Ik kon er met mijn machete op los slaan of uithalen met mijn peddel. Ik kon ook een lap in het blik petroleum stoppen, die aansteken en als een molotovcocktail naar ze toe werpen. Desi hield het geweer vast met zijn vinger aan de trekker; voortdurend herhaalde hij een vers uit de bijbel. We zouden allebei onze kalmte bewaren. Totdat...

De zon wierp goud uit over de rivier; een fris briesje bracht verkoeling; de ritmische glinsteringen voor ons uit verblindden ons.

'Ik heb de pest aan felle zon, Desi. Geef mij maar wolken. Dat is een van de redenen waarom ik zo gek ben op Rusland. De zon schijnt daar 's zomers met zachte stralen. En in de winter schijnt de zon zelden, maar is hij welkom.'

'In de winter?'

De prauwen voor en achter bevonden zich nu ongeveer op gelijke afstand van ons, een afstand van ongeveer twintig meter.

'Als het sneeuwt.'

'Als het wat?'

'Haaai! Hoewa! Hoewa!' schreeuwden de mannen in de prauwen naar ons.

De prauwen die van achteren kwamen waren het eerst bij ons. Ze kwamen naast ons peddelen; de bestuurders, slungelige jongemannen, groetten Desi en negeerden mij. Toen passeerden de prauwen die ons tegemoet gevaren waren; die bleken gezinnen aan boord te hebben. De 'machetes' waren niets anders dan natte peddels die oplichtten in het zonlicht.

In de twee prauwen die naast ons voortgleden zaten zes mensen: mannen, vrouwen en kinderen; in een ervan werd vis gerookt in de beschutting van een miniatuurhut van bamboe, waaronder op een bergje aarde een vuurtje brandde. Deze mensen kwamen uit Bumba en hadden geprobeerd ons in te halen om ons te waarschuwen voor de route die we namen, maar waren ons tussen de eilanden kwijtgeraakt. Desi vertelde hun over onze moeilijkheden.

De oudste van de jongemannen achterin schudde zijn hoofd. 'Je boft dat je nog leeft. Maar wat heb je hier ook te zoeken, Lokele? Je bent gek dat je hier in je eentje met een *mondele* rondvaart. Je hebt bescherming nodig. Je moet met Bangala of Ngombe meereizen. De mensen in deze buurt zijn *matata*.'

Hij sprong in onze prauw. Zijn met een tulband omwonden hoofd was hoekig, zijn kaken vierkant; hij had lange, pezige ledematen. Hij nam mijn peddel, beduidde mij rust te nemen en draaide zich toen om naar Desi. 'En wat doet deze *mondele* hier? Is hij op zoek naar diamanten?'

We moesten tegen zware golven en een fikse tegenwind optornen. Tseetseevliegen die in zwermen boven de waterhyacinten hingen, doken in de luchtzakken die aan de zijkant van onze prauw ontstonden; ze teisterden ons, ze staken in onze knieholten en rug, overal waar we ze niet konden wegslaan omdat we ze niet zagen.

Maar het maakte niet uit. Het gezelschap van anderen had de angst die als een molensteen op ons hart drukte verdreven. De jongeman vertelde dat hij en zijn metgezellen Bangala-vissers waren en uit de buurt van Mbandaka kwamen. Bangala! Hij was ongetwijfeld bekend met het abattoir – het oord van slachtpartijen – dat volgens de SNIP-kolonel in Lisala tussen Lisala en Mbandaka lag. Ik vroeg hem ernaar en Desi vertaalde wat hij zei. De jongeman zei dat hij ten zuiden van Lisala twee *mondele*'s had gezien die in prauwen vermoord waren, en wist nog veel meer over de streek te vertellen. 'Het is er erg gevaarlijk. Wij Bangala maken ons niet druk om een mensenleven. Als wij een *mondele* zien, hebben velen van ons maar één gedachte: hem doden en zijn spullen afpakken. Na de moorden heb ik gezien hoe het hele gebied een schandvlek voor Zaïre werd. Mobutu heeft troepen gestuurd en die hebben de dorpen die de moorden hadden gepleegd met de grond gelijkgemaakt.'

'Kunnen we erdoorheen komen?'

'Jullie moeten schoten afvuren. Als je prauwen ziet, moet je in de lucht schieten voordat ze op je afkomen. Je moet ze afschrikken, je moet zorgen dat ze bang worden. Jullie zullen heel erg moeten uitkijken en op je hoede moeten zijn, anders raken jullie in de problemen.'

De dag vorderde, de zon beschreef zijn boog door de azuurblauwe hemel, de oevers tilden het woud hoger en hoger de lucht in. Lisala bevond zich niet aan het einde van dat ene eiland, en ook niet van het volgende en daaropvolgende. Om vijf uur kondigde de jongeman echter aan dat we in de buurt kwamen.

Ik begon voorbereidingen te treffen. Ik trok het schone katoenen overhemd en de pantalon aan die ik onder in mijn tas had zitten; ik kamde mijn haar; ik haalde mijn *lettre de recommendation* en mijn paspoort te voorschijn en stopte ze in mijn borstzakje. Even voor zonsondergang zagen we Lisala liggen op de steile oever voor ons uit, en daarop verschenen allemaal kinderen die meerenden en '*Mondele! Mondele!*' scandeerden. Het *mondele* weerklonk van hut tot hut, vergezeld van de kreet 'Eeyaahh!'. De kinderen holden mee met de prauw, schreeuwend en springend en af en toe met stenen gooiend.

We roeiden hard door, meegevoerd door de stroming die hier snel en schuimend was.

Het strand kwam in zicht. Soldaten hesen hun geweer over hun schouder en kwamen op ons afgebeend, struikelend daalden ze de treden van de kade af, hun niet-dichtgeknoopte laarzen maakten flappende geluiden en hun geweer bungelde aan hun schouder. De jongeman sprong weer over in zijn eigen prauw. Ik bedankte hem en hij knikte ten afscheid; toen voeren hij en zijn gezelschap verder over de rivier. We zouden de militairen in ons eentje tegemoet moeten treden.

Vertrek uit Lisala

Gezicht vanuit onze prauw

Lisala

'KOM HIER! HÉ! LE BLANC! HIER KOMEN!'

Als een dronken meute belust op een lynchpartij kwamen zeven, acht soldaten de helling van de oever af gestuiterd, schreeuwend in het Frans, struikelend over hun schoenveters en met zwaaiende geweren. Net als bij de soldaten op Ngobila Beach had de stoere, snoeverige manier waarop ze kwamen aanzetten iets grappigs in combinatie met de opgeschroefde, zogenaamde woede die mijn verschijning bij hen opriep. Maar aan hun dubbele tong kon ik horen dat ze gezopen hadden of *mbangi* hadden gerookt, en het feit dat ze hun geweer op ons richtten was allesbehalve grappig.

Ik hield op met peddelen en ging fier rechtop staan met het voornemen een staaltje derderangs acteerkunst weg te geven, zoals ik ook in Lokutu had gedaan. We stuurden de prauw naar het strand en de boeg liep schurend vast in het zand. De soldaten droegen kaki uniformbroeken en vergeelde T-shirts. Het waren gewone soldaten en van een officier was geen spoor te bekennen. Ik stapte uit de prauw en ze sloten me meteen in.

Een man in volledig uniform drong zich door het groepje heen, gaf de laatste dienstplichtige een trap om hem opzij te krijgen en bracht zijn gezicht vlak voor het mijne. Zijn teint was bijna Arabisch en hij had een knevel en een lang stoppelig smoelwerk. Aan de epauletten op zijn schouders was te zien dat hij een officiersrang had. Niettemin stonk zijn adem naar *mbangi* en waren zijn ogen onheilspellend rood. Zijn tong bewoog in zijn mond als een wriemelend weekdier.

'L-laat me uw...'

Ik hield hem mijn *lettre de recommendation* voor. 'Ik ben hier op een missie goedgekeurd door de stafchef van de militaire inlichtingendienst van president Mobutu, zoals hierin te lezen is. Ik praat met niemand behalve met de commandant van de basis Lisala.' De officier verschoof het geweer onder zijn arm. Hij tuurde met samengeknepen ogen naar het papier en greep ernaar, maar ik trok het weg. 'Ik zei: ik praat alleen met de commandant van de basis,' herhaalde ik, hem recht in zijn waterige ogen kijkend.

Hij deed een stap achteruit en keek naar de grond, zijn mannen deden hetzelfde en lieten hun geweer zakken. Hij maakte een vermoeid gebaar naar de trap die omhoogvoerde naar de stad. 'Geen probleem, *commandant*. Na u.'

Desi begon de prauw uit te laden en ik liep met de officier de trap op. De andere soldaten kwamen achter ons aan, maar wel op een afstandje, alsof ik hun met de zweep zou kunnen geven of een trap toedienen; ik probeerde een gezicht te zetten alsof ik dat zou doen ook. Maar onderweg sloten zich nog meer soldaten bij ons aan en weldra liepen we aan het hoofd van een hele stoet slonzige, stonede of dronken Zaïrese krijgers, die met hun van plakband aan elkaar hangende geweren liepen te zwaaien, hun laarzen door het stof sleepten en de hele tijd om *mbongo*, bier, liepen te zeuren, of om *mbangi* of om wat voor *cadeau* dan ook dat ze me wilden aftroggelen; ze werden zo opdringerig – ze liepen gewoonweg aan mijn mouw te trekken en te dreinen – dat ik tegen de officier uitviel: 'Doe eens iets aan die idioten!' Hij zwaaide met zijn geweer in hun richting en ze gingen een paar passen achter ons lopen, maar bleven ons volgen.

We waren in Lisala om een soldaat als lijfwacht in dienst te nemen. Ik stelde me ineens voor dat ik met een van deze hufters in één boot zat, dat we ons eten en drinken samen zouden delen en, nog het absurdst van al, dat ik op hem zou vertrouwen om mijn leven te beschermen.

Lisala was een sloom stadje dat niets aantrekkelijks had. Het centrum bestond uit een slordige verzameling betonnen gebouwen op stoffige aarde die overliepen in kleiner wordende hutten met erven in Afrikaanse stijl, in buitenwijken die half opgingen in de wildernis. Bij de militaire basis kregen we te horen dat de commandant afwezig was, dat we de volgende ochtend moesten terugkomen. Maar op weg naar buiten liepen we het hoofd van de SNIP tegen het lijf, een dikbuikige kolonel van in de vijftig in een hawaïhemd. Hij negeerde mijn uitgestoken hand, vertraagde ook zijn pas niet om me te groeten, maar wees naar een vent die al wuivend over de weg naar me toe kwam rennen. 'Deze man neemt u onder zijn hoede,' bulderde hij en keerde me de rug toe.

De wuivende man, ook al gekleed in een hawaïhemd (ik begon door te krijgen dat een bepaald soort hawaïhemd het poloshirt van de Zaïrese elite was), greep mijn hand en begon die driftig te schudden. 'Piejoe! Wat een hitte vandaag, hè? Ik ben de adjudant. Ik heb de brief uit Kinshasa ontvangen. Ik ben verantwoordelijk voor uw veiligheid. Maar goed, welkom in Lisala! We hebben twee suites voor u gereserveerd. Waar is uw bagage? Op het strand? Aha! *Après vous!*' Hij beduidde me met een groots gebaar voor te gaan, maar pakte me het volgende moment bij mijn arm en trok me mee op zoek naar een open vrachtwagen om onze bezittingen naar het hotel te vervoeren.

De adjudant had een sportief kapsel en zijn schoenen glommen; hij had een plezierige, montere uitstraling die sterk contrasteerde met de boosaardige lethargie die de meeste Zaïrese overheidsdienaren kenmerkte. Hij sprak staccato, wat de indruk van efficiëntie wekte. Dit alles stelde me op mijn gemak en gaf me het idee dat hij de beloning die hij ongetwijfeld zou vragen wel waard was.

Later betrokken Desi en ik de 'suites' in het naamloze hotel waar hij ons naartoe had gebracht. Er was noch stromend water noch elektriciteit en er zat geen slot op de deuren; de meeste kamers hadden niet eens een deur. Op de badkamervloer lagen her en der tierelantijnvormige uitwerpselen – alleen de wc's waren schoon. Maar het personeel, een vriendelijke familie, deed zijn best om het ons naar de zin te maken; ze brachten water uit de put zodat we ons konden wassen, ze voorzagen ons van petroleum en boden ons ruimte in de keuken aan.

De nacht viel. Na zonsondergang was Lisala vooral een grote verzameling rokende afvalhopen, afgewisseld met bleekgele vlammen van petroleumlampen die de larfachtige koopwaar van straatventers verlichtten. Maar stil was het niet. Aanhoudend klonk het gedruis van generatoren: de stroomvoorziening van de airconditioners en tl-verlichting in de villa's die aan de plaatselijke Hoge Heren toebehoorden. De inwoners van Lisala, voornamelijk Bangala, waren van een agressief en brallerig slag en maakten Desi en mij behoorlijk zenuwachtig. Het was al met al geen vriendelijk oord en daarom waagden we ons niet op straat.

De ochtendzon stroomde door de ramen naar binnen, en in de stoffige lichtbanen die op de vloer vielen zoemden vliegen. Mobutu zag er nogal knorrig en toegetakeld uit op het portret dat in het kantoor van de basiscommandant aan de muur hing; hij hing onderuitgezakt op zijn troon met zijn opperhoofdsstaf in zijn hand en zijn hawaïhemd, dat bij de oksels trok, tot aan zijn nek dichtgeknoopt. De commandant, een gladgeschoren man in een vlekkeloos uniform, schudde mij de hand, negeerde Desi, en beduidde me te gaan zitten. Desi en ik namen allebei plaats voor zijn bureau.

'Het is heel vriendelijk van u dat u ons wilt ontvangen, commandant,' zei ik. 'Ik weet dat u het heel erg druk hebt en ik waardeer het ten zeerste dat u toch tijd voor ons wilt uittrekken. Graag zou ik u dan ook een blijk van mijn dankbaarheid overhandigen.' Ik legde een pak zaïres op zijn bureau – ter waarde van twintig dollar. (Desi had me de bewoordingen voor deze kleine toespraak voorgezegd en ook het bedrag dat ik moest neertellen.)

Terwijl hij me in de ogen bleef kijken, pakte de commandant het pak geld van zijn bureau, opende een lade en liet het erin vallen.

'We hebben een soldaat nodig om ons tijdens onze reis van Lisala naar Mbandaka te beschermen.'

'Dat is geen probleem,' zei hij kortaangebonden. 'We zijn door

Kinshasa op de hoogte gebracht. De adjudant zal een geschikt iemand voor u uitzoeken.'

'Dank u wel.'

Ik wilde opstaan en de commandant eveneens. Maar Desi, die onderuitgezakt in zijn stoel hing, maakte nog geen aanstalten om hetzelfde te doen. Hij onderbrak ons bij het opstaan. 'Ho, ho, even wachten. Nog even over die soldaat. Dat moet niet zomaar iemand van uw mannen zijn. Hij mag niet drinken en niet roken. En het moet een godvrezend christen zijn. Hij moet Jezus liefhebben en die liefde moet hij in zijn daden tot uiting brengen.'

De commandant fronste zijn wenkbrauwen en liet zich weer neer in zijn stoel. Ik ook. Hij richtte zich tot mij, alsof niet Desi maar ik zojuist het woord had gedaan. 'Nou... Ik zie niet zo gauw wat Jezus of wat roken met uw expeditie van doen heeft. En als ik af en toe een potje bier drink wil dat nog niet zeggen dat ik geen militair ben... Maar hoe dan ook, hebt u het er maar met de adjudant over.'

Desi vervolgde: 'Hij mag niet roken en niet drinken want...'

Ik stond op en onderbrak hem. 'Dank u wel voor de tijd die u voor ons hebt uitgetrokken. We zullen u via de adjudant over onze vorderingen berichten.' Ik greep Desi vast en troonde hem mee.

Op dat moment kwam de adjudant de wachtruimte binnenkuieren. Hij straalde helemaal. 'Ik heb *de* soldaat voor u gevonden. Mag ik u voorstellen aan Henri? U kunt nu meteen afspraken met hem maken!'

Henri was een van de soldaten die me bij aankomst waren komen lastig vallen, een van die *mbangi*-koppen. Het was een echt onderkruipsel met een mager, olieachtig gezicht – hij zag eruit alsof hij wel een stevige schrobbeurt met antibacteriële zeep goed kon gebruiken. Hij wendde zijn ogen van mij af en sprak alleen tegen Desi. Ik hoorde bedragen in het rond vliegen. Voor ik er erg in had stond Henri me vervolgens de hand te schudden.

Desi was opgetogen. 'Henri heeft uw aanbod van tweehonderdvijftigduizend zaïre geaccepteerd.'

'Mijn aanbod? Waar heb je het over?'

'Nou, de adjudant heeft hem toch goedgekeurd?'

'Ik heb helemaal geen aanbod gedaan. Ik weet helemaal niets van deze vent af.' Ik wendde me tot de adjudant. 'Neemt u me niet kwalijk, maar ik neem hier de beslissingen.'

De adjudant wilde zijn mond opendoen maar Desi kwam ertussen. 'Oké, wat wilt u weten?'

Ik was nog kwaad op Desi omdat hij zich met mijn gesprek met de commandant had bemoeid. 'Desi, ik wil niet dat je op eigen houtje afspraken maakt. Je hoeft alleen maar te vertalen wat ik zeg. Nou, vraag om te beginnen maar of Henri hier... eh... kan zwemmen?'

Desi vroeg het hem in het Lingala. Henri haalde diep adem en mompelde toen iets.

'Nee. Henri is bang voor water.'

'Nou, dat klinkt niet best voor iemand die de komende twee weken in een prauw gaat doorbrengen, wel?'

'Dat weet hij. Hij maakt zich ook grote zorgen. En daarom verhoogt hij zijn honorarium. Hij wil nu vierhonderdduizend zaïre.'

'Maar hoe moet het als hij verdrinkt?'

'Als hij *verdrinkt?*' Desi wendde zich tot Henri en vertaalde mijn vraag. Henri reageerde als gestoken, een hele woordenstroom in opgewonden Lingala stroomde van zijn lippen en op zijn voorhoofd verschenen verse olie- en zweetparels. Desi bracht zijn woorden over. 'Als hij gaat verdrinken, moet hij zijn honorarium wel verhogen. Hij wil het doen voor achthonderdduizend.'

'Desi, ik neem echt niet iemand in dienst die niet kan zwemmen.'

Daarvan raakte Henri helemaal van slag en hij verhoogde zijn prijs tot anderhalf miljoen.

Desi zette een ernstig gezicht. 'U maakt hem bang met al dat gepraat over water.'

'God nog an toe,' zei ik, 'hij is ontslagen!' Henri liet zijn tarief zakken tot driehonderdvijftigduizend. Ik zei nee. Toen vroeg hij een afvloeiingspremie. Ik zei weer nee. Desi wendde zich weer tot mij. 'U maakt zich zorgen dat hij verdrinkt. Ik wil u er wel op wijzen dat in de *Code du Travail du Zaire* staat dat het leven van een soldaat even-

veel waard is als het leven van honderdvijftig burgers, ofwel vijftigduizend Amerikaanse dollar.'

De adjudant veerde op. 'O ja? Vijftigduizend dollar?'

Als ik een stok bij me had gehad zou ik Desi een flink pak ram-
mel hebben gegeven en dat liet ik merken door de blik die ik hem
toewierp.

De ogen van de adjudant glinsterden. 'Vijftigduizend dollar.
Vijftigduizend! Natuurlijk!'

'Ik ga helemaal niemand vijftigduizend dollar betalen. Op onze
expeditie gaat helemaal niemand dood. We hebben een soldaat nodig die kan zwemmen en die de risico's aanvaardt in ruil voor een
redelijk salaris, eten en drinken, en als hij zijn werk goed doet een
interessante bonus.' Het salaris dat ik van plan was te betalen was
meer dan het dubbele van wat een soldaat normaal gesproken in een
maand zou krijgen. Hij zou er beslist niet slecht mee af zijn.

'U bekommert zich niet om het leven van een soldaat?' vroeg Desi
fronsend.

De adjudant sprong ertussen. 'Dat hoeft ook niet. U kunt gewoon
een verzekeringspremie betalen, dan bent u niet aansprakelijk als
er iets mocht gebeuren.'

'Wat voor "premie"?'

Hij stoof het kantoor van de commandant binnen, van waaruit
vervolgens een heleboel opgewonden gefluister te horen was. Toen
stoof hij weer naar buiten. 'Vijfhonderdduizend zaïre. Via mij te betalen aan de commandant van de basis. Vooraf.'

'En om wat voor polis gaat het dan?'

'Nou, geen een! U betaalt ons gewoon contant – vooraf!'

'Neemt u me niet kwalijk, maar daar begin ik niet aan.'

'Maar de commandant heeft uw aanbod geaccepteerd!'

'Ik heb helemaal geen aanbod gedaan.'

Desi nam me terzijde. 'U doet alsof Henri's leven niets voor u betekent. U doet méchant. U...'

'Desi, bemoei je hier alsjeblieft niet mee.' Die premie was uiteraard zwendel, en ik wilde er geen woord meer aan vuilmaken. Ik

wendde me weer tot de adjudant. 'Luister, als de soldaat in kwestie iets overkomt, is dat in het kader van zijn normale verplichtingen; de militaire inlichtingendienst heeft mij het recht verleend om van zijn diensten gebruik te maken. Feitelijk zou ik hem niet eens hoeven betalen, want hij behoudt zijn salaris en doet alleen maar zijn plicht – en die plicht is te doen wat u hem beveelt, en in dit geval is dat: mij vergezellen. Want vergeet niet, mijn *lettre de recommendation* draagt u op om mij bij te staan. Niettemin wil ik me tegenover hem – en tegenover u – royaal opstellen als dit allemaal bevredigend geregeld kan worden. En ik neem niet iemand mee aan boord die niet kan zwemmen. Geen denken aan.' Ik liep naar de andere kant van het vertrek en begon uit het raam te kijken.

'Bon,' zei de adjudant. 'Oké. Wacht hier maar even.' Hij repte zich de deur uit en Henri, die begreep dat er van zijn diensten geen gebruik zou worden gemaakt, maakte zich stilletjes uit de voeten.

Even later verscheen de adjudant weer met een andere soldaat in zijn kielzog, een aardig uitziende knaap van net een meter vijftig. Hij heette Amisi. Amisi hield zijn .72-kaliber automatische FAL (een Belgische versie van de M-16) hoog in de lucht en droeg een keurig gestreken en dichtgeknoopt uniform. Hij kon zwemmen en sprak Lingala en Swahili (hij kwam uit een streek ten oosten van Kisangani waar Swahili werd gesproken) en maar een klein mondje Frans, vertelde hij, maar toch wist hij zich voldoende in die taal te redden om me enig idee van zijn karakter te geven. Hij was niet de ruige lijfwacht die ik me had voorgesteld, maar hij leek betrouwbaar en dat was voor mij voldoende. Ik nam hem aan op voorwaarde dat hij een contract zou ondertekenen waarin onze afspraken waren vastgelegd. Ik wilde niet dat er tussen ons misverstanden rezen en dat we er bij alles wat we deden beiden van uit zouden gaan dat we voor elkaar verantwoordelijk waren. Hij hoorde me aan en knikte peinzend dat hij het ermee eens was.

De adjudant *après-vous*-de ons zijn kantoor in. 'Ja! Een contract. Laten we de voorwaarden bespreken. De eerste is dat zijn gehele salaris vooraf voldaan wordt. Aan mij.'

Desi wreef over zijn kin. 'Klinkt redelijk.'

'Desi! Het spijt me, adjudant. Ik betaal Amisi de helft van zijn honorarium voor vertrek en de andere helft als hij zich met succes van zijn missie gekweten heeft.'

'Betaal me dan nu zijn bonus uit.'

Desi's wijsvinger priemde in de lucht. 'Goed idee!'

'Desi! Ik betaal hem, adjudant, zoals ik al gezegd heb. De bonus is verbonden aan een uitstekende prestatie, zoals in ons contract zal worden vastgelegd.' Ik wist dat niets de adjudant er later van zou weerhouden om toch zijn deel in te pikken, maar meer kon ik op dat moment niet doen.

'O, reken maar dat hij uitstekend presteert,' zei de adjudant kordaat. 'Daar kunt u verzekerd van zijn! Maar toch, het scheelt een hoop tijd als we de kwestie van de bonus en zijn salaris nu meteen regelen, voor het begin van zo'n gevaarlijke reis.'

'Nogmaals: we tekenen een contract en ik betaal hem op de manier zoals ik gezegd heb. En daarmee uit.'

Hij verviel in stilzwijgen en de plezierige uitdrukking op zijn gezicht verdween terwijl hij mijn onverzettelijkheid verwerkte, plus het verlies van het honorarium van de soldaat, dat hij ongetwijfeld in zijn eigen zak zou hebben gestoken als ik het via hem had betaald. 'Hoor eens,' zei hij ten slotte, 'ik moet zijn loon van tevoren hebben, anders krijgt u hem niet. Uw reis is zo gevaarlijk dat we er niet mee kunnen wachten tot u in Mbandaka bent.'

'Uitstekend. Dan bel ik het kabinet van de president om te melden dat u me belet mijn missie te volbrengen.'

Zijn glimlach keerde terug, al had die iets zuurs. 'Oké! Goed! Pas de problèèème! Een uitstekende prestatie en een contract! Mais oui!' De adjudant rommelde tussen de spullen op zijn bureau en reikte me een vel papier en een pen aan.

Tien minuten later had ik in het Frans een contract zonder poespas opgesteld. Er stond in dat Amisi salaris, eten en drinken en een bootticket voor de terugreis naar Lisala zou ontvangen, plus een forse bonus als hij zich goed van zijn taken zou kwijten. Ik zou hem de helft van het geld geven voor ons vertrek, zodat hij naar huis kon gaan om het aan zijn familie te overhandigen. We zouden de volgende ochtend vertrekken.

Amisi zette zijn handtekening en ik haalde het geld uit mijn zak. Hij nam het in ontvangst en keek ernaar, hij keek er *woedend* naar, als was het een belediging, sloeg toen zijn ogen op en keek mij woedend aan.

Waarom?

Hij keek opnieuw naar de biljetten en telde ze opnieuw, als verdacht hij me ervan dat ik hem stiekem te weinig gegeven had; en toen, kennelijk overtuigd dat hij echt de helft van zijn salaris had gekregen, hing hij zijn geweer over zijn schouder, bleef nog even wachten en liep de deur uit.

De adjudant bleef afwachtend met zijn handen in zijn zakken staan kijken.

'U hebt ons erg geholpen,' zei ik, terwijl ik hem een bescheiden pakje zaïres overhandigde. Ik loog niet uit beleefdheid: ik was op veel erger voorbereid geweest. Hij was een van de vele in aanleg capabele mensen die in dit afgrijselijke systeem verstrikt waren geraakt. Hij nam het geld met een waardige buiging aan en beloofde een chauffeur te sturen om ons de volgende ochtend om half zes op te pikken bij het hotel.

Later, terug in het hotel, werd ik heel ziek in de slopende namiddaghitte. Ik voelde me zwak en klam, mijn ingewanden zaten in de knoop, ik was vreselijk misselijk en lag maar heen en weer te rollen op de bultige matras in mijn groene kamer, luisterend naar de hagedissen die over de muren kropen en naar het schreeuwen van de papegaaien voor het raam. Mijn handen zaten onder de blaren van het peddelen, mijn neus was verbrand door de zon, de plekken waar ik door tseetseevliegen gestoken was jeukten. Op de rivier had ik me moeten beheersen; hier kon ik me ontspannen, maar ik had het gevoel dat ik aan duizend kwalen tegelijk ten prooi kon vallen.

De laatste dagen op het water waren beangstigend geweest; maar het ergste, zo bedacht ik huiverend, zou waarschijnlijk nog komen. Desi's bemoeizuchtige inmenging in de gesprekken die ik die dag had gevoerd, had me verbijsterd en geïrriteerd. Wat waren zijn beweegredenen? Waarom schaarde hij zich achter al die anderen, tegen mij? Als ik hem onderweg naar Mbandaka nodig had voor lastige onderhandelingen, kon ik dan nog wel op zijn loyaliteit rekenen?

Met zijn opmerkingen over verdrinken en over het Zaïrese arbeidsrecht had hij een belangrijke kwestie aangeroerd waar ik bij de onderhandelingen inderdaad geen rekening mee had gehouden: stel dat de soldaat zou omkomen? Vijftigduizend dollar of honderdvijftig burgerlevens – zou daar iets van waar zijn? En als Desi zou sterven? Hoe moest het dan verder met zijn vrouw en dochtertje in Bumba en zijn familie in Lokutu? En wat te denken van Amisi's boze blik toen hij het voorschot in ontvangst nam? Kon ik hem wel vertrouwen? Er waren te veel vragen die een antwoord behoefden en ik keerde ze de rug toe in die snikhete kamer, in mijn klamme, verstikkende muskietennet, terwijl de pijn als een mes door mijn ingewanden sneed.

Plotseling merkte ik dat ik lag te fantaseren over het einde van mijn tocht, dat ik dan bevrijd zou zijn van Desi, van de soldaat en van alle angsten die me de afgelopen zes maanden hadden gekweld. En toen kwam Tatjana in mijn gedachten, en mijn herinneringen aan haar werden zo overweldigend dat ik er niet bij kon blijven stilstaan. Het was werkelijk ongelooflijk dat ik mezelf dit allemaal aandeed en ik kon me niet voorstellen waarom ik er nog mee zou doorgaan.

Er werd op mijn deur geklopt. Ik kleedde me haastig aan, stopte schielijk mijn met dollars volgepakte geldriem onder mijn broek en deed de deur open. Het was Desi. Hij had een handdoek om zijn schouders; hij had net een bad genomen.

'Bonsoir.'

'Bonsoir.'

Hij hield zijn hoofd schuin naar achteren en keek me aan. 'Ik wil meer geld.' Zijn ogen waren tot spleetjes geknepen en ze stonden bikkelhard. 'Ik heb eens nagedacht. Het heeft u miljoenen gekost om van uw land naar Zaïre te vliegen. U had genoeg geld om een prauw te kopen, en nog een goeie ook. U had genoeg geld voor een geweer. In Bumba had u genoeg geld voor houtskool en een krat cola, u hebt geld om in iedere stad voorraden in te slaan. U hebt geld voor een soldaat. U hebt geld voor de commandant van de basis. U hebt geld voor de adjudant. U hebt geld, heel veel geld. Ik wil meer geld.'

Hij priemde met zijn wijsvinger in de geldgordel die om mijn middel puilde. (Ik had geen tijd gehad om hem helemaal goed te doen.) 'Wat zit hier? Uw geld?'

Ik deed een stap achteruit, geheel van slag. 'Kom binnen, Desi.' Mijn adem stokte, ik voelde me genoodzaakt tegen hem te liegen. 'Het grootste deel van mijn geld staat op een bank in Kinshasa. Ik zou wel gek zijn om met een heleboel geld hier naartoe te komen. De bedragen die ik uitgeef heb ik van tevoren zo precies mogelijk geschat.'

'Geschat?'

'Dat wil zeggen dat ik genoeg geld heb om in Kinshasa te komen, maar meer niet.'

'En, krijg ik meer geld?'

'Desi, je hebt een contract getekend voor een bepaald bedrag en zoals we hebben afgesproken heb ik je de helft al gegeven. En als we in Kinshasa zijn, ontvang je nog een bonus, zoals we ook hebben afgesproken.'

'U bent keihard,' zei hij, terwijl hij zijn hoofd weer oprichtte en me op zijn bikkelharde blik vergastte. 'U was heel hard tegenover de adjudant. U was heel hard tegen Henri. U leek *méchant*, u wilde geen verzekering voor hem kopen. Alsof het u niet uitmaakte of hij in leven bleef of niet.'

'Desi, dat gedoe met die verzekering was gewoon bedrog – het was een truc om me geld af te troggelen. Zag je dat niet?'

'Nou, ik zie hoe rijk u bent.' Hij zette zijn magere voeten uit elkaar op de vuile vloer. 'Ik ben niet rijk. Deze tocht is voor mij niet zo gemakkelijk.'

'Je hebt het heel goed gedaan en als je zo doorgaat krijg je een grote beloning. In Kinshasa.'

'Geeft u de prauw aan mij?'

'Waarschijnlijk wel, maar daarover beslis ik pas in Kinshasa.'

'En alle spullen die u voor de reis hebt aangeschaft?'

'Daarover beslis ik ook in Kinshasa. Als alles goed gaat zal ik royaal zijn, maar pas in Kinshasa, zoals we hebben afgesproken. En zoals in het contract staat dat we allebei hebben ondertekend.'

Hij veegde zijn voorhoofd af met zijn handdoek en ging op het bed zitten. 'U bent keihard,' zei hij weer en leek daarmee te willen zeggen: *Uw wereld is uw wereld en mijn wereld is mijn wereld. U bent rijk en ik ben arm. Heb medelijden met mij, want dat zal nooit veranderen.*

Ik liep bij hem weg en keek uit het raam. Op het erf renden broodmagere naakte peuters rond en een vrouw stond met een stamper maniokwortel fijn te stampen; haar armen waren weinig meer dan botten gehuld in losse, donkere huid. Ik snapte wel dat Desi misschien niet helemaal begrepen had wat het ondertekenen van een contract inhield, maar dingen op schrift zetten was voor mij de enig denkbare manier om misverstanden te voorkomen. Ik wilde hem niet meer geld geven (in ieder geval niet nu), maar dat was niet uit gierigheid; het had met grenzen te maken. Ik wilde hem niet meer geven nu hij me op deze manier onder druk zette, want ik wilde niet zwak overkomen en me aldus in de volgende dagen nog meer druk op de hals halen, want dat zou ertoe kunnen leiden dat ik meer gaf dan mijn grenzen toelieten. Ik had een bepaalde hoeveelheid geld bij me en hier in de wildernis kon ik in geval van een noodsituatie onmogelijk aan meer komen. Maar misschien zou hij me niet geloven.

Toen dacht ik er nog eens over na. Desi had daarnet met zijn vinger in mijn verborgen contanten staan prikken. Hij had gezien hoe ik corrupte overheidsdienaren *matabiches* toestopte, terwijl hij altijd armoede gewend was. Ik had alles wat ik nodig had om in mijn wereld te kunnen leven, maar zette in zijn wereld zonder reden mijn leven op het spel en spendeerde daarvoor wat in zijn ogen schandalig hoge bedragen moesten zijn. En als het allemaal achter de rug was, vloog ik gewoon weer weg en bleef hij hier achter. Had ik wel recht op zijn loyaliteit?

'En? Krijg ik meer geld?'

'Ik denk dat jij er alles aan zult doen om me veilig in Kinshasa te krijgen. En gezien de gevaren waaraan we blootstaan zal ik je dubbel zoveel betalen.' Ik kon het hem niet weigeren, en niet alleen omdat ik medelijden met hem had. Ik had echt met hem te doen en ik zag ook echt hoe hij zijn best deed om zich aan de afspraak te houden, maar tegelijk was ik bang dat zijn loyaliteit zou gaan wankelen als hij een gierig onmens in me zag, wat vlak voor de verraderlijkste etappe van onze tocht geen prettig vooruitzicht was.

'Oké,' zei hij op zachte toon. 'Oké.'

Ik keek naar hem, naar zijn magere voeten. Hij was niet gewoon mager, hij was vel over been, en de huid van zijn benen was schilferig. Was hij tijdens onze tocht zo uitgemergeld geraakt? Ik vroeg hoe hij zich voelde. Best, was zijn antwoord. Hij hoefde geen wormenmedicijn meer in te nemen.

Ik wilde hem opvrolijken. 'Is er in Lisala soms iets te krijgen wat je de komende dagen graag zou eten? Hebben ze hier aap bijvoorbeeld?'

'Ze hebben hier nog iets beters: geit. Ik zou wel zin hebben in een lekker stuk geitenvlees.'

'Koop dan een hele geit, dan hebben we voor de eerste dagen op de rivier in ieder geval vlees.' Ik gaf hem een bundeltje zaïres. 'Nou. We moeten morgen vroeg weg en ik ben erg moe. We kunnen maar beter gaan slapen.'

Hij vertrok en ik viel op mijn bed neer, bibberig en slap. Ik draaide mijn hoofd naar de muur. Het liefst zou ik er een punt achter zetten, merkte ik. Maar het was nu gemakkelijker om door te gaan tot het einde, hoe dat einde ook mocht uitpakken.

Amisi (op de voorgrond) en Desi

Crisis

VERFRIST EN OPGEKNAPT NA EEN NACHT GOED SLAPEN kwam ik voor de dageraad uit bed en klopte bij Desi op de deur. Het bleek dat hij de vorige dag geen geit had kunnen vinden. Slaapdronken hees hij zich in zijn trainingspak en ging erop uit om er alsnog een op te sporen. Ik ging op de veranda zitten wachten.

Het werd half zes, maar nog geen spoor van de adjudant of zijn vrachtwagen, noch van Amisi en Desi. Rond acht uur scheen de zon al volop aan een wolkeloze hemel en dompelde Lisala in een witte gloed; voetgangers sleepten hun harde schaduw op de gebleekte onverharde weg achter zich aan. Ik drentelde heen en weer op de veranda, mijn onbehagen als gevolg van de kwellende hitte nog versterkt door een misselijk makend gevoel van onrust: we zouden hier niet ongemerkt weg kunnen komen, daar was het al te laat voor. Om mezelf wat af te leiden keek ik onze spullen nog maar eens na en bestudeerde de kaart.

Eindelijk kwam Desi de trap op gerend met in vochtig papier verpakte hompen geitenvlees. 'Dit is goed geitenvlees. Dat houdt ons sterk.'

De zon scheen almaar heter en verdreef elke gedachte aan voedsel, maar nog steeds was er geen vrachtwagen. We legden het geitenvlees in de schaduw, bleven alweer vermoeid zo'n beetje rondhangen in de buurt van onze spullen en wachtten af.

Pas om half tien kwam er over de weg naar het hotel een vrachtwagen aangedenderd. In de achterbak zaten soldaten met het geweer aan de schouder, in hoofdzaak dezelfde pummels die het ons bij aankomst moeilijk hadden gemaakt. De vrachtwagen kwam met een ruk tot stilstand: een spoor van stof dreef onze kant uit en verspreidde zich over onze bagage. De adjudant, die een schoon hawaïhemd droeg, stapte wuivend uit. '*Bonjour! Allons!*'

Hij schreeuwde de soldaten in het Lingala een bevel toe, waarop ze uit de laadbak klommen en onze uitrusting begonnen in te laden. Tien minuten later denderden we in de vrachtwagen over de weg terug richting kade. Het late uur, de geruchten die in het stadje circuleerden over wie we waren en wat we van plan waren, en nu als klap op de vuurpijl dit allesbehalve discrete ritje naar de rivier, stonden er borg voor dat ons vertrek geen geheim was, maar integendeel *het* spektakel van de dag. In de buurt van de aanlegplaats moesten we vaart minderen om ons door een menigte heen te wringen. Half Lisala was komen opdraven om ons uitgeleide te doen.

Onze prauw lag er nog, met de boegketting vastgelegd aan een meerpaal, half op het strand getrokken; de groene rivier spoelde wit schuimend om de op en neer deinende achtersteven. Onder bulderend toezicht van de adjudant begonnen de soldaten de vrachtwagen te lossen; ze grepen onze spullen en brachten ze op een drafje naar Desi, die ze zo in de prauw schikte dat er in het midden ruimte voor Amisi overbleef.

En toen verscheen Amisi aan de rand van de menigte. Hij nam het hele gedoe misprijzend in ogenschouw, zijn linkerschouder naar beneden gezakt onder het gewicht van het FAL-geweer.

Ik ging naar hem toe. 'Goeiemorgen. Ben je klaar om te vertrekken?'

'Ja,' antwoordde hij nors.

'Heb je al eens in een prauw gevaren?'

'Nee, maar dat zal wel gaan.'

Een halfuur later – ik had inmiddels vijftig handen geschud, de soldaten betaald voor hun kruiersdiensten, de adjudant bedankt voor zijn goede zorgen en Amisi geholpen zich op zijn plek te installeren – stak ik mijn peddel in het door de zon opgewarmde zand, duwde af en boomde de prauw samen met Desi uit het ondiepe water. In de vaargeul werden we in de stroming opgenomen en stroomafwaarts gevoerd. Kinderen liepen op de oever met ons mee en riepen ons afscheidsgroeten na, ronddartelend en schreeuwend en gillend in het messcherpe licht van een ochtend die al enkele uren oud was.

Bezaaid met klompen waterhyacint spreidde zich de rivier verblindend en glasachtig voor ons uit, jachtend op weg naar het zuidwesten, ook al leek hij tegelijk de essentie van equatoriale apathie uit te wasemen. We peddelden traag, haalden hyacintvlotten in en doorkliefden sommige met onze boeg, zodat de bijen nijdig opvlogen van hun bloemen en kriebelmuggen en vlinders werden opgeschrikt. De bomen hier waren palmen; hun bladeren, wit in het schelle licht, hingen zwaar en bewegingloos neer in de hitte. We lieten onze peddels al gauw rusten en trokken ons terug onder onze parasol. Op een kilometer of vijftien afstand van Lisala ontwaarden we op de noordelijke oever de vervallen muren van een verlaten protestantse zendingspost, met klimplanten overgroeid. Zelfs in dit gebied hadden zendelingen gewoond.

Een rauwe kreet scheurde de stilte aan flarden. 'Eens was ik dolende, maar nu ben ik verlost...' Tussen de versregels in schraapte Desi zijn keel en voerde zijn stem op tot decibellen en toonhoogten die hij (tot mijn geluk) op onze tocht nog niet eerder had weten te bereiken.

Ik doorstond zijn gezang een tijdlang, maar het werd steeds krachtiger, ging werkelijk door merg en been, en het klonk alsof hij voldoende energie had om nog urenlang door te jammeren. Toch was het zaak om ons zo stil mogelijk te houden; door zijn gejeremieer zouden de Ngombe ons al mijlenver kunnen horen aankomen.

Toen ik er niet langer tegen kon, draaide ik me met een ruk naar hem om. 'Desi!'

'Quoi?'

'God nog an toe, Desi, we varen wel kannibalengebied binnen, ja!'

'U hebt gelijk! Alleen met hulp van Jezus komen we hier levend doorheen!' Hij legde zijn peddel op de bodem van de prauw en strekte zijn armen ten hemel. 'Heer onze God! Luister naar de woorden van Uw nederige dienaar! God, U hebt ons lief! Jezus, U hebt ons lief! Behoed ons op onze tocht over deze gevaarlijke rivier! Blijf bij ons, wees ons licht in de duisternis van deze wildernis! Behoed ons voor de gevaren op onze weg! En behoed ons voor verleidsters! Amen!'

Hij stond achter in de boot als opgehangen aan een onzichtbaar kruis, boog toen zijn hoofd en begon in zichzelf een gebed te mompelen. Amisi, die alles volstrekt onbewogen had ondergaan, verschoof op zijn krappe zitplaats.

Een woord galmde nog na in mijn hoofd. 'Desi, hoe zit dat met die verleidsters?'

Hij haalde het geitenvlees uit de verpakking en begon het met zijn machete in bloederige brokken te hakken. 'Nou, vrouwen bezitten de krachten van tovenaressen – wist u dat niet? Als ik niet bij mijn vrouw ben vraag ik God altijd om extra op de vrouwen te letten.'

'Ik snap het.'

'Satan doet zijn werk via vrouwen. Satan komt via de vrouw tot de man. Ik ben bang om met een vrouw alleen te zijn.'

Ik vroeg Amisi of hij dat ook was.

'Ik ben nergens bang voor. Ik ben soldaat.'

Desi deed de brokken geitenvlees in het kokende water van de *bambula* en gooide er rijst bij. 'Het verbaast me dat u dit soort vragen stelt. Het zijn toch uw profeten die ons vertellen dat Satan tot ons komt wanneer een ongetrouwde man en vrouw met elkaar alleen zijn. Maar er bestaan vele soorten zonden. Amisi, jij bent soldaat. Soldaten verkrachten en plunderen. In de ogen van God zijn dat ook zonden.'

Amisi draaide zich met opgetrokken wenkbrauwen naar Desi om. Desi roerde in de *bambula*. 'Volg jij God, Amisi, of plunder jij ook?'

Amisi antwoordde hem binnensmonds, ging toen weer verzitten, pakte een peddel en probeerde te roeien. 'Amisi probeert te veranderen,' zei Desi. 'Hij is het niet eens met de manier waarop zijn medesoldaten zich gedragen.'

'Dus hij verkracht en plundert niet?' vroeg ik.

'Nee.'

'Dat is een hele geruststelling.'

Ik stelde voor Amisi te vertellen over de problemen die we de komende twee weken dachten tegen te komen, en Desi herhaalde de woorden van de visser uit Mbandaka, die hij echter van bescheiden, maar kleurrijke aanvullingen voorzag: Mobutu heeft zijn Division spéciale erop afgestuurd om de Bangala-stammen uit dit gebied te straffen voor de moord op *mondele*'s... De stammen hadden *mondele*'s in kleine mootjes gehakt... Dat bezorgde Zaïre een slechte naam... De Division heeft hele dorpen weggevaagd, ze hebben alles en iedereen geplunderd, in brand gestoken en vermoord... De Bangala zijn dieven en moordenaars...'

Amisi luisterde, maar zei niets en zijn gezicht bleef even ondoorgrondelijk.

Rond het middaguur was het zo heet als we sinds Bolobo niet meer hadden meegemaakt; de gloeiende hitte bestookte ons van alle kanten. De *bambula* kookte over en Desi haalde hem van de kooltjes af. De wildachtige geur van het geitenvlees in combinatie met de smoorhitte maakte korte metten met mijn eetlust.

Desi schepte een vettig brok op een bord.

'Het eten is klaar!'

Hij gaf ons ieder een bord. Ik pakte het mijne aan en zette het onder mijn zitplaats om af te koelen, waarna ik mezelf dwong het leeg te eten, hap voor hap. Ondanks de geur was het lekker, al moest ik toch af en toe kokhalzen. Maar wat belangrijker was: het was ook voedzaam. Amisi deed zich met graagte te goed aan zijn portie. Maar Desi at maar een klein beetje en zette toen zijn bord weg; hij had moeite met slikken en klaagde over misselijkheid.

Na de maaltijd namen we weer plaats onder onze parasols, onze ledematen intrekkend om binnen de beschermende aangename schaduwkring te blijven. We lieten de prauw meedrijven op de stroom, zodat we trage kringen tussen de waterhyacinten beschreven. De rivier, slaperig en sereen als een kreek in Louisiana, verkleurde met het vorderen van de dag van groen naar satijnachtig blauw, het blauw van de hemel. Weldra werden mijn oogleden zwaar.

Maar ik vocht tegen de slaap – dit was geen goed moment om mijn waakzaamheid te laten verslappen – en ging rechtop zitten. 'Amisi, houd je geweer zo dat het goed zichtbaar is. En Desi, houd de kolf van het geweer wat hoger zodat het boven de rand van de boot uitsteekt. Laat niemand denken dat we ongewapend zijn.'

Amisi ging alert overeind zitten met het geweer op zijn knieën; Desi zat te dommelen, het geweer lag naar boven wijzend in de holte van zijn arm; ik zocht met mijn ogen de oevers van de eilanden af en verzette me met alle vezels in mijn lijf tegen mijn slaperigheid. De stilte boven de warme, glazige rivier werd slechts verbroken door zwermende bijen.

Ik werd met een schok wakker door een schrapend en sissend geluid en het gegiechel van kinderen. Het was na vieren. We liepen aan de grond in de ondiepe wateren tussen een groot aantal dorpen. Dorpelingen kwamen hun hut uit en gingen naast elkaar op de oevers naar ons staan kijken. Zenuwachtig riep ik hun een vriendelijk 'Mbote!' toe, maar daar reageerden ze niet op. Ze stonden stil te kijken met hun armen over elkaar, en hun ogen verrieden helemaal niets, geen vriendelijkheid, geen angst, geen boosaardigheid.

'Desi! Amisi! Word wakker!'

Suffig openden ze hun ogen en schraapten hun keel. Desi's ogen gingen naar de dorpelingen en van schrik stond hij meteen rechtop. Hij en ik sprongen in het water, dat tot onze kuiten reikte, trokken de prauw weg van de zandbank en in de richting van de vaargeul, waar we weer aan boord klommen en verder gleden.

'Amisi, schouder je geweer.'

Amisi hief zijn geweer en ontgrendelde het terwijl hij opstond. Maar we liepen opnieuw aan de grond en we moesten de procedure van het vlottrekken herhalen.

Op de oevers bij de dorpen waren nu hele rijen uitdrukkingsloze gezichten te zien.

'Die mensen zijn geen goede christenen,' zei Desi, verwoed peddelend. 'Het zijn geen echte christenen. Het zijn mensen die de ene dag Gods lof zingen en de volgende op rooftocht gaan.'

Uit een van de dorpen klonk tromgeroffel, en toen uit nog een dorp. Hoewel hier veel dorpen lagen, was er op de rivier geen prauw te bekennen. *Waarom?* Een uur lang peddelden we voort, in een isolement door al die starende blikken, hopend een beschutte plek te vinden om ons kamp op te slaan. Maar rond vijf uur zag het ernaar uit dat dat niet zou gebeuren; er waren alleen ogen, trommels en massa's mensen die vanuit de dorpen naar de oevers stroomden, nog voor we ook maar in de buurt waren.

Ik vroeg aan Desi wat hij vond dat we moesten doen.

'We moeten doorvaren, de hele nacht. We moeten hier nergens stilhouden.'

Doorvaren in het donker was misschien nog riskanter dan ons kamp opslaan, gezien de muskieten en de kans op verdwalen. Ik wilde halt houden. Maar de trommels bleven doorroffelen en we voeren dus verder tot we eindelijk een gedeelte van de rivier bereikten waar geen mensen woonden.

Nu strekte de rivier achter ons zich uit als een koningsblauwe glasplaat die de spikkeltjes diamant van de eerste sterren weerspiegelde, paars verkleurend aan de randen, waar woud en hemel elkaar raakten; voor ons uit, in het westen, zakte de zon als een bal van vuur het water in en zette de hemel en de rivier in een gloed van gesmolten lava. We voeren de zich uitbreidende lavaweerspiegeling binnen, speurden de oevers af naar iets dat op een geschikte aanlegplaats duidde en ontdekten uiteindelijk een eenzaam drassig eilandje omgeven door mangroves. We wisten dat die mangroves betekenden dat het er moerassig was en zou stinken, maar deze plek had als voordeel dat hij tegenover onbewoond oerwoud lag.

We stuurden op de aambeeldvormige punt aan en boomden de prauw tussen twee mangroves; de boot botste stuiterend tegen de door wortels overwoekerde oever. Amisi en ik trokken de prauw het struikgewas in en zetten achter de mangroves de tenten op.

Van de smerige bodem steeg een stank van verrotting op en het eilandje was vergeven van zoemende vliegen, rondkruipende torren en bijtende zwarte mieren. Vanuit zijn tent verklaarde Desi: 'Ik voel me slap. Ik wil dag en nacht doorvaren. We hoeven niet te peddelen. We kunnen ons gewoon laten drijven. We...'

Stemmen.

Aan de andere kant van de bomen dreef een prauw stroomafwaarts, hij bevond zich op dat moment ter hoogte van onze tenten.

In het Lingala werd er geschreeuwd: 'Zijn jullie de *mondele*'s?'

'Desi antwoordde: 'Er is hier geen *mondele*!'

'Wat doen jullie *mondele*'s daar?'

'We zijn geen *mondele*'s!'

'Zeg ons wie jullie dan zijn.'

'Wij zijn kooplui, op weg naar Mbandaka.'

Het was even stil, toen hoorden we een gedruis terwijl de prauw keerde, en vervolgens het wegstervende geluid van peddels in het water.

De rivier werd ondergedompeld in een maanloze duisternis waarin hol tromgeroffel weergalmde. Ergens in de verte klonk gezang op, gevolgd door geklap van handen. De hele nacht door kregen we met argwanende ondervragingen te kampen en geen van drieën konden we goed slapen. Zo'n twee uur voor de dageraad hielden de vragen en het tromgeroffel op en daalde er stilte neer, een stilte die zelfs niet werd verbroken door het gepiep van boomkikkers en die vervuld was van spanning in plaats van rust, zodat we alleen maar meer op onze hoede waren. Vermoeid en geradbraakt besloten we nog voor het licht werd op te breken, maar toen we opstonden bleek er een dichte mist over de rivier te zijn neergedaald. Toch laadden we onze spullen in de prauw en begaven ons in de alles verhullende nevel; weldra wisten we niet meer waar we waren; de oever was niet te zien, we waren ons alleen nog bewust van de duisternis, de mist en de veranderlijke stroming.

'De lucht op die kampeerplek was heel slecht,' zei Desi, terwijl we blindelings voortdreven. 'Ik ben er ziek van geworden.'

Ik sloot mijn ogen, maar kon niet slapen, want Desi's verklaring dat hij ziek was verontrustte me, evenals zijn voorstel – dat dwaas was en onuitvoerbaar – om ook 's nachts te reizen. Ik had gehoopt dat hij in Lisala weer op krachten zou komen. Maar mijn eigen vermoeidheid belette me mijn gedachten volledig te ordenen.

Een uur later begon het licht te worden. Het bruisende geluid van stromend water sijpelde door in mijn slaperige bewustzijn; vage voorstellingen van klaterende beken en riviertjes mengden zich met fragmenten van gezichten, met vervloeiende beelden uit beginnende dromen. Mijn ogen openden zich half en lieten een wereld binnen van mist en paarlemoerkleurig rivierwater, van warmte en omhullende nattigheid, een wereld zonder lijnen of vormen, er klonk alleen het geluid van water, als in een stroomversnelling, een steeds luider wordend klateren, als van water over rotsen.

'Jeff!' schreeuwde Desi.

Op nog geen tien meter bij ons vandaan, op onze stroomafwaartse route, doemde vanuit de mist een zwarte scheepsromp op: de voorsteven van een *pousseur* die een v-vormig schuimspoor door het water trok. Amisi en ik grepen onze peddels en zetten ons hele gewicht in om te peddelen, terwijl Desi scherp naar bakboord stuurde, om het stalen gedrocht heen, zodat we er rakelings langs schoten. De voorwaartse beweging van de *pousseur* bleek echter schijn te zijn: het schip lag op een zandbank, geheel verlaten.

Terwijl we erlangs dreven gingen we staan om naar binnen te kijken en Desi riep: '*Mbote.*' Zijn stem weergalmde tussen de hutten die zo te zien geplunderd waren; de deuren hingen scheef in hun hengsels en van het interieur was niets meer over. Het dek lag bezaaid met scherven glas en de doorgangen gingen schuil onder allerlei afval. We waren het gedoemde vaartuig spoedig voorbij en keerden terug in de wereld van paarlemoerachtig water en mist.

Desi keek achterom naar de vervagende contouren van de *pousseur*. 'Ze zijn blijkbaar van de vaarroute afgedwaald. De stammen hier uit de buurt hebben ze geplunderd. Zie je nou wel, de Ngombe zijn geen goede christenen.'

Hij peddelde een tijdje lusteloos door en leunde toen achterover in de achtersteven. Ik dacht na over wat hij gezegd had en pakte de kaart. 'Desi, als zij van de vaarroute zijn afgedwaald, hoe zit het dan met ons?'

'We zijn in de buurt van Bongela.'

'Maar als zij verdwaald zijn, dan zijn wij dat toch ook – wacht eens even.' Bongela bevond zich in de buurt van Île Sumba; ik herinnerde me wat Paul daarover verteld had: dat daar een roversdorp was, dat er een verraderlijke *rivière* was die van Bongela achter Île Sumba langs voerde. Maar volgens de kaart waren die plaatsen nog ver van ons verwijderd. 'Wacht eens even. Hoe kom je erbij dat we in de buurt van Bongela zijn? Dat kan helemaal niet. We kunnen in één dag niet zo'n grote afstand hebben afgelegd. Île Sumba en Bongela liggen honderdvijftig kilometer verderop.'

'We zijn in de buurt van Bongela of van het Mille Quarante-baken.' Hij lag inmiddels ineengekrompen achterin en was duidelijk ziek. 'Ik weet niet waarom u over Île Simba begint. Er bestaat helemaal geen Île Simba.'

'Île Sumba, niet Simba. Desi, luister nou, we zijn op de heenweg langs Île Sumba gekomen en toen heeft de eerste stuurman me ervoor gewaarschuwd. Het staat hier op de kaart. En Bongela ligt bij de punt ervan.'

Hij legde zijn peddel neer. 'Er is helemaal geen Île Simba.' Hij lag te krimpen van de pijn en had zijn handen tegen zijn buik gedrukt. 'Ik voel me vandaag niet goed. U stelt veel te veel vragen. Ik vertrouw op Jezus. Alstublieft, vertrouwt u toch ook op Jezus. Ik heb zo'n pijn in mijn buik.'

Praten was zinloos. Ik borg de kaart weer weg. Ik merkte dat ik zelf nauwelijks de kracht had om te peddelen en ik miste de behendigheid om te sturen. Amisi zat er naar zijn gewoonte geheel passief bij; met zijn geweer op zijn knieën staarde hij naar het water. De hitte sloeg toe en rekende af met alle lust tot bewegen; ik kwam tot de slotsom dat ik maar het beste net als Desi kon gaan rusten.

Rond het middaguur namen Amisi en ik een maaltijd van gerookte vis en rijst tot ons. Desi weigerde te eten; net als eerder op weg naar Lisala verklaarde hij dat hij apenvlees nodig had om weer op krachten te komen. Ik begon me af te vragen of hij Mbandaka wel zou halen.

Maar de *pousseur* die we gezien hadden bracht me op een idee: als we op de vaarroute van de rivierboten konden komen (of ons er al bevonden), zou de boot van de kolonel ons op zijn route stroomafwaarts ergens moeten passeren. Als de nood aan de man mocht komen, konden we Desi met die boot meesturen en zou ik onder de passagiers een gezond iemand kunnen zoeken om hem te vervangen.

Die dag kwamen we geen dorpen meer tegen. De aanblik van de *pousseur* leek ook indruk te hebben gemaakt op Desi: hij vroeg wat ik ging doen als we de boot van de kolonel zouden tegenkomen.

'Ik denk dat we beter kunnen afwachten of we die boot wel tegenkomen in plaats van nu al plannen in die richting te maken. Van belang is nu dat je eet. Je *moet* eten!'

Dat vertikte hij.

De stroming voerde ons mee de rivier af en liet ons trage kringen beschrijven; het oerwoud draaide om ons heen terwijl koele vochtige lucht over ons uitstroomde. Nu en dan vormden zich in mijn gedachten tegenargumenten tegen Desi's beweringen over onze positie, maar ik sprak ze niet uit. Voor het eerst in mijn leven voelde ik de aandrang om me over te geven aan de omstandigheden – niet aan het noodlot, want daar geloofde ik niet in, maar aan de omstandigheden, aan gebeurtenissen zonder doel of zin, betekenis of dramatiek. Ik mijmerde over Stanleys reis over de Kongo (althans wat hij daarover had opgeschreven), zijn preken tegen de bemanning, waarin de gedachte dat ze een belangrijke missie te vervullen hadden de boventoon voerde. Deze reis was, zo hield hij hun voor, 'onze opdracht en geen andere! Het is de stem van het Lot die spreekt! Onze Enige God heeft geschreven dat dit jaar de rivier over haar gehele lengte verkend zal zijn!... Voorwaarts, zeg ik; voorwaarts tot in de dood, indien dat zo moet zijn!' In deze wildernis leek niets futieler dan dergelijk hoogdravend en theatraal gepraat over een grootse missie. Alle woorden leken op dat moment zonder betekenis.

We dreven maar voort, totdat Desi zich weer goed genoeg voelde om te peddelen.

Nog tijdens het eerste deel van de middag begon de lucht zwart te worden. Uitgeput van het heen en weer varen van eiland naar eiland op zoek naar de vaargeul, zetten we onze parasols op en lieten ons dicht bij de oever voortdrijven. Het begon te miezeren, maar het waaide niet en we bleven op het water.

We naderden de stroomafwaartse zijde van een eiland. Een vaag zoemend geluid uit de verte zwol aan tot het duidelijke getuf van een motor dat onze kant uitkwam. We zaten opeens recht overeind: een boot! Desi en ik grepen onze peddels en lieten ze neer in de rivier. Zo'n honderd meter voor ons uit, daar waar het ene eiland eindigde en het volgende begon, verscheen plotseling, in een door bomen omzoomd deel van de rivier, de geroeste romp van een rivierboot – de boot van de kolonel!

We schreeuwden en zwaaiden, we sloegen verwoed met onze peddels op het water. Maar de boot tufte onverstoorbaar verder, voer achter het volgende eiland langs en verdween uit het zicht, inhalig de echo van de motor achter zich aan trekkend en ons desolaat en alleen achterlatend, drijvend op de sombere rivier, eenzamer dan ooit tevoren. Desi legde zijn peddel weg en zonk toen neer op de bodem van de prauw. Amisi trok één wenkbrauw op.

'Nou ja,' zei ik, 'we weten nu in ieder geval waar de vaargeul is. Misschien komt er nog wel een boot voorbij.'

Desi keek me aan alsof hij wilde zeggen: Dat dacht ik niet.

Om ons heen dwarrelde als confetti een onafzienbare wolk gele vlinders neer. De rivier gunde ons geen respijt: ze tekenden zich af tegen een decor van voortjagende onweerswolken in het oosten.

Ik nam mijn peddel ter hand en stond op. 'Desi, we kunnen beter naar de kant gaan.'

'Die storm komt onze kant niet op,' zei hij, uitgestrekt onder zijn parasol.

Als een supersonisch vuurprojectiel schoot een bliksemstraal uit de stalen hemelkluis en trof het woud; de donder barstte los met een reeks oorverdovende klappen. Op hetzelfde moment wakkerde de wind aan en de rivier begon te zieden, de stormvlagen en opgezweepte golven wierpen ons haast om. Amisi greep zijn peddel en deed zijn best om me te helpen de prauw naar de kant te krijgen. De wind beukte ons tegen een muur van doorns en stekelige varens waar we in verstrikt raakten; van een mogelijke aanlegplaats moesten we ons losrukken en toen van een volgende, we haalden onze huid open aan de struiken waarin we onze toevlucht zochten.

Desi kwam overeind om ons langs het doornbosje naar een beschutte inham in een open plek te loodsen. Maar toen we daar vlakbij waren kwam er met veel geritsel een krokodil van tegen de vier meter uit het gras geschoten die zich als een torpedo in de kolkende rivier stortte. Van schrik verloren we bijna ons evenwicht en we begonnen angstig achteruit te peddelen, voeren langs nog meer struiken en kwamen bij nog een open plek. Daar belette een uit het water stekende boomstronk ons te landen; een geweldige windvlaag zweepte een golf op die ons bijna overboord deed slaan.

'We zijn in gevaar,' verklaarde Desi met monotone stem.

Door het zien van de krokodil, die nu uit het zicht verdwenen was, voelde ik me enorm bedreigd en uiterst kwetsbaar voor aanvallen. Heftige windvlagen bliezen ons voorbij een volgende plek waar we zouden kunnen aanleggen en omdat ik voorin stond, moest ik in het ondiepe water springen om de prauw aan de boegketting naar de kant te trekken, een afgrijselijke beproeving waarbij ik uitgleed in de kleiachtige modder en mijn scheen stootte tegen een stronk, en ondertusen mijn ogen schichtig over het water liet gaan op zoek naar de krokodil. Terwijl de regen in golvende vlagen van zilver op ons neerplensde spanden we tussen gigantische stekelvarens die uit de bodem van het woud oprezen ons zeildoek en kropen eronder om het einde van de storm af te wachten.

De maan hing die nacht als een gigantische bleek oranje bol in de hemel en het woud echode van de kreten van apen en het lawaaiige geplas van nijlpaarden in ondiep water ergens achter ons. We hadden al vroeg ons kamp opgeslagen en stonden op een kwalijk riekend, desolaat plekje aan een bocht in de rivier, tussen van palmen en rubberbomen afhangende klimplanten. Het wemelde er van de dikke zwarte bijtende mieren; ze renden over onze benen en beten al voordat we ze konden wegvegen, zodat we ons genoodzaakt zagen een heenkomen te zoeken in onze tent. We waren die dag geen dorpen meer tegengekomen. De oevers waren onbewoond en de afwezigheid van vijandige mensen stelde me gerust, maar tegelijk vreesde ik dat we ergens op de rivier waren waar we niet behoorden te zijn; daar was ik onderhand vrij zeker van. Desi beweerde bij hoog en bij laag dat hij de weg kende, maar het begon tot me door te dringen dat dat zo ver bij zijn huis vandaan niet waar was.

'Dat Gods wil geschiede. Ik leg mijn lot in handen van *le bon Dieu*,' verkondigde Desi, waarna hij bleek en verzwakt zijn muskietennet in kroop. Amisi zat intussen te mokken. Ik riep hem naar mijn tent om te overleggen. 'Desi is ziek,' zei ik. 'We moeten beslissen wat we gaan doen als hij niet meer verder kan.'

'We moeten gewoon doorgaan. Ik ben soldaat en christen. Als God wil dat ik hier doodga, dan ga ik hier dood. Daar kan ik verder niets aan doen.'

'We zullen toch iets moeten bedenken.'

'Wat?'

'Ik vraag je om raad.'

'Ik houd me aan Gods wil. Wat God beslist, gebeurt.'

Waar kwam zijn onverschilligheid vandaan? En was het wel onverschilligheid? Ik keek hem woedend aan, ik had plotseling een geweldige aandrang om hem een mep te geven, om de apathie uit hem te slaan. Maar ik draaide me om, ging mijn tent in en beperkte me ertoe hem *bonne nuit* te wensen.

'Je moet eten. Je moet absoluut eten.'

'Ik eet helemaal niets, behalve als we een aap kunnen schieten.' Bij het ochtendgloren stond Desi bibberend naast zijn net, nog altijd bleek en zichtbaar nog zwakker dan tevoren; hij vermeed het me aan te kijken. 'Ik moet aap eten, anders, anders...'

We hadden nog vlees in blik, maar omdat er geen vissers in de buurt waren, zouden we de volgende tien dagen, tot aan Mbandaka, niets anders hebben – saai voedsel, dat wel, maar prima geschikt om ons in leven te houden. Maar misschien was Desi's behoefte aan apenvlees wel een excuus: hij was ziek en wilde niet verder, of kon niet verder.

Ik wist niet wat ik zeggen moest. Het was mijn schuld dat we aan deze reis begonnen waren en het begon er nu op te lijken dat de arme kerel er mogelijk het leven bij zou inschieten, of er dermate door zou verzwakken dat het leven van een heleboel anderen eronder zou lijden, hij was immers kostwinner van een uitgebreide familie. Ik had er tijdens mijn langdurige voorbereidingen geen moment aan gedacht dat niet ik, maar mijn gids gezondheidsproblemen zou kunnen krijgen. Angst begon als een steen op mijn hart te drukken, een angst die eenzaam maakte: ook al verkeren we in het gezelschap van anderen, de dood moeten we in ons eentje tegemoet treden. Als Desi nu opgaf, zouden Amisi en ik de grootst mogelijke problemen hebben om Mbandaka te bereiken. Deze gedachte was te beangstigend om erbij stil te blijven staan.

Maar ik overdreef. Ik pakte mijn spullen bij elkaar en gooide ze in de prauw. 'We moeten verder, Desi. Laten we gaan.'

Ik keek naar Amisi. In zijn ogen was niets van bezorgdheid te zien, alleen een onverschillig begrijpen. Toen ik klaar was met het laden van de prauw stapten Desi en Amisi erin en we duwden af.

Het was zonnig, maar koel en fris, een winderige dag met heldere, goudgele zonneschijn, milddadige goudgele zonneschijn die het woud en de rivier overstroomde zonder ze hitte te brengen, troostrijke goudgele zonneschijn die iets goeds leek te beloven of, geheel tegengesteld hieraan, het decor zou worden van afgrijselijk onheil: het was te idyllisch om waar te zijn. De stroming kwam ons te hulp, nam ons mee door een geul die dwars door grote zijdeachtig glanzende watervlakten sneed, donkere vlakten waarboven hier en daar mistflarden hingen. Toen de middag net was aangebroken en we voortgleden langs de zuidelijke oever, onder laag dicht struikgewas door waar een tweede grillige laag begroeiing van bomen met brede kruinen boven uitrees, zagen we een aap die zich springend van tak naar tak uit de voeten maakte. Desi leefde op en stuurde de prauw naar de kant. Amisi haalde zijn geweer uit het foedraal en samen verdwenen ze in het oerwoud.

Na een tijdje stapte ik ook op de kant. Ik liep wat rond en bleef toen staan kijken naar de wirwar van kruipende en klimmende planten, de kriskras verspreide varens; ik keek op naar de dode palmen, de huizenhoge gombomen, de doolhof van licht en donker, van groen en nog eens groen en bamboegeel, doorspikkeld met het vermiljoen van bloesems, het violet van bladeren. Behalve het geritsel van de wind in het bladerdak was er niets te horen, en deze stilte leek de voorbode van een onheil geheel in stijl met wat de kale uitkomst van mijn verwachtingen en plannen aan het worden was, de climax, de ontknoping die ik in mijn leven had willen forceren door naar Afrika te komen. Dat die climax plaatsvond was duidelijk – een climax even grimmig als simpel, potentieel dodelijk en tegelijk doodgewoon. Desi had het baantje als gids aangenomen om te voldoen aan zijn verplichtingen tegenover zijn vrouw en kind, zijn moeder, zijn parasiterende broers en ook nog eens zijn kerk. Maar inmiddels was duidelijk dat hij al vanaf Kisangani ziek was en ik werd kwaad op mezelf dat ik dat niet had onderkend. Desondanks gaf hij zijn baan niet op en wilde hij zelfs niet bekennen hoe hij eraan toe was: de schim van de kolonel (tegenover wie hij zich uiteindelijk zou moeten verantwoorden voor mijn veiligheid) stond achter me en ongetwijfeld vreesde Desi de consequenties als hij in gebreke zou blijven. Bovendien was Desi een man van zijn woord, in plaats van op te geven zou hij simpelweg nog liever sterven.

Ik begon meer begrip te krijgen voor het fatalisme van Desi en Amisi. Als wij in de wildernis zouden omkomen, zou het woud ons opslokken en stilletjes en onaangedaan doorgaan met bestaan, een eeuwige, onpeilbare, op zichzelf staande levensbron die zich eindeloos vernieuwde, onverschillig voor onze angsten, gevoelens en gedachten. In het leven van de mensen die op en aan het water van de Kongo woonden heerste zoveel ongewisheid, hitte, ziekte en honger dat er voor doortastendheid of roekeloosheid geen ruimte was, het kwam erop aan van dag tot dag te leven en dankbaar te zijn voor de schraalste larven en schrompeligste bananen. Een fatalistische inslag was hier noodzakelijk, net als gelatenheid.

Ik liep terug naar de prauw. Het leek me ineens zonneklaar dat mijn expeditie het niet waard was er een leven aan op te offeren, niet dat van Desi, niet dat van Amisi en niet dat van mij. Als ik de reis op dat moment had kunnen beëindigen, als ik een alarmvuurpijl had kunnen afschieten of via de radio om hulp had kunnen vragen, dan had ik het gedaan. Maar ik beschikte niet over een alarmvuurpijl of een radio, en bovendien: wie zou erop afkomen? Ik kon niemand inschakelen. Het was niet mogelijk terug te gaan: de enige weg die ons openstond was verder de rivier af te zakken.

Desi en Amisi kwamen terug, hun jacht had niets opgeleverd. We duwden af en lieten ons op de stroming meevoeren.

De volgende dag voeren we verder onder een heldere hemel. Rond het middaguur vroeg Desi me treurig om met mijn Polaroid-camera wat foto's van hem te maken 'voor zijn vrouw', met de suggestie dat ze bedoeld waren ter herinnering aan hem. Ik stemde toe en op een eiland hielden we een bizarre laatste fotosessie; Desi trok er zijn trainingspak voor aan en keek plechtig in de lens.

Ik bedacht wat er na mijn expeditie zou gebeuren. Als Desi stierf en ik bleef leven, zou ik de consequenties onder ogen moeten zien: een treurende familie, beroofd van inkomsten; onderzoeken door politie en overheid; een besef van schuld dat ik mijn hele leven zou moeten meetorsen. De steen van de angst drukte opnieuw zwaar op mijn hart: als hij zou sterven, hoe moesten Amisi en ik ons dan redden? Mbandaka lag nog meer dan honderdvijftig kilometer weg en we hadden Desi's stuurmanskunst nodig om die afstand te overbruggen.

Ik kon er niets aan doen, maar terwijl we ons van de oever verwijderden dacht ik aan doodgaan, dat mijn leven dan geen afsluitingsritueel of verdere ophef zou kennen, dat het gewoon zou ophouden, als een film die halverwege doorbrandt als gevolg van een defecte projectielamp. De dood leek dichtbij, bijna tastbaar; wat me nog het meest beangstigde was dat hij op zo grote afstand van Tatjana, mijn ouders en vrienden zou kunnen toeslaan. Ik was bang, maar ik kon niets anders doen dan peddelen en onder de monsterlijke bomen en klimplanten verder varen.

Die middag leefde Desi helemaal op toen hij verstopt tussen onze mondvoorraad twee blikjes sardines (zijn favoriete vis) ontdekte. Hij maakte ze klaar en at ze gulzig op, waardoor hij weer enigszins op krachten kwam.

En kracht was wat we nu nodig hadden. Rond vier uur bevonden we ons midden in het gebied van de Ngombe; we passeerden het ene dorp na het andere en konden nergens een beschutte kampeerplaats vinden.

De duisternis joeg ons uiteindelijk naar de kant; terwijl de muskieten over ons neerdaalden zetten we de tenten op. Weldra kwamen er onzichtbaar in de klamme nacht prauwen aangevaren en klonken er in de duisternis dreunende baritonstemmen op die in het Lingala informeerden: 'Is de *mondele* daarbinnen? Wat heeft die *mondele* om aan ons te geven?' En dan antwoordde Amisi: '*Mbote!* Blijf weg. Ik heb een FAL-geweer en ik schiet als je in de buurt komt.' Dat werkte, maar de uren sleepten zich voort en geen van drieën deden we een oog dicht.

De gloed van de maan vulde de hemel en weerspiegelde in het water. Ik lag op mijn buik door de gazen opening van mijn tent te kijken. Twee prauwen met elk vijf man aan boord doemden op uit de mist en kwamen onze richting uit. Ik probeerde Amisi te waarschuwen, maar mijn keel was als verlamd; ik kon niet spreken, zelfs geen spier bewegen. De prauwvaarders legden aan bij ons kamp en haalden enorme machetes uit hun foedraal die opglansden in het maanlicht; ik worstelde om een kreet uit te brengen, maar voelde me verstikt en kon me niet bewegen. Toen ze op mijn tent af liepen, sprong ik als een speer mijn net in – en werd wakker. Ik had gedroomd.

Op de rivier waren zilveren strepen te zien – weerspiegelingen van de maan – maar geen machetes of prauwen. Desi en Amisi waren in hun muskietennet vlak naast mijn tent in slaap gesukkeld; de rivier likte aan de oever en vloeide leeg en zilverig verder en verder, tot diep in de vaargeul.

De Colonel Ebeya: onze redding

De jacht op de Colonel Ebeya

HET WAS ALSOF DE RIVIERGODEN SAMENSPANDEN OM ONS
in verwarring te brengen; tot onze wanhoop werd de nieuwe dageraad opnieuw gesmoord onder een laag dichte mist. We pakten onze
biezen en voeren weg, nadat Amisi en ik een ontbijt van rijst met
knakworst naar binnen hadden gwerkt terwijl Desi helemaal niets
gegeten had. We dreven voort in de dichte witte nevel zonder iets van
onze omgeving te kunnen onderscheiden, de noordoever niet, de
zuidoever niet, de vaargeul niet; we peddelden alleen om uitsteek-
sels te ontwijken die hier en daar uit het water omhoogstaken en lieten een donker, plassend spoor na in de verder zo stille, paarle-
moerachtige rivier.

Toen de mist optrok, zagen we een langgerekte strook water voor
ons uit die door een canyon van oerwoud voerde. De canyon zette
zich eindeloos voort, de ochtend warmde op tot middag, de middag
smoorde ons in zijn gloeihitte, de hitte nam af en de laatste uren
daglicht braken aan. We zagen niemand – tot na drieën 's middags.

'*Mondele!* Wat kom jij hier doen?' Vanuit een dorp bestaande uit
hutten met strodaken kwam een man op hoge poten naar de oever,
zijn buik achterna. In zijn buurt verzamelden moeders hun kinderen en renden met hen naar de hutten. Desi keek op en wisselde enkele woorden in het Lingala met hem. Hoge-poten begon zich vreselijk op te winden; al schreeuwend sloeg hij tegen zijn borst. Hij
was de *mokonzi ya mboka* (het dorpshoofd), verklaarde hij, en wij bevonden ons in verboden gebied. Desi vermocht hem niet tot bedaren
te brengen; we dreven uit zijn gezichtsveld weg en niemand kwam

ons achterna. Maar binnen een uur kwamen we nog andere dorpen tegen en het geschreeuw en gevraag nam alleen maar toe.

Ik vroeg Desi of de klachten van de dorpelingen hem iets wijzer hadden gemaakt wat onze positie betrof. Hij wees naar de beboste oever ter rechterzijde en zei doodleuk, zonder enige verwijzing naar zijn eerdere ontkenningen: 'Ja, dat is Île Sumba.'

Van alle mogelijke routes die we op onze tocht van bijna achttienhonderd kilometer hadden kunnen nemen, waren we erin geslaagd juist die eruit te pikken waarvoor we zo gewaarschuwd waren: de *rivière* achter Île Sumba. De *rivière* was niet breed genoeg om ons in het midden de privacy te bieden die andere doorgangsroutes wel boden; ik zat volledig te kijk, object van vijandige uitroepen en waarschuwingen om terug te gaan. Bij dorpshoofden die geacht werden hun onderdanen te beschermen kon de samenstelling van ons team niet anders dan bezorgdheid wekken: een gewapende Afrikaan die niet tot hun stam behoorde en niet uit hun gebied kwam, een gewapende soldaat van het gehate regime, en een ongetwijfeld *méchante mondele*, die gedrieën opdoken in een streek waar zich alleen plaatselijke bewoners plachten te vertonen.

Volgens de kaart moesten we zo'n veertig kilometer *rivière* afzakken voordat we ergens bij het dorp Makanza in de hoofdstroom van de rivier uitkwamen. Toen we stroomopwaarts voeren had ik in Makanza een weg gezien.

'Desi, die weg bij Makanza – waar gaat die naartoe?'

'Naar Bonsambo.'

'Waar ligt dat?'

'Een paar kilometer van Makanza.' Hij begreep waar ik op doelde. 'Daar kun je niet verder.'

Tegen zonsondergang, op een moment dat het onplezierige vooruitzicht om te midden van kwaaie dorpelingen te moeten overnachten ons door het hoofd spookte, kwamen we een Ngombe-visser met een Ford Motors-pet op tegen, die samen met zijn zoon in stroomopwaartse richting peddelde. Ze lachten me toe en staarden me aan, kwamen langszij en hielden op met peddelen, zodat ze met ons mee terug stroomafwaarts gingen.

'Wat doet die mondele hier?' vroeg de man aan Desi, terwijl zijn verwonderde ogen op mij bleven rusten.

Desi legde uit wat we aan het doen waren en leunend op hun peddels wisselden hij en de visser allerlei vragen en antwoorden uit. Tijdens hun gesprek hoorde ik verscheidene malen een Lingala-woord vallen dat ik nooit eerder had gehoord – maswa. Desi raakte helemaal opgewonden en Amisi draaide zich om en luisterde vol interesse toe. Toen hadden ze het over de Colonel Ebeya: dat was de maswa – de boot! De Colonel Ebeya zou over een paar uur langs La Gare komen, vertelde de visser, een plaats op de noordelijke oever, en hij was op weg naar zijn dorp om de vis op te halen die hij aan boord wilde verkopen. Hij moest nog een eind varen en zou de boot misschien missen, maar wij zouden hem zeker kunnen halen. Hoe moesten we via Île Sumba naar La Gare komen? Ik vroeg het hem in het Frans en Desi vertaalde mijn vraag en voegde er nog aan toe: 'Is er een manier om het eiland te doorkruisen? En kreek of kanaal misschien?'

Zijn antwoord was kort en ontkennend: 'Te.' Maar hij begon met zijn hand uitgebreide lussen te tekenen om uit te leggen hoe we er over het water konden komen; zijn stem rees en daalde terwijl hij een zo te horen zeer gecompliceerde reeks bochten en wendingen beschreef. Ik bestudeerde de kaart. La Gare stond er niet op, maar wel vier visvormige eilandjes die we laverend dienden te passeren om bij de noordoever uit te komen. Uit wat hij vertelde viel af te leiden dat La Gare zich iets ten oosten van de rivier de Mongala bevond. De dorpeling duwde zich met zijn prauw af van onze romp, en spoorde ons met een glimlach aan om op te schieten. Hij en zijn zoon legden al hun kracht in de slagen en trokken de prauw sprongsgewijs meter voor meter tegen de stroom op.

Wij dreven met de stroom mee. Ik keek naar Desi. 'Wat vind jij?'

'Ik wil de boot bereiken. Maar ik ben moe.'

'Nou, we kunnen twee dingen doen: of we peddelen uit alle

macht, hoe maakt niet uit, en we bereiken La Gare, of we doen niks en dan...'

Desi kwam overeind en draaide de boot, zodat de punt stroom-opwaarts wees. Amisi pakte zijn peddel en ik ook. Na een kort gebed liet Desi zijn peddel in het water zakken en riep: '*Allons-y!*'

Met inzet van al onze spieren worstelden we met de peddels tegen de stroom in; we zweetten en beefden van inspanning. Ik ging verzitten om meer kracht in mijn slagen te kunnen leggen en werd bij elke slag bijna opgetild. We peddelden de punt van het eerste eiland voorbij, rustten daar even terwijl de stroom ons over een kleine afstand meevoerde. Desi gaf het op. Hij moest kokhalzen en zag heel bleek.

'Als je niet meer kunt peddelen, Desi, stuur dan alleen maar. Amisi en ik peddelen wel.'

Hij bracht zijn peddel nu eens rechts dan weer links in het water en peddelde zoveel hij kon met ons mee. We voerden de manoeuvre drie keer uit. Uiteindelijk kwamen we uit in een groot bekken.

De zon ging onder in een roodpurperen gloed en de muskieten zwermden gonzend op, omhulden ons met een ondoordringbare wolk, verstopten onze neusgaten, oren en mond. We spuwden ze uit, we peddelden, we mepten in het rond. Boven ons strekte de melkweg zich als een glinsterende sterrenzee uit aan de inktzwarte hemel, maar nergens ontdekten we iets dat op de kop van het vierde eiland leek, laat staan de levendige kade die La Gare naar mijn idee moest zijn.

Weldra kwamen we tot de conclusie dat we alweer verdwaald waren, ronddobberden in de tropische duisternis tussen vlekjes sterrenlicht die weerschenen in de rivier. Het was al bijna drie uur geleden dat we de visser hadden gesproken; de *Ebeya* zou nu elk ogenblik langs kunnen komen.

'Ik kan niet meer,' zei Desi. Hij braakte over de zijkant van de boot. 'Ik... eh, het spijt me. Ik ben kapot. Het spijt me.' Hij legde zijn peddel neer en liet zich achter in de boot zakken.

Ik was des duivels. Met een sprong kwam ik overeind. 'Desi, als je nu niet doorpeddelt ga je dood! We hebben geen tijd te verliezen! Zo dicht bij ons doel kun je het niet opgeven! Sta op!'

Ik wierp een woedende blik op Amisi. Amisi begon in het Lingala tegen Desi te ketteren en sloeg zelf aan het peddelen. Amisi en ik peddelden heel hard, maar onze gezamenlijke inspanningen waren niet toereikend om het laatste eiland te vinden. Onze hoop vervloog, we gaven het op en lieten ons meedrijven op de stroom.

Uren van moedeloos zwijgen vergleden: er viel niets meer te zeggen. Maar rond middernacht zagen we een bleekgrijze langwerpige massa uit het duister opdoemen. Desi richtte zijn hoofd op en sprak er met zachte stem tegen: 'We zijn op zoek naar La Gare. Kunt u ons alstublieft helpen het te vinden?'

De stem van een lichaamloze man antwoordde: 'Dan bent u op de goede weg. Dit is de vaargeul. Ik ben ook op weg naar La Gare. Het ligt even verderop. Volg ons maar.'

De grijze langwerpige massa bleken twee aan elkaar gebonden kolossale prauwen te zijn, beladen met gerookt vlees. Weldra kwamen er vanuit verborgen rivierarmen in het oerwoud nog andere grijze rechthoeken aandrijven. We vormden gezamenlijk een stoet die zich in stilte voortbewoog, een stilte die alleen af en toe verbroken werd door een zachte stem of het zwiepen van een peddel. Maar hoe we ook ons best deden om bij te blijven, langzamerhand losten de andere prauwen op in de maanloze nacht.

Twee uur later zagen we een vage witte streep – een zanderige open plek bij een dorp. We hoorden stemmen. La Gare. We legden aan tussen een hele groep op het strand getrokken prauwen en zetten onze netten op. Desi zag asgrauw; hij kromp ineen van de buikpijn en zweette van de koorts. Ik tuurde in het duister in de hoop het dansende zoeklicht van de *Ebeya* in de lucht boven het water te ontwaren, en wachtte.

De volgende dag omstreeks het middaguur stegen van stroomopwaarts kreten op, vreugdevol 'Eeyah!'-geroep dat weergalmde tussen de oevers en door vissers nabij en veraf werd overgenomen. Desi hief zijn hoofd op. De dorpelingen kwamen hun hutten uit. Kinderen renden over de oever en sprongen in hun prauw. De *Colonel Ebeya*.

Om een bocht in de verte kwam met een sloom vaartje van tussen de tien en vijftien kilometer een geweldige ratjetoe aan vaartuigen aangetuft – zes, zeven schuiten van een of twee verdiepingen, allemaal verbonden met één enkele krakkemikkige *pousseur*: hetzelfde lompe flottielje dat we bijna drie weken eerder hadden aanschouwd in de buurt van Kisangani, op onze eerste ochtend in de prauw. De rivierboot zou niet stoppen en om aan boord te komen zouden we al varend een gevaarlijke aanlegmanoeuvre moeten uitvoeren – een kunststukje waarvoor Amisi en ik het peddelaarsvak lang niet genoeg beheersten en waarvoor Desi de kracht ontbrak.

Ik sprong op en rende naar de dorpelingen. Ik liet ze een vuistvol zaïres zien. 'Alstublieft! Help ons naar de *maswa* te peddelen! Alstublieft!'

Ze keken me verwonderd aan, maar verroerden verder geen vin.

'Alstublieft!' Ik wapperde met de biljetten. '*Nalingi kokende na maswa!*'

Eindelijk stond de potigste man van het stel op en knikte dat hij zou helpen. Hij riep een andere man uit een hut vlakbij. Desi en Amisi braken hun netten af en gooiden ze in de prauw en samen met onze beide helpers sprongen we aan boord. De een ging voorin staan, de ander begon achterin voor Desi te peddelen.

We waren niet de enigen die op weg gingen naar de vaargeul. Als een school zenuwachtige vissen zwermden van alle kanten prauwen uit naar het midden van de rivier terwijl de *Ebeya* naderde; ze repten zich om aan bakboordzijde aan het gevaarte aan te meren.

De potige dorpeling die voor op de boeg zat, ineengedoken om zijn evenwicht te bewaren, schreeuwde ons in het Lingala aanwijzingen toe en gaf met wuivende bewegingen aan wanneer we rechts en wanneer we links moesten peddelen. Terwijl de *Ebeya* naderbij kwam, kregen we er steeds beter zicht op: het was een varende woonkazerne met eenheden van roestige schuiten; aan de hutten hing was te drogen, de dekken wemelden van de kooplieden, vastgebonden antilopen en geketende apen; in zijn kielzog voerde hij tientallen prauwen mee, beladen met krokodillen, varkens, vis en fruit. Zelfs op het dak waren passagiers opeengepakt. We begonnen hem in te halen, doorsneden de kam van het zog, volgden de aanwijzingen van de man voor in de boeg.

Hij wees naar een vrije plek bij de *pousseur* en schreeuwde: 'Kuna! Kuna!'

We gingen sneller peddelen, in lage zit, bonkend over de golven. Passagiers kwamen naar de reling gesneld en begonnen aanmoedigingen te schreeuwen. Het water vlak naast de boot kolkte woest en dreigde onze prauw om te trekken.

Op ongeveer een meter afstand van de *pousseur* sprong de dorpeling met onze boegketting in zijn linkerhand aan dek, zich met zijn rechterhand vastgrijpend aan de reling. De achterblijvende prauw trok de ketting strak en rukte aan zijn arm, maar twee andere mannen aan dek grepen de ketting nu ook beet en slingerden hem om een lat van de reling. En toen, eindelijk vast, bonkten we tegen de romp van de *pousseur*.

Handen strekten zich naar ons uit en trokken ons aan boord. Om ons heen vormde zich een dichte groep die ons naar het kantoor van de eerste stuurman stuwde, waar ik na lang wachten op de juiste officiële persoon twee kaartjes naar Kinshasa en een (voor Amisi) naar Mbandaka kocht.

En zo, zevenhonderdvijfenvijftig kilometer van Kisangani verwijderd, eindigde mijn expeditie.

Zonsondergang boven de Kongo

Terug naar Mbandaka

DE ZON OMHULDE DE EBEYA MET ZIJN GLOED. KAKKERLAK-
ken renden heen en weer over de met schimmelplekken bezaaide
wanden van mijn hut. In mijn toilet huisde een rat; uit mijn kleer-
kast kwam een hagedis gesprongen. Van het eten dat ik in de eet-
zaal nuttigde werd ik ziek. Er was hier geen sprake van een beschut
plekje op het dak onder de blote hemel, zoals op de boot van de kolonel. En van de eenzaamheid zoals we die op de tocht per prauw
hadden ervaren was hier ook niets te vinden: de Ebeya vervoerde vier-
duizend mensen; er waren geen rustige hoekjes, maar alleen einde-
loze doolhoven van stalletjes met koopwaar, bierkraampjes, ver-
wurgde antilopen, aan houtblokken vastgesnoerde krokodillen,
uitstallingen van voor de verkoop bestemde vleermuizen, ratten en
vis, slechtgeluimde militairen en schaamtelozen hoeren. En dan te
bedenken dat de reis naar Kinshasa een week of twee zou duren, of
nog langer. Langer nog, ja: de eerste avond dat we aan boord waren,
brak een van de schuiten los van de pousseur en raakte op drift, zwalkend tussen de beide oevers. Toen het gebeurde, had de kapitein het
niet in de gaten en de bemanning evenmin, en zo waren we er de volgende ochtend een tijd naar op zoek, stroomop- en stroomafwaarts
tuffend, totdat we het ongelukkige vaartuig terugvonden, vastgelo-
pen tegen de kust van een eilandje. Er was voor mij, kortom, op de
boot geen vertroosting te vinden. Ik stond dan ook urenlang over de
reling naar het oerwoud te turen, geheel murw, wensend dat er een
einde aan kwam.

Desi daarentegen knapte helemaal op. Hij had poedertjes geslikt die hij van vrouwen op het dek had gekocht en voelde zich weer vrolijk en kiplekker. Ik wist dat het de juiste beslissing was geweest om ter wille van hem de expeditie af te blazen. Maar toch zat de mislukking me flink dwars en probeerde ik te ontkennen wat me een tijdje later zo klaar als een klontje leek: dat ik Zaïre had misbruikt als een speelplaats om mijn existentiële dilemma's – de dilemma's van een rijkeluiskind – tot een oplossing te brengen.

Drie dagen na onze redding klopte Desi bij me aan. Hij was nog steeds één bonk opgewektheid. Ik wist niet zo goed raad met hem en zijn pasverworven joligheid. Toen ik hem zag, welde er ineens woede in me op, woede met een egoïstische inslag: waarom had hij niet gewoon meteen verteld dat hij ziek was? Het was een vraag waarop ik zelf ogenblikkelijk het antwoord wist: dan zou ik hem niet hebben aangenomen. Daarom. Toch zat het me dwars.

Hij kwam binnen. 'Bent u kwaad?'

'Ik ben blij dat het weer goed met je gaat.'

'Bent u boos op me?'

'Desi, alsjeblieft...'

'Maar bent u kwaad op me?'

'O, Desi, hou eens op! Ik ben vijf maanden bezig geweest met deze tocht voor te bereiden, erover te denken, plannen te maken en te dromen. Ik heb jou ingehuurd om me de weg naar Kinshasa te wijzen. Ik zou ook graag denken dat dit Gods wil was, zoals jij altijd zegt.'

Hij keek droefgeestig naar zijn voeten. 'En dus... en dus... betaalt u niet, of wel?'

Dus daar kwam die droefgeestigheid vandaan.

'Natuurlijk betaal ik je wel! Dat hadden we toch afgesproken?' Ik pakte ons contract erbij. Ik overhandigde hem zijn honorarium, het extra geld dat hij me in Lisala had afgetroggeld, plus genoeg zaïres voor voedsel en de terugreis per boot. Hij telde de biljetten na en keek toen op.

'En... en?'

'En wat?'

'En wat gaat u doen met de prauw en met uw andere spullen?'

'Die zijn allemaal van jou.' Ik gaf hem de sleutel van het slot aan de boegketting. De rest van de spullen, afgezien van de persoonlijke bezittingen die ik bij me had toen ik Zaïre binnenkwam, lag toch al bij hem in de hut.

Zonder verder nog iets te zeggen draaide hij zich om en liep mijn hut uit.

Weldra werd er opnieuw geklopt.

Amisi kwam binnen en ging zitten. Ik betaalde hem zijn salaris, gaf hem een bonus en daarnaast geld voor de terugreis per boot naar Lisala en voor eten onderweg. Hij pakte de zaïres aan, telde ze tweemaal en stopte ze in een zijzak van zijn werktenue. Maar hij bleef zitten.

'Nou, Amisi, bedankt dat je je werk zo goed hebt gedaan.'

Hij keek nors, zijn ogen stonden donker.

'Wou je nog wat zeggen, Amisi?'

Hij haalde het geld weer uit zijn zak en telde het met iets van walging in zijn blik nog een keer na. 'Geef me meer geld.'

'Ik heb je gegeven wat we hadden afgesproken, plus je bonus.'

'Maar ik wil meer.'

Er werd alweer op mijn deur geklopt. Dit keer was het de eerste stuurman. '*Monsieur*, we hebben op de brug een probleem met een paar *mondele*'s. Wilt u ons komen helpen alstublieft?'

Amisi zuchtte en liep hoofdschuddend de deur uit. Ik deed mijn hut op slot en volgde de eerste stuurman naar de brug.

Op de brug stonden drie Spanjaarden die pogingen deden om een gesprek te voeren met de kapitein, die echter alleen Frans sprak. Een van hen, een man met een baard, deed een stap in mijn richting en sprak me in het Engels aan. 'Alstublieft, kunt u voor ons vertalen? We hebben een dringend probleem. We proberen de kapitein al een hele tijd aan zijn verstand te brengen dat we onze vlucht naar Spanje missen als we over drie dagen niet in Kinshasa zijn. Hij zegt dat de boot daar pas over een week aankomt, maar ze zijn nu al twee we-

ken achter op het schema. Ons probleem is dat we een speciaal ticket hebben. Als we het vliegtuig niet halen, is het niet meer geldig.
En we hebben geen geld meer. En dan zitten we hier vast.'

De kapitein had begrip voor hun situatie, maar, zei hij, het was onmogelijk de *Ebeya* sneller te laten varen. Als om zijn woorden te illu-
streren raakte een van de schuiten los van de *pousseur* en begon traag
wentelend richting oever te gaan. De bemanning was in rep en roer;
de kapitein deelde bevelen uit; de *pousseur* begon aan een draai om bij
de schuit te komen. De Spanjaarden hieven hun ogen ten hemel en
het was opnieuw de baardman die sprak: 'Nou, dit is dus echt de laatste keer dat we onze vakantie in Zaïre doorbrengen! Kunt u niets doen?'

Van de bemanning kwam ik te weten dat er vanuit Mbandaka eens
per week een vliegtuig van Air Zaire naar Kinshasa ging. En toen bedacht ik dat ik die vlucht ook wel wilde nemen – ik had mijn buik vol
van de rivier. We zouden de volgende dag in Mbandaka aankomen
en het vliegtuig ging de dag daarop.

'We kunnen met z'n allen de Air Zaire-vlucht naar Kinshasa nemen,' zei ik tegen de Spanjaarden.

De *Ebeya* haalde de afgedreven schuit in, die weer werd vastgemaakt. Ik begon een speurtocht naar Desi (ik wilde hem bedanken
en hem ervan verzekeren dat ik het hem niet kwalijk nam dat hij ziek
was geworden), maar kon hem niet vinden en ging terug naar mijn
hut om mijn spullen te pakken; misschien kwam hij wel bij mij langs,
dacht ik.

Dat deed hij niet en toen de *Ebeya* in de middag van de volgende dag
de haven van Mbandaka binnenliep, had ik hem nog steeds niet gevonden. Na het aanleggen speelden zich op de rivierboot en de kade
de gebruikelijke taferelen af: soldaten knalden met hun zweep; passagiers liepen verwondingen op; dragers wankelden onder onvoor-
stelbare lasten; er werd geduwd en geschreeuwd, gezweet en met de
vuisten gewerkt. Met onze tassen als een ram voor ons uit liepen de
Spanjaarden en ik de boot af en baanden ons een weg door de kolkende mensenmassa.

In de buurt van de havengebouwen waren we erdoorheen. Ik voelde iemand schuchter aan mijn arm trekken. Het was Desi. Hij had de sleutel van het slot van de prauw in zijn hand; hij zag er eigenaardig beschroomd uit. Nu ik me in het gezelschap van andere *mondele*'s bevond, durfde hij me niet zo goed te benaderen.

Hij keek naar zijn voeten. 'Hallo.'

'Hallo. Hoe voel je je?'

'Best. Maar een officier van het leger hier denkt dat er tijdens onze expeditie iemand is omgekomen. Er gaan allerlei geruchten.'

'Ik zal ze wel vertellen dat niemand iets is overkomen. Maar Desi, ik wou je nog iets zeggen. Ik geloof... ik...'

Hij draaide zich om en snelde weg in het gedrang.

'Desi!'

Hij was verdwenen.

De Spanjaarden wilden dat ik opschoot – we moesten het kantoor van Air Zaire voor sluitingstijd zien te vinden. Ik deed wat ze vroegen, ondanks mijn schuldgevoel wilde ik me er op dat moment liever niet in verdiepen waarom hij was weggerend, ik wilde alleen zo snel mogelijk weg van de rivier en weg uit Mbandaka.

Ik zou Desi niet meer terugzien.

We liepen over de kade naar het kantoor van Air Zaire, een bescheiden winkelpand aan een met palmen omzoomde, autoloze hoofdstraat. Op een zwart bord bij het raam stond met krijt aangekondigd dat er de volgende dag om twee uur een vlucht naar Kinshasa was.

Een klein mannetje met een brutale oogopslag kwam aangesneld; hij droeg een kek safaripak en een donkere zonnebril en stelde zich voor als de directeur van Air Zaire in Mbandaka. 'Wilt u tickets kopen? Uitstekend! Alstublieft, komt u binnen in ons kantoor! Ik zal u met genoegen tickets naar Kinshasa verkopen.'

Hij rende naar binnen en gleed achter zijn bureau. De Spanjaarden waren opgetogen, barstten in staccato Spaanse jubelkreten uit en veegden collectief het zweet van hun voorhoofd: pfff, eindelijk was hun probleem opgelost.

De directeur schreef de tickets eigenhandig uit, besteedde veel aandacht aan de spelling en de spaties tussen de cijfers, keek in zijn handboek de juiste codes na en controleerde de prijs aan de hand van een tarievenlijst. Alles was dik in orde. Hadden we soms een logeeradres nodig? Nu hij het zo vroeg: ja. Hij kon twee van ons onderbrengen in zijn eigen huis, naast het kantoor. De twee anderen konden terecht bij een plaatselijke predikant. Zielsgelukkig gaven de Spanjaarden zich in koor over aan uitingen van *muchísimas gracias*.

Terwijl de directeur zijn nering afsloot, stonden wij ons voor het kantoor te verheugen over de geweldige mazzel die we hadden gehad. Er passeerde een Indiase man in een lang blauw gewaad. Hij bleef staan, groette en vroeg toen op droefgeestige toon of hij ons van dienst kon zijn.

'Nee hoor, dank u wel,' antwoordde ik. 'Wij hebben zoëven tickets naar Kinshasa gekocht.'

'Wat voor tickets?'

'Vliegtickets. Van Air Zaire.'

'Wie heeft u verteld dat Air Zaire vluchten naar Kinshasa verzorgt?'

'De directeur zelf.'

'Heeft de directeur u tickets verkocht? Ach ja, dat doet hij weleens.' Zijn hoofd zwaaide heen en weer. 'Maar, mijn beste meneer, dat vliegtuig gaat niet, dat vliegtuig gaat zeer beslist niet. Probeert u maar gauw uw geld terug te krijgen – heel gauw – en ga dan terug naar de *Ebeya*.'

Juist op dat moment klonk het getoet van de vertrekkende *Ebeya*.

'O-o-o-o-o, beste meneer toch!' zei de Indiër fronsend. 'Ik heb erg met u te doen!' Met heen en weer zwaaiend hoofd vervolgde hij droefgeestig zijn weg. 'Hee-eel erg!'

Die gekke Indiër had geen idee waar hij het over had, snauwde de directeur toen ik hem vroeg of het waar was wat hij gezegd had. En wat dachten we van een avondje Chez Tatine?

De volgende morgen sleepten we met een hoofd dat bonkte van Chez Tatine onze bagage naar het kantoor, vanwaar we om elf uur naar het vliegveld vervoerd zouden worden. Het werd elf uur, het werd kwart over elf. Het werd half twaalf, maar er verscheen geen auto, geen vrachtwagen, geen bus, niets. Ik liep het kantoor van de directeur binnen om te vragen wat er aan de hand was.

Hij greep naar zijn haren. 'Maak u maar geen zorgen! Ik ben via de radio op zoek naar ons vliegtuig! Wat zouden ze met dat vliegtuig hebben uitgehaald?'

'U bent op zoek naar het vliegtuig?'

'Het had een uur geleden moeten aankomen. Maar ach, *pas de problème!* We vinden het wel. Het had uit Kisangani moeten vertrekken, maar nu is er enige verwarring of het soms uit Kinshasa is vertrokken. Of dat het vanuit Lubumbashi in Kinshasa terecht is gekomen. Of, wat ook zou kunnen, dat het misschien nog in Gbadolite is. Maar we vinden het wel, hoor, reken maar! U vliegt straks echt naar Kinshasa! Let maar niet op wat die Indiërs zeggen!'

Om één uur liepen de Spanjaarden in de verpletterende hitte rondjes om hun tassen te draaien. Ik was al verschillende malen het kantoor binnengelopen om te vragen of het vliegtuig al gelokaliseerd was, en steeds had de directeur me bij hoog en bij laag verzekerd dat de vlucht volgens schema zou vertrekken. Dit keer gaf hij echter toe dat het er... ah, nou, hm, eh... naar uitzag dat het vliegtuig 'un pé en retard' zou zijn, zoals hij het delicaat uitdrukte. Onder andere omstandigheden zou ik me hebben opgewonden, maar na alles wat ik op de Kongo had doorstaan, maakte het me echt geen fluit uit. Ik haalde mijn schouders op en liep terug naar de Spanjaarden, die steeds paniekeriger stonden te rebbelen. Als er geen vliegtuig ging, hoe moesten ze die dag dan nog in Kinshasa komen? Wie weet werd het pas volgende week of zelfs volgende maand. Ik zei voor de grap dat ik geleerd had hoe je een prauw moest besturen en bood hun mijn diensten aan. Ze konden er totaal niet om lachen.

Juist op dat moment kwam de Indiër over de weg aanstiefelen; hij gaf uitgebreid uiting aan zijn medeleven. 'Un pé, ja!' zei hij na mijn verslag te hebben aanhoord. 'Mijn beste meneer, er komt helemaal geen vliegtuig van Air Zaire, vandaag niet en nooit niet. Vraag hem maar eens wanneer er voor het laatst een vliegtuig is gegaan.'

Ik liep naar binnen en stelde de vraag.

'Oké, oké,' zei de directeur, 'u hebt toch weer met die Indiërs gepraat. We hebben in het verleden weleens wat probleempjes gehad, ja. Nou en? Ze blijven ons daar maar aan herinneren.'

'Nou goed, maar wanneer was die laatste vlucht dan?'

Hij stak zijn vingers in de lucht en begon te tellen. 'Ik kan er een paar dagen naast zitten, maar eh... zeg dat de laatste vlucht ongeveer, mmm, zo grofweg rond, nee, even denken, uhh... niet vorige maand, uhh... en ook niet de maand ervoor, maar uhh... misschien was het vorig jaar, maar uhh...'

De Spanjaarden ontvingen dit nieuws met ongeloof en een verzameling krachttermen; de directeur gaf ons bedroefd ons geld terug. De Indiër daarentegen toonde zich onverstoorbaar. 'Maar heren, alstublieft, City Express is er ook nog. Die wordt geleid door een Belg. Vanmiddag om drie uur kunt u met City Express naar Kinshasa vliegen. Ik regel het voor u.'

'Waarom hebt u ons niet eerder over City Express verteld?' vroeg ik.

'Waarom zou ik dat doen, meneer? U geloofde toch in Air Zaire?'

Om drie uur 's middags vertrok het straalvliegtuig van City Express met ons aan boord uit Mbandaka, en zwenkte naar het zuidwesten, richting Kinshasa. Ik maakte het me gemakkelijk in mijn stoel en keek uit het raampje. De Kongo, bruin als koffie met melk, leek geen rivier, maar een meer met daarin verspreide stroken woud, en voorbij de koffie met melk strekte zich het groen van het woud uit, eindeloos, zonder enige variatie, van horizon tot horizon. Het was alsof zoiets als mensheid of beschaving niet bestond, alsof we in de Juraperiode de lucht ingingen en tussen het bladerdak plotseling de kop van een brontosaurus konden zien verschijnen, of een kolossale *Tyrannosaurus rex* die door de wildernis denderde.

Anderhalf uur later, vlak voor de landing, kwam de rivier weer onder ons in beeld, weids en blauw bij Malebo Pool, maar verderop kronkelend op weg naar de cataracten in het zuiden. Toen daalden we af in de nevelen van Kinshasa, afkomstig van brandend afval in de bidonvilles, we maakten een bocht in de richting van de Quonset-hutten en de landingsbaan van het vliegveld en kwamen horizontaal om te landen.

Epiloog

Toen ik in Kinshasa aankwam was de kolonel nog bezig met zijn boot de Kongo af te varen, en toen ik er wegging was hij nog niet gearriveerd. Marc, George en André zag ik wel, op de bank, en we zeiden elkaar gedag. Ze wilden niet dat ik nog een keer in mijn eentje Ngobila Beach trotseerde; ze leenden me hun in een chic pak gestoken en met veel goud getooide *protocole* (een voormalige Zaïrese militair van hoge rang die tot taak had zich uit naam van de bank met de bureaucratie bezig te houden) die me, zwaaiend met een automatisch geweer, rap en zonder problemen langs de douane loodste en op de veerboot naar Brazzaville zette. En dat was dat: ik was weg uit Zaïre.

De eerste paar maanden na mijn vertrek uit Centraal-Afrika keerde ik geregeld naar de rivier de Kongo terug in nachtmerries, in visioenen van zich eindeloos vertakkende waterwegen, schreeuwende dorpelingen en een hemel vol donderkoppen, weerlichtend van de bliksem. Als ik dan wakker werd, stak meteen mijn verdriet en schuldgevoel om Desi weer de kop op: ik vond dat ik me tegenover hem veel te hardvochtig had gedragen. Waarom had hij me in Mbandaka zo plotseling de rug toegekeerd? Waarom was het me nooit gelukt hem te begrijpen of werkelijk te accepteren? Waarom was ik tegenover hem niet wat edelmoediger geweest? Hij had toen hij voor me werkte zijn leven geriskeerd, en vervolgens was ik zomaar weggevlogen. Ik wilde meer voor hem doen (al wist ik niet wat); ik wilde hem helpen. Als ik de kolonel nog had kunnen spreken, had die Desi misschien voor me kunnen opsporen en hem een boodschap of geschenk van mij kunnen doorgeven. Maar dat gebeurde niet en bovendien was ik ook niet zo rijk dat ik iets voor hem had kunnen doen waar hij blijvend wat aan zou hebben. Hij zou in Zaïre blijven en van de hand in de tand leven, een harde strijd voeren om zijn familie en zijn kerk te onderhouden, met niets anders om op terug te vallen dan de rivier en zijn geloof.

Niettemin spoorde mijn schuldgevoel, plus de knagende onvrede over de mislukking, me aan om op een of andere manier terug te keren, een andere expeditie op touw te zetten en opnieuw te proberen de rivier af te varen. De onderneming zou heel goed kunnen slagen als we met meer mensen, meer prauwen en meer voedsel op weg zouden gaan. Ik zou Desi inhuren als gids voor de Lokele-streek waar hij zelf vandaan kwam, en voor het gedeelte van Bumba naar Mbandaka een Bangala zoeken. Maar als ik dacht aan wat ik had doorstaan, leek een herhaling van de onderneming een lichtzinnige uitdaging van het lot. Bovendien moest ik ook terugdenken aan de reacties van de mensen langs de rivier: moeders die hun kinderen grepen en met hen wegrenden; de onoverkomelijke achterdocht en de vijandige manier waarop me steeds weer naar mijn bedoelingen werd gevraagd; de algemeen heersende opvatting dat ik een *méchante* diamantenprospector was, een huurling, een *touri* met een Motorola. Het zat me dwars dat ik zo gezien werd en het drukte me er met mijn neus op dat de geschiedenis van Europeanen en Afrikanen, van blank en zwart in Afrika een diep litteken heeft nagelaten, dat in ieder geval in een deel van het continent nog maar nauwelijks is vervaagd. En hoewel de angstige ideeën van de Zaïrezen uit de steden over mensenetende Ngombe en Bangala me na mijn tocht over de rivier overdreven voorkwamen, hadden armoede en in het verleden gewortelde haat zeker aanleiding kunnen geven tot aanvallen op ons. Veilig reizen zonder gewapend geleide ging niet, maar reizen met een militair en een geweer bombardeerde me tot een gevreesde indringer. En omdat dat zo was, leek het me beter weg te blijven. Als de mensen op zichzelf wilden blijven, zou ik hen met rust laten.

In 1996 brak in Zaïre trouwens een oorlog uit die korte metten

maakte met elk plan om terug te keren. (In Brazzaville brak eveneens een burgeroorlog uit, die hiermee geen verband hield.) Een etnische opstand in het oosten van het land, gesteund door Uganda
en Rwanda en geleid door Laurent-Désiré Kabila, een marxistisch-
maoïstische protégé van Lumumba, de premier die in de jaren zestig door de Belgen en Mobutu werd vermoord, won aan kracht en
veranderde in een nationale campagne om Mobutu omver te werpen. In maart 1997 namen de troepen van Kabila Kisangani in en in
mei bereikten ze de buitenwijken van Kinshasa. Mobutu, die aan
prostaatkanker leed, vluchtte naar Gbadolite, zijn geboortedorp in
het regenwoud ten noorden van Lisala. Kabila's manschappen mar-
cheerden Kinshasa binnen zonder noemenswaardige tegenstand te
ontmoeten, en enkele dagen later vloog Mobutu, in zijn gehuurde
Antonov bestookt met een regen van kogels, weg van Gbadolite en
Zaïre – voorgoed. Later dat jaar stierf hij als balling in Marokko.

Kabila's opstand liep op een complete overwinning uit (want wie
vocht er nu voor Mobutu, die zijn eigen leger niet eens meer uitbe-
taalde?) en met veel steun van de bevolking kwam hij aan de macht.
Ogenblikkelijk probeerden westerse mijnbouwondernemingen bij
Kabila in het gevlij te komen en verscheidene westerse regeringen
verkondigden dat het vertrek van Mobutu een nieuw tijdperk in Zaïre
inluidde. Dergelijke verklaringen klonken uiteraard absurd gezien
Kabila's marxistisch-maoïstische ideologie, zijn verleden als *chef de
guerre* en de wijze waarop hij aan de macht was gekomen: via een gewapende opstand – allemaal factoren die erop duidden dat er voor
Zaïre in plaats van voorspoed alleen maar meer chaos in het verschiet
lag. Het was niet verwonderlijk dat Kabila allereerst de grondwet op-
schortte en alle politieke activiteit verbood; de aanvankelijke steun
van de Zaïrezen, die na tweeëndertig jaar dictatuur dorstten naar de-
mocratie, kalfde snel af. Ironisch genoeg gaf hij het land ook de
naam terug die het had gedragen voordat Mobutu het Zaïre noemde
– La République Démocratique du Congo –, ook al was het voormalige Belgisch Kongo nog even ondemocratisch als altijd.

Deze gebeurtenissen gaven me reden tot zorg omtrent de veiligheid van de kolonel. (Hij reageerde niet op de bedankbrieven die ik hem na mijn terugkeer in Moskou had gestuurd. De Zaïrese posterijen functioneerden toen nauwelijks, zodat ik geen flauw idee heb of ze hem wel hebben bereikt.) Tijdens de inname van Kinshasa door Kabila werd Tshatshi, de streek waar hij en Mobutu woonden, geplunderd. Veel leden van Mobutu's elite vluchtten per boot over de Kongo naar Brazzaville, anderen werden tijdens de vlucht door Kabila's troepen neergeschoten en een onbekend aantal van zijn getrouwen werd gemarteld, doodgeschoten, gelyncht of door woedende volksmassa's uiteengereten.

Toen, iets meer dan een jaar later, dreigde een nieuwe opstand Kabila uit het zadel te stoten, een opstand ondersteund door Rwanda en Uganda, die Kabila na zijn machtsovername tegen zich in het harnas had gejaagd. Deze opstand duurt nog voort: de strijd tussen door Rwanda en Uganda gesteunde rebellen aan de ene en Kabila's troepen aan de andere kant verloopt in golfbewegingen en heeft tot een opdeling van het land geleid. Op het ogenblik dat ik dit schrijf, eind 1999, is de noordoostelijke helft van voormalig Zaïre in handen van de rebellen, terwijl Kinshasa en het zuidwesten van het land beheerst worden door Kabila. De grote passagiersboten varen niet langer over de Kongo – de scheidslijn bevindt zich ten noorden van Mbandaka, in het oerwoud – met het gevolg dat er in Kinshasa voedseltekorten zijn ontstaan. Als Desi zich in Lokutu, Bumba of Lisala bevond toen de rebellen kwamen, zit hij daar nu waarschijnlijk vast.*

Ter afsluiting van mijn verslag kom ik terug op het persoonlijke vlak. Voor mijn expeditie had ik een beeld van de Zaïrese wildernis dat weliswaar anders was dan de idyllische olieverftaferelen van Europese romantici, maar op een andere manier verkeerd. Het exotische in Zaïre lokte me; het gevaar was een uitdaging; en ik had me het oerwoud voorgesteld als een soort uiterste waarin ik mezelf zou

---

* In januari 2001 werd Laurent-Désiré Kabila in zijn paleis door zijn eigen lijfwacht neergeschoten. Zijn zoon Joseph werd tot zijn opvolger benoemd. De situatie in Kongo blijft chaotisch. [vert.]

kunnen verjongen door te lijden, prestaties te leveren en mijn angst te overwinnen. Maar mijn theatrale poging tot zelfverwerkelijking stak onfatsoenlijk af bij het lijden van de Zaïrezen en het onrecht dat hun in het verleden was aangedaan. Nu lijkt dat me vanzelfsprekend, maar ik heb het pas leren zien doordat ik een prauw heb aangeschaft en geprobeerd heb daarmee de rivier af te zakken.

Toch heeft de hele onderneming me ook iets positiefs bijgebracht: dat ik waardeer wat ik heb en mijn best doe om het te behouden. Terwijl ik deze laatste woorden schrijf, krassen kraaien in de berijpte berken voor mijn raam in Moskou en is het wintersolstitium nabij. De Russische nachten zijn langer geworden, behaaglijk lang, zoals dat in de tropen niet voorkomt. Tatjana en ik zijn inmiddels getrouwd en ik ben nu eindelijk thuis en voel me gelukkig. De eindeloos veel goeds voorspellende *vozrast Christa* ligt achter me, maar de belofte van een nieuwe jeugd is ondanks de nodige tegenslagen en teleurstellingen in veel onvoorziene opzichten toch uitgekomen. Het beste dat we kunnen doen is onze boze geesten verjagen door in actie te komen, want de tijd is altijd kort en er valt veel te leren door ons leven te leven – al blijken de lessen ook vol pijn en verdriet.

Kijev, november 1998 – Moskou, december 1999